우루과이라운드

농산물 협상 3

우루과이라운드

농산물 협상 3

한국학술정보

| 머리말

우루과이라운드는 국제적 교역 질서를 수립하려는 다각적 무역 교섭으로서, 각국의 보호무역 추세를 보다 완화하고 다자무역체제를 강화하기 위해 출범되었다. 1986년 9월 개시가 선언되었으며, 15개 분야의 교섭을 1990년 말까지 진행하기로 했다. 그러나 각 분야의 중간 교섭이 이루어진 1989년 이후에도 농산물, 지적소유권, 서비스무역, 섬유, 긴급수입제한 등 많은 분야에서 대립하며 1992년이 돼서야 타결에 이를 수 있었다. 한국은 특히 농산물 분야에서 기존 수입 제한 품목 대부분을 개방해야 했기에 큰 경쟁력 하락을 겪었고, 관세와 기술 장벽 완화, 보조금 및 수입 규제 정책의 변화로 제조업 수출입에도 많은 변화가 있었다.

본 총서는 우루과이라운드 협상이 막바지에 다다랐던 1991~1992년 사이 외교부에서 작성한 관련 자료를 담고 있다. 관련 협상의 치열했던 후반기 동향과 관계부처회의, 무역협상위원회 회의, 실무대책회의, 규범 및 제도, 투자회의, 특히나 가장 많은 논란이 있었던 농산물과 서비스 분야 협상 등의 자료를 포함해 총 28권으로 구성되었다. 전체 분량은 약 1만 3천여 쪽에 이른다.

2024년 3월

한국학술정보(주)

| 일러두기

· 본 총서에 실린 자료는 2022년 4월과 2023년 4월에 각각 공개한 외교문서 4,827권, 76만여 쪽 가운데 일부를 발췌한 것이다.

· 각 권의 제목과 순서는 공개된 원본을 최대한 반영하였으나, 주제에 따라 일부는 적절히 변경하였다.

· 원본 자료는 A4 판형에 맞게 축소하거나 원본 비율을 유지한 채 A4 페이지 안에 삽입하였다. 또한 현재 시점에선 공개되지 않아 '공란'이란 표기만 있는 페이지 역시 그대로 실었다.

· 외교부가 공개한 문서 각 권의 첫 페이지에는 '정리 보존 문서 목록'이란 이름으로 기록물 종류, 일자, 명칭, 간단한 내용 등의 정보가 수록되어 있으며, 이를 기준으로 0001번부터 번호가 매겨져 있다. 이는 삭제하지 않고 총서에 그대로 수록하였다.

· 보고서 내용에 관한 더 자세한 정보가 필요하다면, 외교부가 온라인상에 제공하는 『대한민국 외교사료요약집』 1991년과 1992년 자료를 참조할 수 있다.

| 차례

<table>
<tr><td colspan="6">정 리 보 존 문 서 목 록</td></tr>
<tr><td>기록물종류</td><td>일반공문서철</td><td>등록번호</td><td>2019080088</td><td>등록일자</td><td>2019-08-13</td></tr>
<tr><td>분류번호</td><td>764.51</td><td>국가코드</td><td></td><td>보존기간</td><td>영구</td></tr>
<tr><td>명 칭</td><td colspan="5">UR(우루과이라운드) / 농산물 협상 그룹 회의, 1991. 전7권</td></tr>
<tr><td>생 산 과</td><td>통상기구과</td><td>생산년도</td><td>1991~1991</td><td>담당그룹</td><td>다자통상</td></tr>
<tr><td>권 차 명</td><td colspan="5">V.5 9-10월</td></tr>
<tr><td>내용목차</td><td colspan="5">* 2.26. TNC, Dunkel 사무총장 제안서 채택
4.25. TNC, 농산물 그룹 의장에 Dunkel 선임
6.12. Dunkel 현황 보고서 배포
6.24. Dunkel 대안(optional paper) 제시
8.2. Dunkel 대안(6.24.) 부록 배포
11.21. Dunkel working paper 제시
- 11.25. Dunkel 작업문 초안 관련 농림부 장관 서한 발송
12.13. Dunkel 의장 농산물 협상 협정 초안 배포
- 12.17. 민감품목 관세화 예외 인정 수정 제안 사무총장앞 서면 제출</td></tr>
</table>

0001

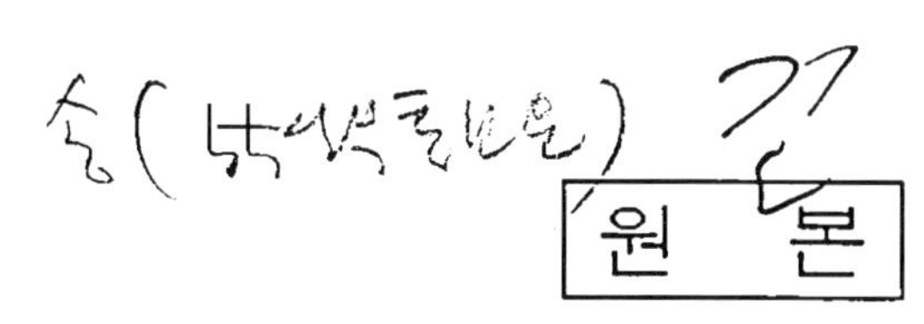

외 무 부

종 별 :

번 호 : GVW-1709 일 시 : 91 0910 1440

수 신 : 장 관(통기, 경기원, 농림수산부)

발 신 : 주 제네바 대사

제 목 : UR/농산물 협상

9.16 개최 예정 표제 주요국 비공식 회의 소집통지서를 별첨 송부함.

첨부: UR/농산물 협상 소집 통지서 1부

끝.

(GVW(F)-333)

(차석대사 김삼훈-국장)

통상국 2차보 경기원 농수부

PAGE 1

91.09.11 01:42 FG

외신 1과 통제관

0002

1991-09-10 14:45 KOREAN MISSION GENEVA 2 022 791 0525 P.01

GVW(U)-0333 10910 1440

SEP-10-'91 08:34 ID: 0041 22 731 42 06 TEL NO: GATT GENEVE #019 P01

"GVW-170 첨부"

GATT FACSIMILE TRANSMISSION

Secretary	Counsellor	Minister	Ambassador

Centre William Rappard
Rue de Lausanne 154
CH-1211 Geneva 21

Telefax: (022) 731 42 06
Telex: 412324 GATT CH
Telephone: (022) 739 51 11

TOTAL NUMBER OF PAGES 1
(including this preface)

Date: 10 September 1991

From: Arthur Dunkel
Director-General
GATT, Geneva

Signature:

To:

		Fax No:
ARGENTINA	H.E. Mr. J.A. Lanus	798 72 82
AUSTRALIA	H.E. Mr. D. Hawes	733 65 86
AUSTRIA	H.E. Mr. W. Lang	734 45 91
BANGLADESH	H.E. Mr. M. R. Osmany	738 46 16
BRAZIL	H.E. Mr. C.L. Nunes Amorim	733 28 34
CANADA	H.E. Mr. P. Gosselin	734 79 19
CHILE	H.E. Mr. M. Artaza	734 41 94
COLOMBIA	H.E. Mr. F. Jaramillo	791 07 87
COSTA RICA	H.E. Mr. R. Barzuna	733 28 69
CUBA	H.E. Mr. J.A. Pérez Novoa	758 23 77
EEC	H.E. Mr. Trân Van-Thinh	734 22 36
EGYPT	H.E. Dr. N. Elaraby	731 68 28
FINLAND	H.E. Mr. A.A. Hynninen	740 02 87
HUNGARY	Mr. A. Szepesi	738 46 09
INDIA	H.E. Mr. B.K. Zutshi	738 45 48
INDONESIA	H.E. Mr. H.S. Kartadjoemena	45 57 33
ISRAEL	Mr. A. Perry	798 49 50
JAMAICA	H.E. Mr. L.M.H. Barnett	738 44 20
JAPAN	H.E. Mr. H. Ukawa	788 38 11
KOREA	H.E. Mr. Soo Gil Park	791 05 25
MALAYSIA	Mr. Supperamanian Manickam	788 09 75
MEXICO	H.E. Mr. J. Seade	733 14 55
MOROCCO	H.E. Mr. M. El Ghali Benhima	798 47 02
NEW ZEALAND	H.E. Mr. A. Bisley	734 30 62
NICARAGUA	H.E. Mr. J. Alaniz Pinell	736 60 12
NIGERIA	H.E. Mr. E.A. Azikiwe	734 10 53
PAKISTAN	H.E. Mr. A. Kamal	734 80 85
PERU	Mr. J. Muñoz	731 11 68
PHILIPPINES	H.E. Mrs. N.L. Escaler	731 68 88
POLAND	Mr. J. Kaczurba	798 11 75
SWITZERLAND	H.E. Mr. W. Rossier	734 56 23
THAILAND	H.E. Mr. Tej Bunnag	733 36 78
TURKEY	Mr. O. Gökce	734 52 09
UNITED STATES	H.E. Mr. R.H. Yerxa	749 48 85
URUGUAY	H.E. Mr. J.A. Lacarte-Muró	731 56 50
ZIMBABWE	H.E. Dr. A.T. Mugomba	738 49 54

You are invited to an informal consultation on agriculture to be held at 11 a.m. on Monday 16 September in Room E of the Centre William Rappard. Attendance is restricted to two persons per delegation.

0003

PLEASE NOTIFY US IMMEDIATELY IF YOU DO NOT RECEIVE ALL THE PAGES

** OUR FAX EQUIPMENT IS HITACHI HIFAX 210 (COMPATIBLE WITH ...

송(주) 실무 정보(...)

원 본

외 무 부

종 별 :

번 호 : GVW-1722 일 시 : 91 0911 1830

수 신 : 장관(통기,경기원,농림수산부)

발 신 : 주제네바대사

제 목 : UR/농산물 협상

9.20.표제 공식회의가 개최될 예정인바, 회의소집 통지서를 별첨 FAX 송부함

첨부: UR/농산물 공식회의 소집통지서.(GVW(F)-0336).끝

(차석대사 김삼훈-국장)

통상국 2차보 경기원 농수부

PAGE 1

91.09.12 04:41 DQ

외신 1과 통제관

0004

GATT/AIR/3230 10 SEPTEMBER 1991

SUBJECT: URUGUAY ROUND NEGOTIATING GROUP ON AGRICULTURE

1. THE NEGOTIATING GROUP ON AGRICULTURE WILL MEET ON FRIDAY 20 SEPTEMBER 1991 AT 3 P.M. IN THE CENTRE WILLIAM RAPPARD.

2. THE FOLLOWING AGENDA IS PROPOSED FOR THE MEETING:

A. REPORT BY THE CHAIRMAN ON INFORMAL CONSULTATIONS;

B. OTHER BUSINESS.

3. GOVERNMENTS PARTICIPATING IN THE MULTILATERAL TRADE NEGOTIATIONS, AND INTERNATIONAL ORGANIZATIONS WHICH HAVE PREVIOUSLY ATTENDED PROCEEDINGS OF THIS NEGOTIATING GROUP, WISHING TO BE REPRESENTED AT THIS MEETING ARE REQUESTED TO INFORM ME AS SOON AS POSSIBLE OF THE NAMES OF THEIR REPRESENTATIVES.

A. DUNKEL

OBJET: NEGOCIATIONS D'URUGUAY - GROUPE DE NEGOCIATION SUR L'AGRICULTURE

1. LE GROUPE DE NEGOCIATION SUR L'AGRICULTURE SE REUNIRA AU CENTRE WILLIAM RAPPARD LE VENDREDI 20 SEPTEMBRE 1991 A 15 HEURES.

2. LES QUESTIONS QU'IL EST PROPOSE D'INSCRIRE A L'ORDRE DU JOUR SONT LES SUIVANTES:

A. RAPPORT DU PRESIDENT SUR SES CONSULTATIONS INFORMELLES;

B. AUTRES QUESTIONS.

3. LES GOUVERNEMENTS PARTICIPANT AUX NEGOCIATIONS COMMERCIALES MULTILATERALES, AINSI QUE LES ORGANISATIONS INTERNATIONALES AYANT DEJA ASSISTE AUX DEBATS DE CE GROUPE DE NEGOCIATION, QUI DESIRENT ETRE REPRESENTES A CETTE REUNION SONT PRIES DE ME COMMUNIQUER DES QUE POSSIBLE LES NOMS DE LEURS REPRESENTANTS.

A. DUNKEL

ASUNTO: RONDA URUGUAY - GRUPO DE NEGOCIACION SOBRE LA AGRICULTURA

1. EL GRUPO DE NEGOCIACION SOBRE LA AGRICULTURA SE REUNIRA EL VIERNES 20 DE SEPTIEMBRE DE 1991 A LAS 15 H EN EL CENTRO WILLIAM RAPPARD.

2. SE PROPONE EL SIGUIENTE ORDEN DEL DIA PARA LA REUNION:

A. INFORME DEL PRESIDENTE SOBRE LAS CONSULTAS INFORMALES;

B. OTROS ASUNTOS.

3. LOS GOBIERNOS PARTICIPANTES EN LAS NEGOCIACIONES COMERCIALES MULTILATERALES, ASI COMO LAS ORGANIZACIONES INTERNACIONALES QUE YA HAYAN ASISTIDO A LAS SESIONES DE ESTE GRUPO DE NEGOCIACION, QUE DESEEN ESTAR REPRESENTADOS EN ESTA REUNION TENDRAN A BIEN COMUNICARME LO ANTES POSIBLE LOS NOMBRES DE SUS REPRESENTANTES.

A. DUNKEL

91-1217

0005

기 안 용 지

분류기호 서번호	통기 20644-	(전화: 720 - 2188)	시 행 상 특별취급	
보존기간	영구. 준영구 10. 5. 3. 1.	차 관	장 관	
수 신 처 보존기간		전 결		
시행일자	1991. 9.13.			

보조기관			협조기관		문 서 통 제
	국 장			제2차관보	
	심의관				
	과 장				
기안책임자		송 봉 헌			발 송 인

경 유 수 신 참 조	건 의	발신명의		
제 목	UR/농산물 협상 회의 정부대표 임명			

91.9.16-20간 스위스 제네바에서 개최되는 UR/농산물 협상 회의에 참가할 정부대표를 "정부대표 및 특별사절의 임명과 권한에 관한 법률"에 의거 아래와 같이 임명할 것을 건의하오니 재가하여 주시기 바랍니다.

- 아 래 -

/뒷면 계속/

0006

1. 회 의 명 : UR/농산물 협상 회의

2. 회의기간 및 장소 : 91.9.16-20, 스위스 제네바

3. 정부대표

o 농림수산부 농업협력통상관 조일호

o 농림수산부 농업협력통상관실 사무관 이창범

o 주 제네바 대표부 관계관

o 한국 농촌경제연구원 부원장 최양부(자문)

4. 출장기간 : 91.9.14-22

5. 소요경비 : 소속부처 소관예산

6. 훈 령 : 별첨 ~~전문~~ 대책자료 참조. 끝.

0007

농 림 수 산 부

국협 20644-

503-7271

1991. 9. 13.

수신 외무부장관

참조 통상국장

제목 UR농산물그룹회의 참석

1. '91.9.16-20간 개최예정인 UR농산물그룹회의에 다음과 같이 당부대표를 파견코자 하오니 협조하여 주시기 바랍니다.

- 다 음 -

가. 당부대표단

구 분	소 속	직 위	성 명
대 표	농업협력통상관실	농업협력통상관	조일호
	"	행정사무관	이창범
자 문	한국농촌경제연구원	부원장(장관자문관)	최양부

나. 출장목적

○ UR농산물협상 그룹회의 참석

다. 출장기간 및 출장지

○ '91.9.14~9.22(9일간), 스위스 제네바

라. 소요경비 : $ 9,900 (농림수산부 부담)

첨부 1. 세부출장일정

2. 금차회의 참가대책 1부. 끝.

농 림 수 산 부 장 관

0008

대표단 세부 출장일정

o '91.9.14(토)	12:40	서 울 발(KE 907)
	17:55	런 던 착
	20:00	런 던 발(SR 837)
	22:30	제네바 착
o '91.9.15(일)		협상참가 대책회의
o '91.9.16-9.20		UR농산물그룹회의 참석
o '91.9.21(토)	10:50	제네바 발(LH 1855)
	12:15	런 던 착
	14:20	런 던 발(KE 916)
o '91.9.22(일)	09:50	서 울 착

0009

9. 16일 주간 UR농산물 회의참가 대책

I. 출장개요

1. 출장목적 : UR농산물그룹회의 및 한.미 양자협의 참석

2. 대 표 단

구 분	소 속	직 위	성 명	비 고
대 표	농업협력통상관실 "	농업협력통상관 행정사무관	조일호 이창범	
자 문	한국농촌경제연구원	부원장(장관자문관)	최양부	소요경비 당부부담 (일부 KEI부담)

3. 출장기간 및 출장지

   ㅇ 당부대표 : 9. 14 ~ 9. 22, 스위스

   ㅇ 최양부 부원장 : 9. 14 ~ 10. 4, 스위스, 미국

     - 농산물 그룹회의 참석후 미국을 방문, KEI 초청 제2차 한.미 경제심포지엄 (9.26~28)에 참석후 귀국

4. 소요경비

   ㅇ 여 비 : $ 9,900 (지변과목 : 1113-213)

   ㅇ 특별판공비 : $ 2,000 (지변과목 : 1113-234)

   ※ 부원장 소요경비중 항공료 일부 및 심포지엄 기간중 체재비는 KEI측 부담

0010

Ⅱ. 회의 참가대책

9.16 UR 농산물협상 대책

1. 금번회의 여건과 전망

< 협상자체의 여건 >

o Options paper 논의의 정리차원 협의→ ┌기술적 부속서 성격,역할논의
└각국의 기본입장 반영 및 조정

< 협상외의 여건 >

┌입장대립 국가간 정치적 타결모색 ┐→ ┌던켈의장의 향후 협상 진전 방향구상
└입장 유사국가간의 공동보조 강화 ┘ └미국등 협상주요국의 마무리 전략 추진

2. option paper에 대한 기술적 첨부문서 (Addenda)의 성격과 내용

가. 성 격

- o 외형적으로는 농산물협상그룹 의장자격으로한 개별적 보고
- o 실체적으로는 앞으로 협상을 이끌고 가고자 하는 의도를 암시
- o 대안중 기술적 토론이 깊이 진행될 사항 중심으로 정리
- o 3개 분야별로 Modality와 관련된 10개 중요쟁점 사항들을 나열식 형태로 정리

나. 내 용 (요약)

- o 대상품목 : 1~23류중 수산물제외, 잎담배, 유제품(카제인등), 피혁류, 양모, 면화포함
- o 국내보조 : Green Box, AMS의 정의, 동등한 약속의 정의, 개도국 우대
- o 국경보호 : 관세화의 지침, 최소시장접근약속, 개도국우대
- o 수출경쟁 : 수출보조의 기준과 범위, 개도국 우대

0011

3. 협상대책

가. 기본방향

o 기본적으로 현재까지의 아국 기존입장으로 대응

o Addenda의 성격 재확인

o Addenda에 포함한 내용중 아국입장 반영. 보강

o 향후 Dunkel의장의 회의 추진움직임에 대한 대응

나. 쟁점별 대책

(1) Addenda의 성격 재확인

o 순수한 기술적 검토의 차원에서 논의되도록 유도

o 기타 option 들과 관련된 기술적 문제도 심도있게 취급되어야 함을 강조

o 협상진행 과정의 transparencry 유지노력 촉구

o 향후 처리방침, 미흡한 부분 보완대책 또는 일정이 있는지 여부 점검

(2) 협상대상 품목 조정 (Product Coverage)

o 임산물, 제조담배, 누에고치, 생사, 변성전분등의 관심품목은 농산물그룹에 추가적으로 포함 (원면.원피.수산물등은 관계부처의 최종 협의를 거쳐 입장정립 후 보고)

- 시장접근그룹에 포함될 경우, 공산품과 동일하게 취급되고 보조금.상계관세협정 (NG-10 Text)이 적용됨으로 국내보조에 대한 엄격한 규제대상이 됨.

0012

(3) 국내보조 (Internal Support)

- o 기존의 아국입장인 감축정책 Amber-First 접근방식의 아국입장을 확인하는 차원에서 논의에 참여

- o 정부지원시책중, 구조조정 투자(경지정리, 수리시설등), 유통시설지원을 허용대상에 포함되도록 노력

  ※ 투융자보조, 기술개발보조등 농가에 대한 직접보조는 구조개선 차원에서 허용

- o 기타 국내보조에 대한 사항은 기존의 입장으로 대응

  - AMS에서 국경보호 제외, De minimus 포함, 쌀에 대한 보조감축 예외
  - 감축은 예산지출로 약속, AMS는 실품목 또는 품목군별로 산출, Infla반영등

(4) 시장접근 (Market Acess)

< 관세화 (Tariffication) 지침 >

- o TE확정이전 관심있는 국가간 검토협의는 인정하나 조정 (adjustment as necessary)은 반대

< 최소시장 접근 (MMA) >

- o 쌀은 관세화.MMA 대상에서 예외

- o 관세화 하지않는 품목(α+11조 2C)만 MMA를 인정

- o 기타 기술적인 분야는 기존입장으로 적절히 대응

0013

(5) 수출보조

- 엄격한 수출보조 감축입장견지 (단, 공산품 보조(G-10 text) 원용은 불가)
- 기존수출 지원이 없는 국가는 (아국등) De minimus에 의한 최소지원 허용주장

(6) 개도국 우대

- 개도국의 농업.농촌발전과 최소한 국경보호, 가격지지 필요성 강조
  → 관세화 예외 확대 설정 분위기 조성
- 모호한 사항의 구체화. 명료화 강조
  예) Green Box 별도선정, TQ, MMA예외, 식량 순수입 최빈국 대책등
- 개도국 차등 대우에 대한 반대입장 견지

다. 향후 협상전개에 따른 대응

< Dunkel의장의 의도예상 >

- 협상을 진행시키기 위해서는 10~11월중 협상초안 작성을 강조하면서,
  - UR 참가국의 적극적인 협력 당부예상
  - 미국과 EC간 합의점 모색을 종용하는 계기로 9. 16회의 활용
  - 한편, 한국과 일본의 관세화.MMA 예외 문제는 직접적인 양보요구보다 전체 흐름에 협조해야 한다는 선에서 간접적으로 언급예상
- 다음회의는 각종 대안별 조정.타협단계로 격상시킬 것을 시도 예상

< 대책방안 >

- 아국의 기본입장에 대한 주의환기 (food security등)
- 금번, 협상보다 그후에 전개될 상황 및 대책 추진에 주력
  - 미, EC의 합의움직임의 점검, Small package가능성 주시
  - 공동 관심국들과의 협조 강화

0014

UR 농산물협상 대미 협의대책

1. 미국의 여건과 우리의 대응방침

< 미국의 여건 >

o 10월중 중요사항 협의 없이는 년내 협상초안 작성 불능

o 10~11월 협상초안 작성을 위한 총력전 필요

o EC 이외국가의 Position 사전 정비로 성과의 최대화에 주력

< 한국입장에 대한 미국의 평가 >

o 관세화의 수용범위는 확대되었음

o 협상에 능동적으로 임하는 자세변화가 있었음

o 그러나, 기본적 입장의 변화는 없음

< 우리의 대응방침 >

o 금번 실무급 협의에서는 상호의견교환 수준으로 진행

o 분야별, 협상요소별 세부 입장정리는 회의동향을 보아 상호 의견교환키로 함.

o '91. 1. 9 대외협력 위원회의 기본입장 견지

0015

3. 미국의 예상제기 사항

< UR 농산물 협상 >

o 농업개혁 (Agricultural Reform)의 전폭적 수용

- 농산물분야에 대한 정부개입 배제, 완전한 수입자유화등

o 완벽한 Tariffication의 수용

- 쌀등 NTC, 11조 2항C 예외 불인정

o 감축대상정책 Amber-First 주장 및 쌀에 대한 국내보조 감축 철회

o 수출보조에서 미측입장을 지지

< BOP 예시계획 관련 사항 >

o 관심품목의 추가반영

o BOP 품목의 UR결과 일치 반대 (특히, 쇠고기)

0016

4. 대응방안

< UR농산물 협상 >

o 핵심적 관심사항에 대하여는 기존입장을 견지

- 근본적인 농업개혁은 농업의 특성, 각국간 균형상 수용불가 입장 제시

- 식량안보 예외, 11조 2항C 유지, 개도국우대 적용 강조

o 관심사항 관철을 목적으로 미국과 조정.타결을 위한 협상여지를 확보

- 관세화 대상품목에 대해 별도 MMA 인정 곤란

- 감축대상정책 Amber-First 우선 견지

o 수출보조에서 신규시장 개척지원 (보조, 금융) 반대, 단위당 보조감축 주장등

< BOP 관련사항 >

o 품목 추가개방은 불가

o BOP에서 품목도 UR이 타결되면 관세화등 UR결과 일치

o 동식물 검역 및 수출입 절차등 설명

0017

9.16주간 UR농산물그룹회의 참가대책

1991. 9. 9

농 림 수 산 부

0018

- 목 차 -

I. 금번회의 여건과 전망

< 협상자체의 여건 >

ㅇ option paper 논의의 Summing-Up적 성격 → ┌techinical Addenda의 성격.역할논의
└각국의 기본입장 반영 및 조정

< 협상외의 여건 >

┌입장대립 국가간 정치적 타결모색 ┐→ ┌던켈의장의 향후 협상진전 방향구상
└입장 유사국가간의 공동보조 강화 ┘ └미국등 협상주요국의 마무리 전략 추진

II. 예상의제와 쟁점사항

ㅇ 던켈 option paper와 기술적 첨부문서 (Addenda)의 성격과 내용에 대한 협의

- Addenda의 성격 재확인
- 협상대상 품목의 추가조정
- 국내보조, 국경보호, 수출경쟁등 각 협상요소별 기술적 쟁점사항 정리

. Green Box, AMS의 정의, 관세화의 지침, MMA보장 방법, 수출보조의 기준과 범위 개도국 우대조치등

ㅇ 향후 협상 진행 방향과 일정 협의

- 정치적 쟁점사항을 포함, 협상의 Framework 마련을 위한 향후 협상 추진계획등

- 2 -

0020

Ⅲ. 회 의 대 책

1. 기본방향

- o 기본적으로 현재까지의 아국 기존입장으로 대응
- o Addenda의 성격 재확인
- o Addenda에 포함한 내용중 아국입장 보강, 반영
- o 향후 Dunkel의장의 회의 추진움직임에 대한 대응

2. 쟁점별 대책

가. Addenda의 성격 재확인

< Addenda의 성격과 의미 >

- o 대안중 기술적 토론이 깊이 진행될 사항 중심으로 정리
- o 주요 8개국 회의 논의사항을 위주로 제시(국내보조등은 미완성 상태)
- o 3개 분야별로 Modality와 관련된 10개 중요쟁점 사항들을 나열식 형태로 정리

⇒ ┌ 외형적으로는 농산물협상그룹 의장자격으로한 개별적 보고
　 └ 실체적으로는 앞으로 협상을 이끌고 가고자 하는 의도를 암시

< 대응방안 >

- o 순수한 기술적 검토의 차원에서 논의되도록 유도
- o 기타 option들과 관련된 기술적 문제도 심도있게 취급되어야 함을 강조
- o 협상진행 과정의 transparencry 유지노력 촉구
- o 향후 처리방침, 미흡한 부분 보완대책 또는 일정이 있는지 여부 점검

나. 협상대상 품목 추가조정 (Product Coverage)

< Addenda의 내용 및 논의현황 >

o 1~23류(수산물제외), 잎담배, 유제품(카제인등), 피혁류, 양모, 면화포함

o 동 Product Coverage는 기본적으로 미국의 입장을 토대로 작성

- 수산물, 임산물은 시장접근그룹에서 취급하되 무세화 협상대상에 포함하자는 의도

- 제조담배, 변성전분 누에고치, 생사등이 제외

o 농산물협상 대상에서 제외될 경우 보조감축 분야에서 보조금 상계관세 규정 (NG-10 Text)을 적용

< 대응방안 >

o 임산물, 제조담배, 누에고치, 생사, 변성전분등의 관심품목은 농산물그룹에 추가적으로 포함 (원면.원피.수산물등은 관계부처의 최종 협의를 거쳐 입장정립 후 보고)

- 시장접근그룹에 포함될 경우, 공산품과 동일하게 취급되고 보조금.상계관세협정 (NG-10 Text)이 적용됨으로 국내보조에 대한 엄격한 규제대상이 됨.

- 4 -

0022

다. 국내보조 (Domestic support)

(1) 허용정책 (Green Box)

< Addenda의 주용내용 >

o 허용정책 Green-first 방식의 내용

o 허용정책의 유형

- 일반서비스 (연구,병충해.질병, 훈련, 홍보및 교육감사 유통촉진)
- 농업목적 (on-farm)이 아닌 하부구조 개발
- 국내식량 보조 (food aid)
- 식량안보 목적의 비축

o 직접지불 (보조등)에 대해서는 주요국 그룹에서도 합의된바 없음

< 대응방안 >

o 정책의 아국입장인 감축정책 Amber-first 접근방식의 아국입장을 확인하는 차원에서 논의에 참여

o 허용대상 정부지원책중, 구조조정 투자(경지정리, 수리시설등), 유통시설지원을 허용대상에 포함되도록 노력

※ 농가에 대한 직접보조를 구조개선 차원에서 허용
- 투융자 보조, 기술개발 보조, 작목전환등

o 기타 국내보조에 대한 사항은 기존의 입장으로 대응
- AMS에서 국경보호 제외, De minimus포함, 쌀에 대한 보조감축 예외

라. 시장접근 (Market Access)

(1) 관세화 (tariffication) 지침

< Addenda의 주요내용 >

- GATT에 합법, 비합법 여하간 모든 비관세 조치를 관세 상당치로 대체
- TE에 종가세, 종량세 모두사용
- TE 산출에 따른 계산방법과 기준
- TE 확정이전에 관계국간 확인 또는 조정

< 대응방안 >

- 작년에 제시되었던 TE 계산방법등을 주요국 C/L검토후 다시정리한 것임
- TE 확정이전 관심있는 국가간 검토협의는 인정하나 조정 (adjustment as necessary)은 반대
  - TE 상한 설정에 반대

  ※ TE를 조정, 협상대상으로 할 경우는 MMA설정과의 Deal-Making 협상여지 확보

  (1안) TE조정시는 MMA 별도설정 배제

  (2안) TE 조정 불인정시 MMA를 인정하되 증량은 배제
- Scope of tariffication과는 별도의 문제임을 재확인
  - 식량안보 및 GATT 11조 2항C 대상품목은 관세화 대상에서 제외

- 6 -

0024

(2) 최소시장접근 (MMA)

< Addenda의 주요내용 >

- o MMA 예외인정에 대한 언급이 없이 단순히 기술적 사항 제기
  - 국내소비, 생산의 X%로 시장접근 확대 (기회의 제공이지 수입의 보장은 아님)
  - 통계자료가 없는 경우 추정치 사용
  - HS No, 구성단위 (Tariff - Line)별로 부여
  - 실제적용시 관세수준, TE조정등 검토
- o MMA설정관련 품목별 수급통계 자료 제출
  - Tariff-Line별 생산, 소비 통계산출 가능여부 확인 목적

< 대응방안 >

- o 논쟁점을 단순히 정리한 수준
- o 협상입지 강화 차원에서 관세화 하지않는 품목에만 MMA를 인정하되 쌀은 예외.
- o 기타기술적인 분야는 기존입장으로 적절히 대응
  - Tariff-Line별 소비, 생산 통계자료의 미비등 기술적 문제제기
  - MMA는 실품목 또는 품목군별로 부여하는 방식 채택
- o MMA에 대한 Tariff-Line별 생산. 소비 통계자료 제출

(2) A M S

< Addenda의 주요내용 >

o 품목별로 감축하는 것으로 제시

o 대상정책의 유형과 계산방법

정 책 의 유 형	계 산 방 법
o 시장가격지지 (MPS)	o 국경보호 포함여부는 대안으로 제시
o 직접지불	o 재정지출원칙, 가격차방식 대안
o 기타감축대상 정책	o 투자보조,금융및 재정지원 유통보조등

o Infla효과의 일부반영, 생산통제 효과반영등

< 대응방안 >

o 품목별 또는 품목군별로 실정에 맞게 감축하는 기본아국입장으로 대응

o 기타 사안들은 기존아국 입장견지

- MPS에서 국경보호 제외
- 감축은 예산 지출로 약속
- 구조조정 투자허용
- De Minimus 원칙 반영

o Infla반영, 생산통제 반영등

0026

마. 수출보조 : Export Competition

< Addenda의 주요내용 > : 의장초안과 유사

o 감축대상 수출보조금의 일반기준 제시

- 수출에 대한 직접보조
- 수출품에 대한 지원
- 기타 모든형태의 수출지원

o 수출보조 유형예시

- 직접재정지원
- 손해보상 지원
- 공공소유및 재정지원 물량지원
- 수출신용, 수송, 유통비용 지원
- 조세감면, 가공품의 원료농산물 지원등

< 검토의견 및 대책 >

o 수출국간 입장 첨예대립 분야

- 미 국 : Deficiency Payment 처리문제
- E C : 16조 3항의 골격하에 다룬다는 입장
- 케언즈 : G-10 text에 의한 엄격규제 주장

o 엄격한 수출보조 감축입장견지 (단, G-10 text 원용은 불가)

o 기존수출 지원이 없는 국가는 (아국등) De minimus에 의한 최소지원 허용주장

바. 개도국우대 (S & D)

< Addenda의 주요내용 >

o 국내보조

- 개도국에 대한 별도 허용보조 추가설정
  . 투자보조, 무역왜곡 효과가 적은 기타정책등
- 보조감축과 이행기간 모두에 특례
  . 선진국의 X to Y % : 발전정도별 차등대우 전제
  . 선진국보다 Y년도까지 연장

o 시장개방

- (-)TE가 나오는 경우 최초 TE는 현행관세로 의제
- 개혁추진상 필요한 특별구제 조치를 허용하거나 일정한 기간동안 TE감축을 유예 (제 18조 B 활용허용)
- TQ, MMA, 자유화된 품목의 관세인하에서 별도고려
- TE 감축율을 선진국의 X to Y%만 하고 이행기간은 Y년도까지 연장 (※ 국내보조와는 달리 and/or)
- 열대농산물등 개도국 관심품목에 대한 선진국 우대

< 검토의견 및 대책 >

o 개도국의 농업.농촌발전과 최소한 국경보호 가격지지 필요성 강조
  → 관세화 예외 설정 주장 분위기 조성

o 모호한 사항의 구체화.명료화 강조
  예) Green Box 별도설정, TQ,MMA예외, 순식량 수입 최빈국 대책등

o 개도국 차등대우에 대한 반대입장 견지

0028

※ 쌀 관세화. MMA 예외대책

< 주요국 동향 >

o 일본, 한국이 강력히 주장

o 스위스, 오지리, 북구등은 관망자세

o EC는 긍정도 부정도 않는 모호한 입장
  - "어느나라든지 정치적 어려움은 공동으로 인식되어야 함."
  - "관세화의 예외는 많지 않았으면 좋겠음."

o 케언즈그룹
  - 개도국 내부는 브라질, 알젠틴등 수출개도국이 관세화 예외에 대해서는 강경자세 "쌀"이 한국의 최고관심 사항임을 인정
  - 태국, 호주, 뉴질랜드는 쌀시장 개방에 관심있음.
  - 말레이지아, 필리핀은 중요품목의 관세화 예외 입장에 동조.

o 미 국
  - 미농산물 수출의 2%인 minor품목 (생산량중 60% 수출)
  - UR의 명분과 RMA, 관련의원을 의식하는듯한 인상

< 평가및 대책 >

o technical 협상에서 관세화.MMA방식등 의제별 논의시 아국관심 적극 제기

o 기술적 협상 밖에서도 끝까지 아국입장 관철노력이 중요함
  - 미국등 제외하고는 관심이 적은 분야임을 감안하여 강한 정치적 입장표명 및 설득노력 지속

o 일본과의 공동보조 강화, 개도국 그룹의 관세화 예외주장 조성

3. 향후 협상전개에 따른 대응 : Dunkel의장의 협상진행 의도에 대한 대응

< Dunkel의장의 의도예상 >

- 내면적으로는 미국과 EC의 이견이 최대 걸림돌이며 한국과 일본등의 관세화 예외 인정 문제가 중요한 해결과제라고 생각

- 그러나 협상을 진행시키기 위해서는 10~11월중 협상초안 작성을 강조하면서,

  - 모든 협상 참가국의 적극적인 협조 당부
    . 미국과 EC가 막후에서 어느정도 합의할 것을 기대하고 또 이를 종용하는 계기로 9. 16회의 활용
    . 한편, 한국과 일본의 관세화 예외 문제는 직접적인 양보요구보다 전체흐름에 협조해야 한다는 선에서 간접적으로 언급예상

- 다음회의는 각종 대안별 흥정단계로 격상시킬 것을 시도예상

< 대책방안 >

- 아국의 기본입장에 대한 주의 환기 (food security등)

- 금번 협상보다 그이후에 전개될 상황 및 대책추진에 주력
  - 미, EC의 합의움직임의 점검
  - Small package 가능성 주시
  - 공동관심국들과의 협조 강화

0030

45404

기 안 용 지

분류기호 서번호	통기 20644-	(전화 : 720 - 2188)	시 행 상 특별취급	
보존기간	영구. 준영구 10. 5. 3. 1.	장 관		
수 신 처 보존기간				
시행일자	1991. 9.14.			

보조기관	국 장	전 결	협조기관		문서통제
	심의관				검열 1991. 9. 16 통제관
	과 장	대결			
기안책임자		송 봉 헌			발 송 인

경 유 수 신 참 조	농림수산부장관	발신명의		발송 1991. 9. 외무부

제 목	UR/농산물 협상 회의 정부대표 임명 통보

91.9.16-20간 스위스 제네바에서 개최되는 UR/농산물 협상 회의에 참가할 정부대표가 "정부대표 및 특별사절의 임명과 권한에 관한 법률"에 의거 아래와 같이 임명 되었음을 알려 드립니다.

- 아 래 -

1. 회 의 명 : UR/농산물 협상 회의

/뒷면 계속/

0031

2. 회의기간 및 장소 : 91.9.16-20, 스위스 제네바

3. 정부대표

ㅇ 농림수산부 농업협력통상관 조일호

ㅇ 농림수산부 농업협력통상관실 사무관 이창범

ㅇ 주 제네바 대표부 관계관

ㅇ 한국 농촌경제연구원 부원장 최양부(자문)

4. 출장기간 : 91.9.14-22

5. 소요경비 : 소속부처 소관예산

6. 출장 결과 보고 : 귀국후 20일이내. 끝.

0032

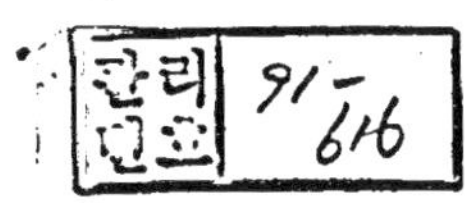

분류번호	보존기간

발 신 전 보

번 호 : WGV-1226 910914 1026 BE 종별 :

수 신 : 주 제네바 대사. 총영사

발 신 : 장 관 (통 기)

제 목 : UR/농산물 협상

일반문서로 재분류 (1981 . 12. 31

대 : 제네(경) 20644-678 (91.8.7)

연 : 통기 20644-2210 (91.9.9)

1. 9.16-20간 귀지에서 개최되는 표제회의 및 9.16 주간 개최될 예정인 농산물 협상 관련 한.미 양자협의에 참가할 본부대표를 아래 통보하니 귀관 관계관과 함께 참석토록 조치바람.

   o 농림수산부 농업협력통상관 조일호
   o 농림수산부 농업협력통상관실 사무관 이창범
   o 한국 농촌경제연구원 부원장 최양부 (자문)

2. 금번 농산물 협상 회의 및 한.미 양자협의에는 아래 기본입장, 연호 송부한 대책 자료 및 본부대표가 지참하는 쟁점별 세부자료에 따라 적의 대처바람.

   가. UR/농산물 협상

   o 1.9. 대외협력위원회에서 결정된 아국의 전향적 입장에 입각하여 대처

   o Addenda의 성격 재확인

   - 순수한 기술적 검토의 차원에서 논의되도록 유도하되, 기타 option들과 관련된 기술적 문제도 심도있게 취급되어야 함을 강조

보안 통제	

앙 고 재	91년 9월 13일	통상기구과	기안자 성명		과 장	심의관	국 장		차 관	장 관
			송봉헌				전결			

외신과통제

0033

o 협상대상 품목 조정(Product Coverage)

- 임산물, 제조담배, 누에고치, 생사, 변성전분등의 관심품목은 농산물 협상 대상에 추가적으로 포함되도록 노력(원면, 원피, 수산물등은 관련부처간 최종 협의를 거쳐 입장 정립 예정)

o 국내보조

- 기존의 아국 입장(amber-first)을 확인하는 차원에서 논의에 참여
- 정부지원 시책중 구조조정 투자(경지정리, 수리시설등), 유통시설 지원이 허용 대상에 포함되도록 노력

o 시장접근

- TE 확정이전 관심있는 국가간 검토 협의는 인정하나 조정(adjustment as necessary)은 반대
- 관세화하지 않는 품목만 MMA를 인정(단, 쌀은 MMA도 예외)

o 수출보조

- 엄격한 수출보조 감축 입장 견지

o 개도국 우대

- 개도국의 농업, 농촌발전을 위해 최소한의 국경보호, 가격지지 필요성 강조

나. 한.미 양자협의

o 상기 UR/농산물 협상에서의 아국 입장에 따라 대처하되, 농산물 협상에서의 아국 입장 개선 내용을 정확, 명료하게 미측에 설명하여 미측의 오해 소지를 줄이는데 주력

o BOP 협의 결과 이행 문제는 기존 입장 견지

3. 대호 MMA 관련 아국 통계자료 조사 결과는 본부대표가 지참하니 적의 제출바람.

4. 수산물의 농산물 협상 대상 포함 여부 검토에 참고코자 하니 하기 사항 보고바람.

o 일본이 수산물을 농산물 협상 대상에 포함시키고자 하는 의도

o 아국 입장에서 수산물을 농산물 협상 대상에 포함시킬 경우와 시장접근 협상 대상에 포함시킬 경우의 실익(특히 보조금, 시장접근 관련 측면)에 대한 귀관 의견. 끝. (통상국장 김 용 규)

0034

수산물의 농산물 협상 대상품목 포함 문제 검토 의견

1991. 9.18.
통상기구과

1. 시장접근 분야 협상 대상품목으로 할 경우의 장.단점

가. 장 점

o BOP 해당품목을 '92-'94년간 단계적으로 자유화 가능

- '92-'94 수입자유화 예시 계획 해당품목 : 61개
- 잔여 품목 : 46개

✓ o UR/보조금.상계관세 협상그룹 의장 Text 적용시 자발적 감축 의무는 없고, 금지.상계관세 조치 대상 보조금에 해당되더라도 교역 상대국이 문제를 제기치 않는한 grey area로 보조 계속 가능(다만, 경과조치 기간중 기존 보조제도를 보조금.상계관세 협상 결과에 합치시켜야 하는 의무는 발생)

- 불란서, 일본등은 교역상대국이 문제를 제기치 않은 수백개 품목에 대해 갓트 규범에 합치되지 않는 수입규제를 최근까지 유지한 바 있음.

나. 단 점

o BOP 협의 결과와 UR/농산물 협상 결과 연계 문제에 대한 아국 입장이 관철될 경우, BOP 품목에 대한 관세화 잇점 활용 불가

o 수출보조는 금지대상 보조금이 되는등 농산물 협상에서 논의되고 있는 보조금 규율보다 더욱 엄격한 규율 적용

3-1

0035

2. 농산물 분야 협상 대상품목으로 할 경우의 장.단점

가. 장 점

o BOP와 UR 관련 아국 입장이 관철될 경우 관세화 잇점 활용 가능

o 보조금.상계관세 협상에서 논의되고 있는 보조금 규율보다 덜 엄격한 규율 적용

- 수출보조는 감축의무만 부담
- 허용보조는 범위, 요건이 보조금.상계관세 협상 결과보다 유리할 것으로 예상

나. 단 점

o 허용보조를 제외한 모든 보조금을 일정기간내에 감축해야 하는 의무 발생

o 관세협상 그룹에 기제출한 아국 관세인하 및 양허계획은 수산물을 포함하고 있으므로 관세 양허 목표 달성을 위해 공산품 분야에서의 추가 양허 필요성 발생

o 기존 UR 협상 구조의 변경을 도모하는데 따르는 협상 부담

3. 결 론

√o 관세 협상 그룹에 이미 수산물에 대한 양허계획을 제출한 바 있고, 일본만이 수산물을 농산물 협상 대상에 포함시킬 것을 주장하고 있어 그 실현 가능성도 희박함.

o 농산물 협상에서의 아국 입장에 대한 미국등의 부정적 시각을 감안할때 아국이 수산물을 농산물 협상에 포함할 것을 주장할 경우 불필요한 오해를 또 야기시킬 수 있음.

3-2

0036

o 보조금.상계관세 협상그룹의 협정안에 보다 엄격하긴 하나 자발적 감축 의무가 발생치 않고 새로운 규법에 보조제도를 합치시킬 수 있는 경과 조치가 있으므로 현행대로 시장접근 협상그룹에 포함시키는 것이 바람직.

4. 참고사항

o 90년 예산기준 보조금.상계관세 그룹 의장 Text 원용시 수산물 보조 현황 (수산청 분석 결과)

- 허용보조 : 1,144억 (어업 훈련등)
- 상계조치 가능 보조 : 269억 (이자 보조등)
- 금지보조 : 14억 (증양식등). 끝.

3-3

0037

기 안 용 지

분류기호 서번호	통기 20644- 34493	(전화 : 720 - 2188)	시 행 상 특별취급	
보존기간	영구. 준영구 10. 5. 3. 1.	장 관		
수 신 처 보존기간				
시행일자	1991. 9.18.			

보조기관	국 장	전 결	협조기관		문 서 통 제
	심의관				검열 1991. 9. 19
	과 장				
기안책임자		송 봉 헌			발 송 인

경 유 수 신 참 조	수신처 참조	발신명의	발송 1991. 9. 19 외무부
제 목	UR/농산물 협상 자료 송부		

1. 91.2. UR/농산물 협상이 재개된 이후 정치적 결정이 필요한 사항은 협의를 뒤로 미룬채 기술적 사항에 대한 협의를 진행해 오고 있으며, 농산물 협상 그룹 의장(던켈 갓트 사무총장)은 그간의 협의 결과를 바탕으로 91.6. 협상 대안문서(Option Paper) 및 91.8. 동 대안 문서의 부록(addenda)을 각각 제시한 바 있고 10월말 경에는 협상틀 (framework)을 제시, 최종 타결을 시도할 것으로 전망됩니다.

/뒷면 계속/

0038

2. 한편, 아국 농업의 제반 어려운 여건 및 농산물 시장 개방에 대한 국내 정치.사회적 민감성을 감안할때 주요협상 참가국의 입장등 관련 동향을 파악하고 농산물 협상 결과에 쌀시장 개방 불가등 아국 입장을 반영하기 위한 노력이 더욱 절실한 실정입니다.

3. 이와관련, 관계부처에서 작성한 UR/농산물 협상 추진 대책 자료를 별첨 송부하오니 농산물 협상 관련 아국 입장 ~~파악~~ 이해에 참고 바라며, UR/농산물 협상 관련 귀주재국 입장, 아국 입장에 대한 귀주재국 반응등 관련사항 있을시 수시 보고 바랍니다.

첨 부 : 상기 책자 부. 끝.

수신처 : 주 미국, EC, 일본, 카나다, 호주, 뉴질랜드, 알젠틴, 핀랜드,
태국, 말레이시아, 영국, 프랑스, 독일, 이태리, 스페인,
화란, 덴마아크, 인도네시아, 필리핀, 브라질, 우루과이,
멕시코, 인도, 파키스탄, 자마이카, 스위스, 오지리, 스웨덴,
노르웨이 대사, 주 카이로 총영사

0039

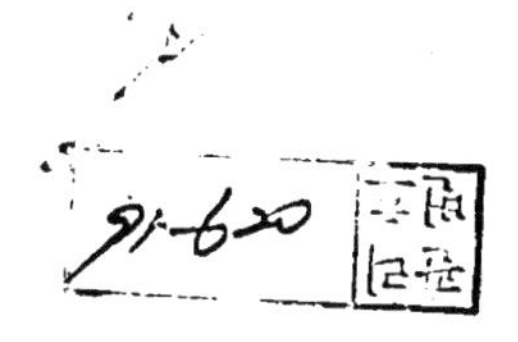

농 림 수 산 부

국협20644-155 503-7227 1991. 9. 17.

수신 외무부장관

제목 UR농산물협상 주요국별 협의대책 송부

1. UR협상이 금년 9월부터는 마무리 UR협상을 위해 UR참가국가가 모든 분야에서 집중적인 노력을 기울여 나갈 것으로 전망이 됩니다.

2. 특히, UR농산물협상은 국내 정치.경제적으로 그 협상결과가 미칠 영향이 매우 클것으로 예상되기 때문에 이시점에서는 주요국별 동향등을 수시로 파악, 적절한 대응체계를 갖추어 나가는 것이 매우 중요한 과제로 대두되고 있습니다.

3. 주요국 공관의 협의활동에 도움이 될 사항을 별첨1(UR농산물협상 주요국별 중점관심사항(안))과 같이 요약 정리하여 송부하오니 귀부에서 적절히 주요국 공관에 시달될수 있도록 조치하여 주시기 바랍니다.

첨부 : 1. UR농산물협상 주요국별 중점 관심사항(안).

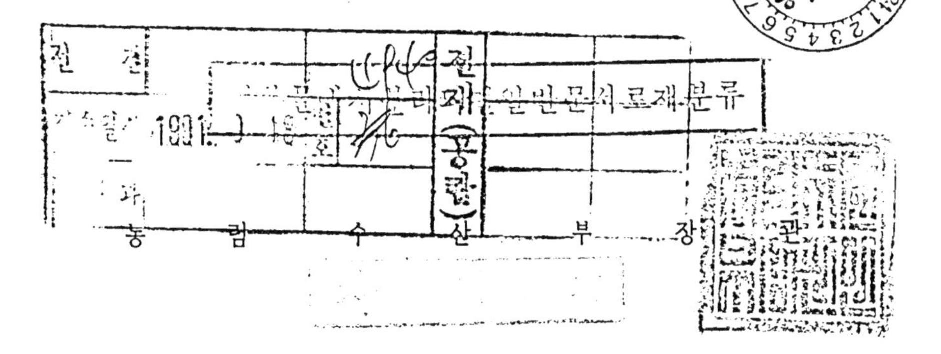

농 림 수 산 부 장 관

0040

관리번호 91-620

1/53

UR/농산물협상
주요국별 중점 관심사항

1991.12.31.에 예고문에 의거 일반문서로 재분류됨

1991. 9.

농 림 수 산 부

0041

- 목　　　　　차 -

Ⅰ. 배　경

Ⅱ. 추진 방향

Ⅲ. 중점 관심사항

19 - 1

0042

I. 배 경

1. 우리의 통상환경 변화

o '80년대 이후 우리나라의 경제발전에 따른 국제적 역할과 책임증대
  - 한국시장의 잠재력을 의식한 선.개도국의 시장개방 요구 가속화

o 농수산물 분야 주요통상 현안으로 대두
  - GATT BOP조항 졸업으로 '97년까지 단계적 개방 또는 GATT규정에 일치시켜 운용해야 하는 국제적 의무발생
  - UR다자 통상협상에서 농산물 협상이 가장 민감한 분야로 전체 협상진전의 핵심 과제로 제기

2. 국익의 극대화 추구를 위하여 통상외교 강화 방안확정 ('91. 3 외무부)

o 조기 경보체제 수립으로 예방적 기능수행 강화

o 전문분야의 대외교섭을 주무부처가 조정된 정부입장을 가지고 적극적인 자세로 대외교섭 추진

o 주요 통상현안에 대한 지속적, 반복적 통상활동 전개 필요성 강조

3. 농산물분야 우리입장 반영을 위한 범정부차원의 실효성 있는 대외 교섭활동 강화필요

o 91. 6 UR협상 실무위원회에서 아국관심사항의 반영과 실리확보를 위해 다각적인 대외교섭 활동을 추진키로 결정

o 본격적인 협상이 전개될 것으로 예상되는 '91하반기에 대비, 구체적인 협의지침과 추진계획을 마련

Ⅱ. 추 진 방 향

1. 목 적

ㅇ UR농산물협상에서의 아국입장과 농업실상에 대한 이해증진

ㅇ 우리관심사항 반영과 실리확보를 위해 주요협상국과의 협력기반 구축

ㅇ 주요국의 관심사항과 동향, 협상전략등을 파악, 효과적인 협상대책 수립

ㅇ UR타결에 대비한 각국 농업정책 개선 방향에 대한 정보수집을 통해 국내대책 수립의 내실화

2. 대 상 국 : 주요협상국 및 영향력 있는 개발도상국

가. 주요 8개국

ㅇ 미국, EC, 일본, 카나다, 호주(케언즈그룹의장국), 뉴질랜드, 알젠틴(남미그룹 대표국), 필랜드 (북구 그룹의장국)

나. 영향력 있는 개도국

ㅇ 수출개도국(케언즈그룹) : 아세안그룹 (태국, 말련, 인도네시아, 필리핀등), 브라질, 우루과이등 중남미 그룹국가

ㅇ 수입개도국 : 멕시코, 인도, 파키스탄, 이집트, 자마이카등

다. EFTA국가등 주요협상국

ㅇ 스위스, 오지리, 스웨덴, 노르웨이, 이스라엘등

19 - 3

0044

3. 추진방향

o 협상진전 상황에 따라 단계별로 현지 실정에 맞게 지속적인 의견교환

- 아측입장 설명과 이해촉구, 상대국의 입장과 관심분야 확인, 하반기 대책에 중점

o 현지 활동결과 및 정보 수집사항 수시본부보고

- 협의활동 내용, 상대국 관심사항, 주재국 반응등
- 협의활동 과정에서 제기된 문제점 및 대책건의

Ⅲ. 중점 관심사항

1. 아국의 중점관심 사항

가. UR농산물 협상에 임하는 우리의 기본입장에 대한 설명

- ㅇ 세계 경제의 지속적인 발전을 위해서는 무역자유화의 확대가 필요, 이를 지향하는 UR협상에 적극적으로 참여하고 있음을 강조
- ㅇ 1. 9 대외협력위원회에서 결정한 우리의 신축적 입장을 명확히 전달
  - 쌀등 최소한의 기초식품은 관세화 및 최소시장접근 보장대상에서 제외
  - 11조 2항C는 실제 운용가능하도록 개선
  - 감축폭, 이행기간등 약속이행에 있어 개도국우대 인정

나. 농산물교역자유화 확대를 위한 한국정부의 의지와 실천내용을 설명

- ㅇ 한국이 농산물시장 개방정책을 지속적으로 추진함으로서 세계농산물 교역확대에 기여하고 있는 내용을 설명
  - 농산물수입자유화율이 '86년 68.4%에서 '94년 92.1%로 확대
  - 세계 6위의 순수입국(영국,독일,이태리등 EC회원국 제외시 3위)이며, 개도국중 최대 수입국의 지위에 있음을 강조.
  - '89~'91 기간중 243개 품목을 자유화
- ㅇ 특히, '89 GATT/BOP 합의사항에 따라 단계적인 자유화 예시계획을 이행하고 있음을 강조
  - '92~'94 기간중 131개 품목의 자유화를 예시 ('91. 3)

다. 우리농업의 실상과 어려움, 자유화 의지및 실천내용, 농업계획 추진상황등을 설득력 있게 제시.

19 - 5

0046

라. 우리의 관심사항 반영과 실리확보를 위한 상대국과의 적극적인 교섭추진

o 입장을 같이하는 사항에 대한 지지표명및 공동보조와 협조 강화추진

o 입장을 달리하는 사항에 대하여는 객관적이고 타당성 있는 논리제시로 이해와 설득을 추진

o 특히, 식량안보, 개도국우대등 우리의 핵심적 관심사항에 대해서는 정부의 확고한 방침과 의지를 강조

마. 상대국의 관심사항과 협상동향 파악및 아국입장에 대한 반응진단

o 상대국의 관심사항과 하반기협상 대책 및 대응전략을 파악
- 상대국 핵심적 관심사항의 내용과 그 주장배경
- 관심사항의 반영을 위한 주요국들과의 접촉동향
- 하반기 협상대책과 입장변경 가능성
- 던켈총장 options paper와 부속서(Addenda)등에 대한 평가와 반응

o 우리입장에 대한 반응과 관심품목의 파악
- UR협상에서 우리입장을 보는 시각, 동조 또는 반대하는 강도와 그 배경
- 우리에 대한 상대국의 관심품목 내역

바. UR협상 및 농업정책 개선과 관련된 정보수집

o UR협상 동향과 전망에 대한 상대국의 여론과 반응
- 의회, 정당, 농민단체, 소비자 단체등

o 상대국의 농업개혁 및 제도개선 추진방향과 내용

2. 예상되는 공통 제기사항과 설명요지

브랏셀 각료회의시 한국이 반대하여 협상이 결렬되었다는 문제

o Brussel회의의 전반적인 분위기로 보아 한국이 반대한다고 성공할 협상이 결렬될 상황이 아니었으며, 이는 GATT 칼라일 사무차장도 나중에 시인한바 있음

- 일부기자들의 오보가 지나치게 확대 해석됨.

o 브랏셀회의의 진행경위를 설명

- 브랏셀회의는 협상주도국인 미국(separate approach),EC(global approach)간 의견대립으로 회의벽두부터 교착상태가 계속됨.

- 회의의 막바지 단계에서 농산물그룹 의장인 헬스트롬 스웨덴 농무장관이 자기 책임하에 작성한 비공식 중재안 (Non-Paper)을 제시

- 미국, 케언즈그룹은 동 중재안을 기초로 받아들이자는 입장을 제시하였으나 EC가 강력히 반대함으로서 협상타결에 실패

- 동 중재안의 논의과정에서 일본,스위스,오지리,핀랜드,아국등 다수의 수입국들도 협상의 기초로 수용하기 어렵다는 입장을 제시한바 있었음.(아국 8번째 발언)

- 따라서 한국이 반대하여 협상이 결렬되었다는 평가는 지나치게 과장되고 와전된 것임.

19 - 7

0048

o 헬스트롬 중재안에 대한 아국의 입장표명 내용

- 동 중재안은 수출국입장에 지나치게 편중되어 있어 협상의 성공적 타결을 위한 기초로 수용하기 어렵다는 점을 지적한 것임.

<헬스트롬 중재안 요지>

. '89. 4 중간평가 합의사항에서 고려하기로한 비교역적 기능(NTC) 반영 제외

. 국내보조및 관세상당액을 5년간 30% 감축

. 모든 품목에 대해 최소항 5%의 최소시장접근 부여등

쌀등 기초식량에 대한 관세화및 최소시장접근 보장에의 문제

o 식량안보는 '89. 4 중간평가 합의사항에서 고려하기로 한점, 던켈 options paper등 협상에서 인정되고 있는 개념임을 강조

o 식량안보의 반영방법에 대해서는 '91. 6「식량안보 및 NTC」제안서에서 밝힌 내용을 설명

o 특히, 쌀의 농업에서 차지하는 비중과 중요성, 국내정치적 어려움등을 설명하고 쌀개방 불가에 대한 정부의 확고한 의지를 천명

한국에 개도국 우대를 적용되어야 한다는 문제

- 한국의 전반적인 경제수준이 저개발국과는 다르다는 점은 인정하고, 발전정도에 상응하는 약속을 이행할 것임을 강조
- 그러나 장기간에 걸쳐 투자확대를 통해 농업기반이 확립된 미국, EC, 일본등 선진국과 동일한 수준의 의무이행을 요구하는 것은 농업발전 격차를 고착화 시키는 결과를 초래하는 문제점을 제기
- 따라서 농산물시장개방 확대및 구조조정을 원활히 추진하기 위해서는 충분한 이행기간과 특별한 배려가 인정되어야 한다는 점을 강조
- 특히, 1인당 GNP등 특정기준이나 지표을 정하여 개도국을 차별화하는 것에 대해 반대 입장을 분명히 제기

한국이 UR협상에서 보다 신축적인 입장을 취해야 한다는 문제

- 한국이 '91. 1 입장을 신축적으로 개선하여 UR협상의 자유화 기본원칙을 수용하고 협상에 적극 참여하고 있음을 강조
- 현재까지 미국, EC, 일본등 주요국들이 기존입장을 고수하고 있으나, 신축적인 입장을 공식표명한 국가는 한국뿐임을 강조
- 취약한 농업여건과 정치적 어려움에도 불구하고 한국이 입장을 개선한 만큼, 주요 협상국들도 비현실적인 기대치를 낮추고 보다 신축적인 자세로 전환해야 할 것임을 강조

19 - 9

0050

3. 국별 관심사항

가. 미 국

< 중점관심 사항 >

o 기본적으로 미측과 입장을 같이하고 있다는 점을 강조

- Separate Approach수용, 무역왜곡 효과가 큰 국내보조의 감축, 수출보조의 감축, 수출보조에 대한 엄격한 규제와 급속한 감축등

- 관세화및 최소시장접근보장(MMA) 개념수용, 단 최소한의 기초식품과 11조 2C 대상품목에 대한 예외인정

o 우리의 핵심적 관심사항에 대한 이해와 설득을 요청

- 식량안보, 개도국우대, 11조 2항 C등

o 미국의 관심사항중 논리적으로 취약한 분야에 대해서는 문제점을 지적

- 수출 농산물에 지원되는 결손보조(Deficiency Payment)를 국내보조로 주장하는 문제
- 수출보조에 대한 엄격한 규제와 대폭적 감축(90%감축)을 주장하면서도 상품신용공사(CCC)에 의한 수출신용의 제외, 단위당 수출보조 감축에 반대하는 입장등

o 한국이 신축적인 입장표명등 협상진전에 적극적으로 기여하고 있다는 인식을 부각

- 협상의 성공적 타결을 위해서는 협상주도국들 특히, 미국,EC의 신축적 입장 전환이 필요하다는 점을 강조

<동향파악 및 정보수집 사항>

o 미국이 협상에서 얻고자 하는 최종목표 및 양보가능수준 파악
  - 외형적으로 내세우는 명분, 논리의 배경과 실질적으로 확보하고자 하는 이익

o 미국의 입장변경 가능성 타진
  - '91. 7 Kristoff USTR 부대표보는 11월중 미국이 협상목표를 재검토 할것 이라는 비공식 견해를 표명
  - '91. 8 APEC회의 참석차 방한한 USTR Nancy Adams의 관계부처 방문시 미국은 이미 기대수준을 낮추었으나 EC가 입장을 변경하지 않고 있다고 지적

o 미국과 주요국간의 공식, 비공식 접촉동향
  - 특히, 미국-EC간 Small Package채택등 타협가능성

o 미국이 보는 UR협상의 전망과 하반기 협상대책
  - '92 대통령선거, 미국, 멕시코간 자유무역 협정등과의 관련성
  - 금년내 협상종결을 위한 협상대책등

o 아국입장에 대한 이해도 및 반응진단
  - 식량안보 특히, 쌀개방 예외에 대한 미측의 의도
  - 아국에 대한 개도국우대 인정문제에 대해 미측이 내면적으로 고려하고 있는 사항
  - 아국에 대한 협상에서의 기대치

o 미국 의회, 언론, 관련업계가 UR협상을 보는 시각과 전망
  - UR협상에 대한 의회, 언론의 반응
  - 관련업계, 특히 Waiver품목업계의 동향

19 - 11

0052

나. E C

< 중점관심 사항 >

o 농업개혁은 정치적으로 실천가능한 범위내에서 신중한 접근이 필요하다는 EC의 기본입장에 공감을 표시
  - EC회원국간 이해조정의 어려움에도 불구하고 공동농업정책(CAP) 개혁을 추진하고 있는 노력을 평가

o UR협상과 관련, EC의 특수한 정책배경과 농업여건등으로 인해 입장의 신축적 변화에 현실적인 한계가 있다는 점에 이해표명
  - global Approach채택, rebalancing 인정, Corrective Factor반영, 수출보조 분리감축의 어려움등

o 한국도 수입국의 입장, 저개발 단계에 있는 특수한 농업 여건을 감안,식량안보, 개도국우대등에 대한 이해와 지지를 요청
  - 특히, EC가 가변부과금제도, 수출보조의 급속한 감축등을 수용하기 어려운 만큼 한국도 핵심적인 관심사항을 양보하기 어려움을 강조

o 한국은 국내적 어려움에도 불구하고 농업개혁을 추진중이며, UR협상의 성공에 기여하고자 신축적 입장을 표명한바 있음을 강조
  - 협상주도국 위치에 있는 EC도 신축적인 입장 전환이 필요하며, 동시에 미국, 케언즈그룹도 협상기대치를 낮추어야 할 것임을 강조

o 한국은 EC의 입장과 상당한 분야에서 공통된 입장을 갖고 있음을 설명하고 상호 협력을 강화할 필요가 있음을 강조
  - 허용대상 정책에 투자보조와 직접지불을 포함, AMS방식에의한 감축약속 이행, 인프레의 반영,
  - 11조 2항C의 유지, 결손보전의 수출보조 성격인정등
  - 농업보조에 대한 별도의 규범제정 및 보조금 상계관세 협정초안(NG-10 Text) 적용에 반대등

다. 케언즈그룹

< 공통 관심사항 >

o 농산물협상 타결에 가장 깊은 관심을 갖고 있는 그룹인 만큼, 농산물분야에서의 조속한 진전이 이루어져야 한다는 입장에 적극 동조
- 특히, 협상을 주도하고 있는 EC, 미국의 적극적인 자세 전환이 필요함을 강조
- 아울러, 케인즈그룹도 너무 높은 기대치를 낮추고 현실성 있게 신축적으로 입장을 조정하는 것이 협상촉진에 기여할 것이라는 점을 제기
- 완전자유화, 지지및 보호수준의 대폭적 감축내지는 철폐등은 수입국 입장에서 수용상의 어려움과 한계가 있음을 설득

o 한국도 케언즈그룹이 주장하는 무역자유화 원칙과 입장에 기본적으로 입장을 같이하고 있음을 설명
- 한국의 자유화 노력, 신축적 입장조정등 협상타결에 기여하고 있음을 강조
- Separate Approach채택, 수출보조의 엄격한 규제와 급격한 감축, Deficiency Payment의 수출보조 포함등에 대한 지지의사 표명
- 그러나 농업의 특성과 각국의 현실적 여건을 고려하여 수입개방과 농업개혁은 단계적.점진적으로 이루어져야 한다는 점에 차이가 있으며 이에대한 이해와 협조를 요청

o 개도국우대 조치의 반영에 대한 적극적인 지지표명과 공동보조 필요성 강조
- 미국, EC, 일본등 선진국과의 농업개발격차, 농업정책과 지원방식의 상이성을 강조
- 선진국과의 균형(Balance)과 형평성(Equity)측면에서 의무면제 (Di Mimimus), 소폭감축, 장기이행기간 또는 조화감축 방식의 채택
- 선진국의 개도국 관심품목에 대한 특별고려, 개도국 정책에 대한 허용기준 완화등

19 - 13 0054

/

o 케언즈그룹 국가간에도 내면적으로 이해관계를 달리하고 있어 관심사항별로 개별 대응함으로써 동그룹의 결속력 약화를 추진

- 카나다는 11조 2항C 유지가 중요관심 사항이나 호주, 뉴질랜드등 여타국가는 동 조항의 폐지를 주장
- 호주, 뉴질랜드는 구조조정, 투자지원을 감축대상으로 보는등 개도국우대에 소극적 입장견지
- 브라질 알젠틴등 중남미 국가는 시장개방 분야에 완전자유화를 강조하는 반면, 국내보조에서의 우대를 강조
- 아세안 그룹은 관세화 예외품목인정, MMA설정시 특별고려, 구조조정, 투자지원 허용등 개도국 우대 확보에 강도 높은 주장을 제기

< 국별 중점관심 사항 >

카 나 다

o 11조 2항(C)의 유지와 운용가능한 방향으로의 개정 필요성 강조
- 카나다 제안에 대한 공동참여국 입장에서 동조항의 유지개선에 적극적인 협조 의사를 표명

o 카나다측 관심사항에 대한 협조 의사표명 및 우리의 핵심적 관심사항에 대한 지지요청

- CCC등 수출신용의 감축, Deficiency Payment의 수출보조 포함등 양국간 공동관심 사항을 설명하고 협력해 나갈것을 강조
- 사료용 보리등 카측 관심품목에 대한 MMA수용 입장 표명
- 식량안보 인정, 쌀의 관세화 및 MMA 보장대상제외, 개도국우대 적용등에 대한 정부의 확고한 입장표명과 지지협조를 요청

o MOU체결, 농업공동위 설치등 양국간 농업분야 협력 확대가 필요함을 강조

19 - 14

0055

호주, 뉴질랜드

o 그동안 한국의 농산물 시장개방 과정에서 가장많은 혜택을 보고 있는 국가라는 점을 강조
  - 우리나라와는 전체적으로 무역흑자국이면서도 쇠고기 양자협상등을 통해 농산물분야 개방이익의 대부분을 향유하고 있다는 점을 강조

o 우리의 핵심적 관심사항에 대한 확고한 정부의 의지를 전달하되, 관세화 및 MMA개념의 수용등 우리도 기본적으로는 같은 입장을 갖고 있다는 점을강조
  - 특히, 호주는 케언즈그룹의 의장국인 점을 감안, 우리주장의 정당성을 설명하고 여타국가의 이해와 협조를 구하는 방향으로 유도

아세안 국가

o 개도국 농업의 특징을 강조하고 공통 관심사항을 인식시키는데 주력
  - 개도국에 있어 빈곤해소, 식량안보 유지의 중요성, 농업개발 및 투자확대의 필요성, FAO등 관련 국제기구의 노력등을 강조
  - UR협상 논의현황이 개도국 농업개발과 농가소득 지원에 미치는 부정적효과 대한 인식을 환기
  - 선진국과 동일한 원칙을 적용시 개발격차의 고착화, 농업성장 잠재력 포기등 문제의 심각성을 제기

o 아세안 국가와 아국과의 농업구조 및 발전단계의 유사성과 공동대처 필요성을 강조
  - 몬순지대 농업에 있어 쌀의 식량안보,농가소득유지, 환경보존의 중요성
  - 상업농으로의 전환기 단계에 있는 과도기 농업의 특성상 단계적 개방과 구조조정에 필요한 장기이행기간 확보의 필요성
  - 개도국 농업에 중요한 품목은 관세화의 예외인정등

19 - 15

0056

o 아세안 국가의 대부분이 선발개도국 입장에 있음을 고려하여 1인당 GNP등 특정기준을 설정, 개도국을 차별화하는 방식에 반대입장을 강조

o 케언즈그룹내 카나다, 호주, 뉴질랜드와 공동입장 표명의 한계와 문제점등을 제기

- 농업여건과 발전 수준의 격차, 이해관계의 상반, 공동입장을 통해 얻는 실제이익등 신중한 검토가 필요함을 강조

중남미 국가

o 개도국우대 문제에 대하여는 아세안 국가에 대한 교섭내용을 참조

- 개도국 농업의 특징을 강조하고 공통관심 사항을 인식시키는데 주력하고 개도국 우대방안을 관철하는데 공동보조 필요성을 강조
- 특히, 브라질, 알젠틴등 선발개도국은 개도국 차별화에 반대입장을 취하고 있음으로 이에대한 지지의사 표명

o 시장개방 확대및 수출보조 감축문제에 대하여 케인즈그룹에 대한 공통협의 내용을 참조

- 특히, 중남미국등의 관심품목에 대한 우리의 자유화 계획과 수입현황, UR협상에서의 입장을 설명하여 이해와 협조를 유도

. 밀,사료곡물 : 수입자유화되어 있거나 국내수요의 대부분을 수입

. 축산물 (특히, 쇠고기) : 수입이 지속적으로 확대되고 있으며, 구제역등 검역문제는 UR협상 식품위생 및 동식물 검역에 관한 합의 내용에 일치시킬 예정

. 과일류 : 관세화 수용및 최소시장접근 보장

라. 일 본

< 중점관심 사항 >

o UR협상에서 공통된 입장을 갖고 있는 만큼, 지금까지 긴밀히 협조해왔고 앞으로도 이러한 입장을 관철해 나가는데 공동보조해 나갈것임을 설명

- 식량안보의 반영
- 국내보조에 있어 감축대상을 먼저 결정하는 방식의 채택
- 허용대상 정책의 조건완화 및 대상범위 확대
- 실질가격을 기준으로 한 감축약속 이행 (인프레 반영)
- 국내보조 감축에 있어 생산통제 효과 및 수입비중의 반영
- 11조 2항C의 유지개선
- 수출보조에 있어 단위당 감축과 엄격한 규제조치 시행등

o 특히, 기초식품(쌀)에 대한 관세화 및 최소시장 접근 예외에 대하여는 일본이 기존의 입장을 끝까지 고수해 줄것을 강조
- 우리 정부의 쌀시장개방 불가입장은 확고하다는 점을 강조
- 일본의 정계 또는 재계 일부에서 최소시장접근 방식에 의한 부분개방 논의에 대한 우려표명과 함께, 일본 정부의 양보불가 입장을 견지해 줄것을 요청

o 개도국 우대에 대해 일본의 적극적인 지지자세로의 전환을 촉구
- 일본이 개도국 우대에 다소 소극적 입장을 취해온 점을 지적
- 케언즈그룹을 포함한 개도국들이 관세화 예외 품목인정, 관세화 유예기간 부여 등의 주장을 강하게 제기하는 분위기가 확산되고 있음을 지적
- 개도국 입장에 대한 일본의 보다 적극적인 지지표명은 예외품목 확대와 쌀시장 개방 압력을 완화시키는데 도움이 된다는 점을 인식시키는데 주력

19 - 17

0058

< 동향파악 및 정보수집 사항 >

o 미국, EC등 주요협상국과의 접촉동향과 협의내용 파악
- 주요 8개국회의 고위급간의 개별접촉등

o 일본의 입장 변경가능성 및 여론동향 점검
- 쌀문제와 관련, 외무성, 농림수산성등 정부내부의 입장과 논의동향
- 의회, 언론, 관련업계, 농민단체의 반응과 동향

o 개도국우대 적용을 주장하는 우리입장에 대한 일본의 반응
- 특히, 개도국 차별화를 주장함으로서 한국을 개도국우대 대상에서 제외하려는 경향을 예의점검할 필요

마. EFTA (북구, 스위스, 오지리등)

< 중점관심 사항 >

o 수입국 입장에서 농업의 특수성, 농산물교역 자유화 한계를 인식하고 점진적, 단계적인 농업개혁이 이루어져야 한다는 기본입장에 공감을 표시

o 특히, 환경보존, 지역개발등 농업의 비교역적 기능(NTC)을 강조하고 있는 입장에 대한 지지표명과 함께 공동보조 필요성 강조
- NTC 관련정책은 국내보조에서 허용대상으로 분류, 11조 2항C등 중요품목에 대한 관세화 예외 인정등

o 우리농업의 여건과 현실, 자유화 노력등을 중점설명하고 우리입장에 대한 이해와 지지를 촉구
- 특히, EFTA국가의 농업정책과 제도가 EC의 CAP와 유사하고 UR협상에서도 EC 입장에 동조하고 있음을 참고하여 대 EC 교섭사항을 활용하여 대응

< 동향파악 및 정보수집 사항 >

o EC등 주요협상국과의 접촉동향 및 대응전략

o 국별 관심품목과 협상에서 확보하고자 하는 관심사항

o UR협상 관련, 국별 농업개혁 추진방향

o 아국입장에 대한 반응
  - 식량안보의 예외, 개도국우대 적용등

바. 수입개도국 (멕시코, 페루, 인도, 파키스탄, 이집트등)

o 개도국 우대에 대한 적극적인 관심과 지지표명 및 협상에서의 공동보조 필요성을 주지

  - 개도국 농업과 선진국 농업은 그성격과 구조에 있어 근본적인 차이가 있음으로 특별한 고려가 인정되어야 한다는 입장을 강조
  - 개도국 정책에 대한 별도 허용기준 설정,개도국 관심품목에 대한 선진국의 시장접근 확대
  - 개도국 일부 품목에 대한 관세화 및 최소시장 접근예외 인정등

o 개도국 식량안보와 농가소득 보호를 위한 국경조치의 중요성을 강조

  - 농촌빈곤 및 식량부족 해결을 위한 농업투자 확대와 자급도 제고의 필요성을 강조
  - 개도국 농가소득 보호는 재원조달상 제약등으로 인해 국경보호 조치에 의존하고 있음으로 개방확대시 국내농업과 농가소득에 미치는 심각성을 부각
  - 수입 개도국의 식량안보를 위해 선진국의 원조및 양허판매 확대 필요성을 강조

원 본

외 무 부

종 별 :

번 호 : GVW-1764 일 시 : 91 0917 1500

수 신 : 장 관(통기,경기원,농림수산부)사본: 박수길대사

발 신 : 주 제네바 대사

제 목 : UR/농산물 협상(1)

9.16 개최된 표제 주요국 비공식 회의 요지 하기보고함. (농림수산부 조국장, 농경연 최부원장, 천농무관 참석)

1. 던켈 총장 언급 요지

- 던켈 총장은 금차 회의는 시간이 촉박한 점을감안 기 배포된 협상 부속서 (ADDENDA) 및 금일 배포된 추가문서 (차파편 송부) 중심으로 논의하자고 하였음.

- 차기 회의 일정관련 10.1-4 기간중 및 10.16-18 기간중 표제 주요국 비공식 회의를 개최토록 하고, 10월말-11월초에는 정치적문제까지 포함한 협상의 기초를 논의할 수 있는 단계로 발전시키는 것을 제시하였음.

2. 부속서 성격에 대한 토의

- 미국은 부속서가 대안 (OPTIONS)과 관련된 기술적 문제를 보다 발전시키는 것(MOREELABORATING) 이라고 평가

- 이씨는 OPTION PAPER 는 그자체로 존재하며 부속서는 기술적 성격에 국한됨 강조

- 일본은 부속서에 RULE 에 대한 언급이 없는점 불만 표시

- 태국은 협상 수단 (NEGOTIATION TOOL)이라고 평가

- 아국은 특정 대안에 대한 기술적 주석서 (FOOTNOTE) 에 불과하다고 발언 (카나다는 아국 발언을 지지하였음)

- 던켈총장은 협상을 위한 기반조성을 위해 제시된 토의자료 이며 합의된 것이 아닌점과 향후 수정대상이 되지 않음을 강조하고, 향후 부속서에 갓트 11조 2(C) 및 NTC 에 대한 내용을 추가할 의사를 시시하였음.

3. 부속서 내용

가. 대상품목

- 미국, 알젠틴등은 부속서 내용에 이의 없다고 하였으며, 일본은 수산물, 임산물,

통상국 2차보 대사실 경기원 농수부

91.09.18 09:01 WG

외신 1과 통제관

0061

견사, 잠견추가를 주장하였으며, 우루과이는 수산물의 추가를 주장하였음.

- 아국은 각국으로 부터 대상품목 LIST 를 받아 검토하자고 주장하였음.

나. 국내보조

- 일본은 AMS 에 투자 보조는 제외되야 하며, 수입비율, 생산통제 비율을 고려해야 한다고 주장하였고, 인도는 농가내 시설 보조를 허용정책에서 제외시킨데 불만을 표시하였음

- 아국은 구조조정과 관련한 경지정리, 유통시설보조등이 허용정책에 포함되야 한다고 강조함.

- 미국, 이씨등 AMS 중 가공품, 국내가격 계측, 평균가격등의 기술적 문제점을 지적하였음.

다. 국경보호

- 미국 및 알젠틴 호주등 케언즈그룹 국가는 최저시장 접근 (MMA)은 관세화의 INTEGRAL PART임을 강조하였고 오지리는 R/O 에 의한 MMA협상이 합리적이라고 주장하였음

- 일본은 갓트 11조 2 (C) 및 식량안보에 대한 논의 필요성을 강조하고 이에대한 NON-PAPER 를 제출할 계획이라고 함.

- 아국은 관세화의 대상정책은 정치적사항이므로 부속서 논의에서 제외하자고 주장하였음.

라. 수출보조

- 카나다, 호주등은 수출 보조의 TARGETING 과 CEASE-FIRE 가 빠진데 불만표시

- 일본, 인도등은 국내보호, 국경조치와 균형될 수있도록 수출 보조가 보다 깊이있게 논의되야한다고 강조. 끝

(차석대사 김삼훈-국장)

농 림 수 산 부

국협20644-8[illegible] 503-7227 1991. 9. 17.

수신 외무부장관

제목 UR농산물협상 주요추진대책 자료송부

1. UR협상이 금년 9월부터는 마무리 UR협상을 위해 UR참가국가가 모든 분야에서 집중적인 노력을 기울여 나갈 것으로 전망이 됩니다.

2. 특히, UR농산물협상은 국내 정치.경제적으로 그 협상결과가 미칠 영향이 매우 클것으로 예상되기 때문에 이시점에서는 주요국별 동향등을 수시로 파악, 적절한 대응체계를 갖추어 나가는 것이 매우 중요한 과제로 대두되고 있습니다.

3. 이에따라 우리부에서는 그동안 UR농산물협상 추진상황과 앞으로의 대책추진에 필요한 자료들을 별첨1(UR농산물협상 추진대책 자료)로 작성, 주요국 공관의 UR관련업무에 참고할 수 있도록 송부코자 하니 적극 협조하여 주시기 바랍니다.

첨부 : 1. UR농산물협상 추진대책 자료(별도송부)

2. UR농산물협상 추진대책자료 배부내역(외무부 및 주요공관)

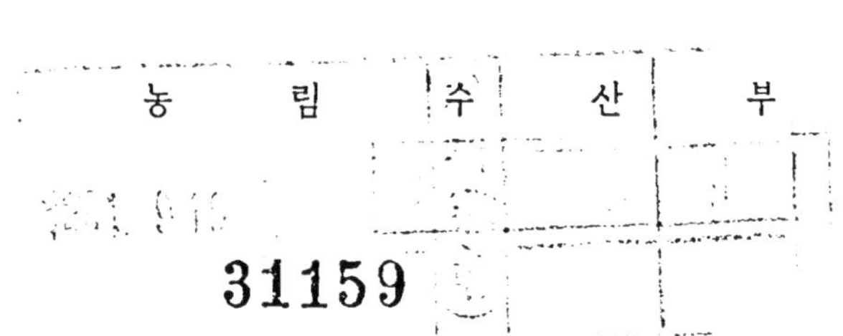

0063

UR농산물협상 추진 대책자료 배부내역
(외무부 및 주요공관)

배 부 처	부 수	배 부 처	부 수
	부		부
가. 외 무 부	3		
나. 주요공관			
o 미 국	5	o 필리핀	1
o EC (대표부)	3	o 브라질	1
o 일 본	3	o 우루과이	1
o 카나다	2	o 멕시코	1
o 호 주	2	o 인 도	2
o 뉴질랜드	2	o 파키스탄	1
o 알젠틴	1	o 이집트	1
o 핀랜드	2	o 자마이카	1
o 태 국	2	o 스위스	1
o 말레이시아	2	o 오지리	1
o 영 국	1	o 스웨덴	1
o 프랑스	1	o 노르웨이	1
o 독 일	1	o 이스라엘	1
o 이태리	1	o 제네바 (대표부)	4 (기송부)
o 스페인	1	계	53
o 화 란	1		
o 덴마아크	1		
o 인도네시아	1		

0064

원 본

외 무 부

종 별 :

번 호 : GVW-1774 일 시 : 91 0918 1730

수 신 : 장관(통기,경기원,농림수산부) 사본: 박수길대사

발 신 : 주제네바대사대리

제 목 : UR/농산물 협상(2)

9.17.(화) 속개된 표제 주요국 비공식 회의에서는 허용정책중 직접 지불 정책에 대하 여 논의한 바요지 하기 보고함.

1. 던켈총장은 회의에 앞서 갓트 11조 2(C) 및 비교역적 관심사항(NTC)에 대한 추가 문서를 배포하고(별첨 FAX 송부) 동건에 대하여 9.18(수)논의하자고 하였음. 한편 아국은 9.18(수) 오후 던켈 총장과 별도로 비공식 협의를 갖기로하였음.

2. 허용정책(GREEN BOX) 논의 주요 내용

- 미국은 허용정책 중 생산자에 대한 직접 지불정책에 관한 사무국의 추가 문서는 향후 논의의 촉진을 위해 유용하며, 동 문서에 포함된 내용이 향후 농업정책의 방향이 되야 한다고강조하였으며, PARA 2(C) 에 제시된 수량적기준은 비현실적 이라고 지적하였음.

- 이씨는 허용정책을 개념 정의하고 적용기준(CRITERIA)를 제시한 다음 구체 적인 대상정책을 나열하는 현재의 접근방법이 유용하다고 평가한 후 DECOUPLED형태의 직접지불 정책이 향후 유용한 정책수단이 될수 있으며, ADJUSTMENT 및 INVESTMENT AID(조정 및 투자 보조) 정책이 허용되야 하고,지나치게 엄격한 CRITERIA 를 설정하는것은 현실적으로 이행하기 어려운 문제점이 있다고하였으며, 한시적 허용정책은 수용 하기 어렵다고발언함.

- 일본은 조정정책은 구조조정 정책으로 표현토록하여 허용정책으로 분류해야 한다고 주장하였고, 투자보조는 농업의 회전율(TURN-OVER RATIO)이 타산업에 비해 낮은 만큼 불가피하다고 주장하면서 CRITERIA 의 단순화를 강조하였음.

- 스위스는 직접지불 정책이 매우 중요한 사항이라고하면서 투자 보조가 포함되야 한다고 강조하고,허용정책은 기간이나 사용정도에 제한이 가해져서는 않된다고 강조하였음.

통상국	2차보	분석관	청와대	안기부	경기원	농수부

PAGE 1

91.09.19 09:30 BE

외신 1과 통제관

0065

- 카나다 및 호주, 태국, 알젠틴등 케언즈 그룹국가는 삭감 대상정책의 변칙 허용이 일어나지 않도록 엄격히 규제되야 한다고 강조하였으며, 부자 보조정책을 일정기간 동안만 잠정적으로 허용하는 방안을 검토해볼 용의가있다고 밝힘

- 아국은 허용정책중 직접지불 정책이 어떤내용이 되는지 하는 문제가 각국의 허용정책에 대한 입장을 정하는데 매우 중요하다고 하고, 특히구조조정 정책 및 투자보 조가 허용되야 한다는 점을 강조하였음.

0 또한 제시된 CRITERIA 가 복잡하여 실제 형식적으로 시행할 수 있는지 의문이많다고 지적하고 DECOUPLED SUPPORT 정책은 선진국에게는 유용한 정책이나 개도국에게는 재정적 한계등으로 실천하기 어려운 점을 지적하였음.

0 식량안보를 위한 공공비축에 대한 물량제한,가격 기준등이 현실성이 없다고 주장하고, 장기적관점에서는 공공비축만으로는 식량안보 목적을 달성하는데 불충분하며, 안정적 공급기반 유지에 필요한 정책이 허용정책과 관련지워 고려되야한다고 강조하 였음.

- 인도, 멕시코, 모로코등 개도국은 재정의 부족으로 DECOUPLED SUPPORT 를 시행하기 어려우며 그대안이 필요하다고 하여 아국 발언을 지지하였음.

첨부: 갓트 11조 2(C) 및 비교역적관심사항(NTC)에 대한 추가문서(GVW(F)-0351).끝

PAGE 2

0066

13 September 1991

MARKET ACCESS

Non-trade Concerns

1. This note addresses a number of technical issues related to non-trade concerns. They include the need for a specific definition of non-trade concerns, the nature and duration of any measures in this context, and the description of any complementary requirements to the maintenance of any such measures. There is, of course, the fundamental question of whether such measures require additional treatment beyond the provisions already available in the GATT.

Definition

2. The issue of definition relates to the need to make operationally enforceable any measures which may be implemented in connection with non-trade concerns. Precise definitions would also serve as a means of avoiding possible abuse.

3. Regarding food security, a generic definition has been proposed, i.e. that the agricultural product concerned must form part of the staple diet of the country concerned in terms of calorie consumption. If so: should this definition be made more precise by providing for a threshold level of calorie intake or of self-sufficiency? Should this be the same for all countries? For how many products in each country could this definition be applied?

4. Regarding any other non-trade concerns, are there any generally applicable definitions in respect to which any measure maintained for non-trade concerns would have to conform?

Modalities of application

5. As tariff equivalents would generally provide for a level of protection equivalent to that currently maintained, one option would be that if they remained at that level they should adequately meet non-trade concerns without need for any other measure at the border. This would entail that while all products would be tariffied, there may be scope for flexibility in the implementation of subsequent tariff reductions in the case of agreed non-trade concerns.

6. Alternatively, should any other measure be allowed to be maintained at the border in case of non-trade concerns? If this were the case, would existing GATT rules and disciplines provide for the appropriate framework to implement these measures? Or, should new specific disciplines be introduced?

Duration

7. In the case of acceptance of specific provisions for non-trade concerns, would any exemption relating to the invocation of these concerns be temporary, i.e. could be permitted only as a transitional measure, or would it be made a permanent feature?

4-1

0067

8. More specifically, if there were to be scope allowed for individual countries to exempt specific products from tariffication, would the exemption be permitted only as a transitional measure with an agreed mechanism for eventual tariffication, or could the exemption be on a permanent basis?

Other issues

9. There are a number of other issues which would also require further elaboration. For example, one option would be that the maintenance of a tariff equivalent at a given level could not be such as would reduce the level of imports which has taken place over the base period; or, where substantial imports have not occurred, a [y] per cent of domestic production/consumption minimum access commitment could be established. Such access could increase over time.

10. In addition, countries using any such provisions could be required, for the product concerned, to refrain from the use of all export subsidies and, where appropriate, to undertake domestic reform and structural adjustment programmes to allow for the smooth removal of the causes for their non-trade concerns.

11. Participants invoking non-trade concerns could be required to make a notification prior to taking any action and to provide adequate opportunities for consultation with other interested participants. Regular notifications could serve to monitor the conditions of application of any measures maintained for non-trade concerns.

6-2

0068

13 tember 1991

MARKET ACCESS

Measures Related to the Enforcement of Effective Production Controls

1. This note addresses a number of technical issues related to measures that may be necessary to deal more explicitly with the enforcement of effective production controls, including the basic elements of any such provisions. The note does not address the fundamental question of whether such measures require additional treatment beyond the provisions already available in the GATT or whether those provisions should continue to be available in any strengthened and more operationally effective rules and disciplines.

2. As tariff equivalents would generally provide for a level of protection equivalent to that currently maintained, one option would be that if they remained at that level they should adequately meet concerns without need for any other measure at the border. This would entail that while all products would be tariffied, there may be scope for flexibility in the implementation of subsequent tariff reductions in the case of supply controlled products.

3. If there were, however, to be scope allowed for individual countries to exempt specific products from tariffication, would the exemption be permitted only as a transitional measure with an agreed mechanism for eventual tariffication, or could the exemption be on a permanent basis?

Article XI:2(c)i

4. If Article XI:2(c)i is to remain allowing border measures other than ordinary customs duties to be maintained, are the current provisions of the Article adequate?

5. Should governmental measures which operate to "restrict the quantities of the like domestic product permitted to be marketed or produced" be mandatory and the level at which domestic production is controlled under these measures made notifiable to the GATT? What additional disciplines could be used to ensure the supply controls are effective, for example penalties for over-production?

6. In addition to the provision that "restrictions...shall not be such as will reduce the total of imports relative to the total of domestic production, as compared with the proportion which might reasonably be expected to rule between the two in the absence of restrictions", should the level of access required to be provided under any such restrictions be defined as the higher of: (i) the quantity of imports that have occurred during an agreed representative period; or (ii) a set percentage of the level at which domestic production is controlled.

7. Is the provision of allowing import restrictions "on any agricultural or fisheries product, imported in any form" (including "the same products when in an early stage of processing and still perishable, which compete

4-3

0069

directly with the fresh product and if freely imported would tend to make the restriction on the fresh product ineffective") an adequate means of defining those products to which import restrictions could be applied? Would quantifiable parameters (such as a minimum percentage of the supply controlled product in the imported product) or an agreed list of products (specified when the restrictions are implemented) improve the interpretation?

8. How can "a domestic product for which the imported product can be directly substituted" be adequately limited?

9. What about other proposals related to Article XI:2(c)i, including: (i) a prohibition on new recourse to the Article; and, (ii) a prohibition on exports of the products concerned by those countries using the Article.

<u>Article XI:2(c)ii</u>

10. If Article XI:2(c)ii is to remain allowing border measures other than ordinary customs duties to be maintained, are the current provisions of the Article adequate?

11. In addition to the relevant issues raised under Article XI:2(c)i above, would the definition of "a temporary surplus of the like product" need further clarification?

<u>Article XI:2(c)iii</u>

12. If Article XI:2(c)iii is to remain allowing border measures other than ordinary customs duties to be maintained, are the current provisions of the Article adequate?

13. In addition to the relevant issues raised under Article XI:2(c)i above, would the notion of direct dependency on the imported commodity need further clarification?

X-X

0070

관리 번호 91-624

원 본

외 무 부

종 별 :

번 호 : GVW-1784 일 시 : 91 0919 1200

수 신 : 장관(통기,경기원,농림수산부), 사본: 박수길대사

발 신 : 주 제네바대사대리

제 목 : UR/농산물 던켈 총장과의 비공식 협의

9.18 개최된 던켈 총장과의 비공식 협의 요지 하기 보고함.

(농림수산부 조국장, 농경연 최부원장, 천농무관 참석 본터 농업국장 배석)

1. 던켈 총장 언급 요지

- 현재 표면에 나타나지는 않지만 협상이 상당히 진행되고 있음

- 특히 이씨는 관세화 수용조건으로 제시한 보정인자(CORRECTIVE FACTOR)를특별 세이프가드에서 논의되고 있는 가격 기준 발동 요건(PRICE TRIGGER)으로 변형시키는 것을 고려하고 있어, 관세화(FULL TARIFFICATION) 를 수용할 것으로 봄.

- 관세화 원칙 수용과 관련 특정품목(쌀)을 예외로 하는 문제는 한국과 일본에 국한된 문제로 좁혀 지고 있음

- 따라서 한국이 관세화를 수용하고, 고율의 TE 를 설정하는 한편 어느정도최저시장 접근(MMA)을 주는 방향을 수용하기 바라며, 이와같은 기본적인 원칙(FRAME WORK)속에서 해결책을 찾는 것이 좋을 것임.

- 또한 한국을 개도국으로 보는 국가는 많지 않은 것이 현실이므로 개도국 우대 적용에 너무 많은 관심을 갖지 않는 것이 좋겠음.

- 다른 나라들은 협상 진행중에 국내에서 여러가지 적응 노력을 하고 있는바, 한국도 국내적으로 이와 같은 노력임 필요할 것임.

2. 아국 언급요지

- 아국은 농산물 시장 개방을 꾸준히 추진중에 있음.

- 쌀의 경우는 여타 농산물과는 달리 매우 어려운 상황임.

(생산 및 소득에서 차지하는 비중, 세계교역에서의 비중, 정치적 사회적 어려움등을 설명)

- 따라서 쌀에 대한 아국의 기존 입장을 변경하는 것은 불가능함

통상국	장관	차관	2차보	구주국 (대사)	분석관	청와대	경기원	농수부

PAGE 1 91.09.19 21:04

외신 2과 통제관 CE

0071

0 아국 발언에 대하여 던켈 총장은 한국의 특수한 문제(쌀등)에 대하여 협상에 따라서는 마지막 단계에 일본과는 다른 특별한 조치가 고려될 수도 있겠으나, 한국에 특정품목(쌀)에 대한 예외를 인정해 줄 경우는 연쇄 효과가 발생하여다른 나라도 예외를 요구하게 되어 결국 전체 협상 구도가 무너지게 된다고 답변하였음.

3. 평가

- 던켈총장은 현재의 협상 진행 상황 및 향후 협상 FRAMEWORK 합의 추진과 관련 아국에 대하여 협상의 일반원칙(관세화, MMA 등)을 가능한한 수용하면서 그범위내에서 실익을 확보토록 촉구하는 것으로 사료됨. 끝

(차석대사 김삼훈-국장)

예고:91.12.31. 까지

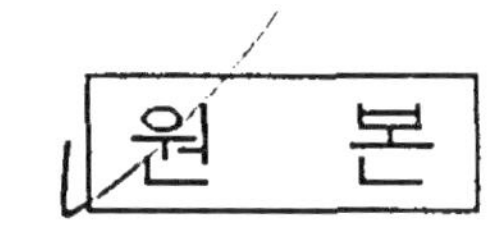

관리번호 91-623

외 무 부

종 별 :

번 호 : GVW-1783 일 시 : 91 0919 1200

수 신 : 장관(통기,경기원,농림수산부) 사본: 박수길대사

발 신 : 주 제네바대사대리

제 목 : UR/농산물 협상, 대상품목

대: WGV-1226

연: GVW-1527(90.11.15)

1. 대호 4 항 관련 일본은 수산물에 대하여 관세인하 용의는 표명하고 있으나 비관세 조치 철폐 및 국내보조 삭감과 관련해서 문제가 있어서 수산물을 농산물 협상 그룹에서 다루려는 것으로 사료됨.

2. 보조정책 관련 보조금 상계관세 그룹(NG-10) 합의 초안에는 금지대상 정책, 상계가능 정책, 허용정책으로 각각 분류하고, 허용정책의 범위를 좁은 범위에 국한시키고 있어 농산물 협상그룹에서 논의되는 것보다 엄격히 규율할 것으로예상됨.

3. 동건 관련 연호에 의거 수산물을 협상에서 분리시켜 시장접근 협상 그룹에서 다루기로 한 본국 방침에 따라 협상을 추진해 왔음을 첨언함.

(시장접근 협상그룹의 0 FOR 0 협상등). 끝

(차석대사 김삼훈-국장)

예고:91.12.31. 까지

통상국	장관	차관	2차보	미주국	분석관	청와대	안기부	경기원
농수부								

PAGE 1

91.09.19 23:38

외신 2과 통제관 CE

0073

원 본

외 무 부

종 별 :

번 호 : GVW-1782 일 시 : 91 0919 1200

수 신 : 장 관(통일,경기원,농수부(사본:박수길대사)

발 신 : 주 제네바 대사 대리

제 목 : UR/농산물 협상(3)

9.18 속개된 표제 협상 주요국 비공식 회의에서는 갓트 11조 2항 및 비교역적 관심사항에 대하여논의한바, 요지 하기 보고함.

1. 갓트 11조 2항 관련 논의 요지

- 대다수 수입국은 갓트 11조 2 (C)의 유지 개선될필요성을 주장하였음.

0 카나다는 향후 효과적인 생산 통제 정책을 인정할 것인지가 근본적 문제라고 하면서 관세화를 예외없이 적용하는 것은 현실적으로 국제 무역에 어떤 영향을 미칠것인가에 평가하여야 한다고 전제한후, 갓트 11조는 유지되어야하며 효과적으로 운용될수 있도록 CLARIFICATION이 필요하며, 이와 관련 최저 시장접근(MMA)은 5 퍼센트까지 인정해 줄수 있다고 발언함.

0 일본은 TE 에 의해서는 생산통제 효과를 확보할수 없으므로 수입 규제 조치가인정되야 하며, 대상 품목은 (1) 신선상품 및 원료가 50 퍼센트이상 사용된 가공품, (2)가역성(REVERSIBLE)있는 품목, (3) 갓트에서합의된 품목(AGREED LIST), (4) 동일원료(성분)을 갖는 대체품등이 되어야 한다고 주장하였음.

0 이씨는 수출과 수입을 동시에 하므로 입장 수립에 어려운 점이 있다고 전제한후 11조는 유지되야 하며, PARA 9 관련 신규 도입 또는 순수출 품목적용을 배제토록 하는 조건을 수용할수 없다하고가공품, 효과적 정부 통제, 소비량과의 관계등에있어 CLARIFICATION 이 필요하다고 주장함.

0 아국은 관세화 자체가 농업 개혁을 의미한다고전제하고, 관세화 원칙을 반대하는 것은 아니지만 현실적 운용상의 문제점을 고려하여 타협적인 접근이 필요하다고하였음. 또한 갓트11조는 유지되어야 하며, 효과적 운영을 위해 CLARIFICATION 이 필요하고, PARA 9와 관련해서는 신규 도입 가능성이 형평 유지차원에서 인정되야 한다고 강조하였음.

통일: 2차보 통상국 대사실 법무부 경기원

PAGE 1 91.09.20 05:35 FO

외신 1과 통제관

0074

0 오지리, 북구, 스위스등은 갓트 11조 2(C)의 유지를지지하는 입장을 표명하였음.

- 이에 대하여 미국 및 케언즈 그룹 국가는 협상원칙에 예외를 인정할수 없다는측면에서 갓트11조 2(C)의 폐지를 주장하였음.

0 미국은 갓트 11조 2(C)가 인정될 경우 유제품, 설탕, 땅콩등에 도입할수 밖에없으며, 각국이 적용할 경우 세계 교역 상황이 더욱 악화 될수있다고 하면서 폐지를주 장함.

0 호주, 뉴질랜드, 알젠틴 등은 관세화, 특별세이프 가드, 허용 정책(GREEN BOX)을 기본원칙으로 합의하고, 각국의 특별한 상황에대한 해결책은 그 범위에서 찾는 것이적절하다고 주장하면서 예외없는 관세화를주장함.

2. 비교역적 관심사항(NTC) 논의 요지

- 아국 및 일본은 기초 식량의 식량안보를 강조하면서 필요한 국경조치가 인정되야 한다고 주장하였고 북구, 스위스, 오지리, 이씨등 여타수입국은 환경보전, 지역개발등 복합적인 비교역적 관심사항이 허용정책(GREEN BOX)에 융통성있게 반영되어야 한다고 주장하였으며, 이에 대하여 미국 및 케언즈 그룹 국가는 협상원칙에 예외를인정해줄수 없다는 입장을강조하였음.

0 일본은 기초 식량의 식량안보를 위해서는 일정한 국내 생산 유지가 필요하고 이를 위해서는 항구적인 국경조치가 필요하며, 최저 시장 접근을인정 할수 없다고 하면서, 수입국의 핵심관심사항을 인정해 주는 것이 오히려 시장 개방을 촉진하는 수단이 될것이라고 주장하였음.

0 아국은 비교역적 관심사항(NTC)에는 식량안보, 환경보전, 지역 개발등이 포괄된 개념이고, 이미 여러차례 걸쳐 인정된 개념이므로 앞으로 협상원칙에 어떻게 반영하느냐가 문제라고 전제한후, 아국은 몬순지역에 위치하며, 쌀농사의 비중이매우 높은실 정임을 설명하고, 기초 식량의 식량안보를 위해서는 관세화 대상으로 할수없으며, 쌀에 대하여는 최저 시장접근을 인정할수 없다고 하였음.

0 이씨는 NTC 가 중요한 개념이며, 여러차례 그 정당성이 인정된 것이므로 해결방법을 찾아야한다고 전제하고, 구체적으로 특정 국가의 특정품목에 대하여 예외적조 치를 인정할 경우는 문제를 복잡하게 하므로 모든 국가에 적용할수있는 대안을 찾아야 한다고 하면서 국경조치에국한하지 말고 국내 보조 특히 허용 정책등에서 해결책을 찾는게 좋을 것이라고 함.

0 북구, 스위스, 오지리등은 환경보전 지역개발등과관련 NTC 의 중요성을 언급한후

동 문제는 시장접근 분야만의 문제가 아니라고 하고 구체적으로허용정책(GREEN BOX)을 보다 확대하고 융통성을줌으로서 (LARGER, GENEROUS GREEN BOX) 해결할수있다고 하고, 관세 상당액을 높게 장기간유지하는 방안에 관심을 표명하였음.

0 미국은 NTC 문제가 허용 정책에 반영되있다고 하면서, 자급 정책이 비관세 조치를 합리화할수 없다고 주장하고, 식량안보는 오히려 공급원을 다양화 하여야 한다고 하면서, 협상원칙에 예외를 인정할수 없다고 하였음.

0 호주, 알젠틴 등 케언즈 그룹은 예외를 인정할수 없다는 입장을 강조함.

3. 던켈 총장 언급요지

- 던켈 총장은 갓트 11조 2(C) 및 비교역적관심사항(NTC)에 대한 추가 문서는 토의를 촉진시키기 위한 NON-PAPER 라고 한후 동 문제가 매우 정치적 성격이지만 협상진행의 핵심적문제가 되고 있다고 전제하고, 논의가 정치적결정을 요하는 단계로 매우 바쁘게 전개되고있으며, 가까운 시일에 각국 정부가 협상원칙(REFORM PACKAGE), 각국 애로 사항 및해결 방안에 대한 결정을 해야 한다고 강조함.

- NTC 문제는 여러가지측면이 있으며, 단순히 시장접근의 문제로 볼수 없다고 하면서, 특정문제에 대한 특정 해결책을 찾는 것 보다는 모두에게 적용할수 있는 협상원칙(관세화, 허용정책등)을 통해 해결 방안을 찾아 보도록하는게 좋겠다고 하고 우선협 상원칙을 세우는데 논의를 집중하자고 하였음. 끝

(차석대사 김삼훈-국장)

PAGE 3

0076

분류번호	보존기간

발 신 전 보

WGV-1270 910920 1811 FN

번 호 : 종별 : 암호발신

수 신 : 주 제네바 대사. 총영사

발 신 : 장 관 (통 기)

제 목 : UR/농산물 협상

대 : GVW-1783

연 : WGV-1226

연호 농산물 협상 대상품목(product coverage)과 관련하여 관련부처간 협의 결과를 아래 통보하니 향후 개최될 농산물 협상 회의에서 적의 입장 표명바람.

1. Addenda에서 제시된 농산물 협상 product coverage에 대해서는 별도 의견을 제시치 않음.

2. 다만, 제조담배(HS 2402-3), 생사류(HS 5001-6), 변성 전분(HS 3505)을 농산물 협상 product coverage에 추가 제시하여 반영토록 노력함.

3. 수산물, 임산물의 경우는 기존 분류대로 시장접근 분야에서 논의토록 하되, 임산물의 경우는 일본이 동 품목 포함을 주장하는 배경과 이유 파악 및 관련부처의 추가 검토후 관련부처간 재협의키로 함. 끝.

(통상국장 김 용 규)

보 안 통 제	(서명)

앙 고 재	91년 9월 20일	통기과	기안자 성명		과 장	심 ○	국 장		차 관	장 관
			송봉헌			(서명)	전결			(서명)

외신과통제

0077

원 본

외 무 부

종 별 :

번 호 : GVW-1804 일 시 : 91 0920 1930

수 신 : 장 관 (통기,경기원,농림수산부)

발 신 : 주 제네바 대사대리

제 목 : UR/농산물 협상(4)

11.19(목) 속개된 표제협상 주요국 비공식회의에서는 수출보조 개념정의 중심으로 논의된바 요지 하기 보고함.

1. 수출보조 개념정의 논의 요지

- 이씨는 수출보조 논의가 불충분했던 점을 지적하고, 국내보조.시장접근과의 연계를 강조하였음.

- 일본은 수출보조에서도 단위당 접근이 필요하다고하고, AMS 에 의한 국내보조및 국경조치 약속필요성을 강조하였으며, 미국의 결손지불을 수출보조에서 취급해야한다고 주장함.

- 미국은 수출보조정의가 현실적으로 운용 가능해야할 것이라고 하였고, 호주, 뉴질랜드, 알젠틴등 케언즈 그룹국가는 수출보조에 대한 규율강화가 중요하며 궁극적으로 NG-10 합의 초안으로 통합시킬 것을 주장하였음.

- 아국은 협상 요소별 조화와 균형이 필요하며, 수입국 입장에서 수출보조의 규율 강화가 필요하다고 강조하였으며, 특히 TARGETING 과 CEASE-FIRE 가깊이 논의되어야 한다고 하였음.

2. 던켈총장 언급요지

- 지금까지 수출보조에 대한 논의가 부족하였으며, 전체 모습을 봐야 각국이 협상 입장을 정하는데 용이하다는 점을 인정하지만, 협상의 가속화가 필요함.

- 10월말경 협상원칙 (MODALITY OR INSTRUMENT) 에대한 결정이 필요하며, 그때까지 협상안을 마련해야 함.끝

(차석대사 김삼훈-국장)

통상국 2차보 경기원 농수부

PAGE 1 91.09.21 11:08 WG

외신 1과 통제관

0078

원 본

외 무 부

종 별 :

번 호 : GVW-1805 일 시 : 91 0920 1930

수 신 : 장 관(통기,경기원,재무부,농림수산부,상공부) 사본:박수길 대사

발 신 : 주 제네바 대사대리

제 목 : UR/농산물 협상 공식회의

9.20.개최된 표제 협상 공식회의에서는 9.16.주간 개최된 비공식 협의 결과에 대한 던켈총장의 보고가 있었음.(농림수산부 조국장, 농경연회부원장, 오참사관, 천농무관 참석)

1. 던켈총장 보고 요지

- 던켈총장은 서두에 대안 문서 및 부속서 (ADDENDA)가 의장 책임으로 작성된것이며, 포괄적인 것이 아니고 (NOT EXHANSTINE), 각국의 입장을 예단하지 않는 것이라고 전제 한후, 9.16 주간 비공식 협의 요지를 보고함.

- 국내 보조관련 해서는 허용정책 (GREEN BOX)중 특히 직접지불 정책 (DIRECT PAYMENT) 중심으로 논의하였음.

0 정부의 공급 서비스 사업은 일반적 기준과 정책별 기준을 혼용하는 방안이 광범위한 지지를 받고 있음.

0 적용 기준은 지나치게 복잡해서는 곤란하지만 가능한 구체적으로 제시 필요

0 직접 지불 정책은 품목 불특정성, 수량적제한설정등에 의견차이가 크지만 건설적인 방향으로 논의되고 있음.

0 허용정책의 최종적인 내용은 삭감대상정책 (AMBER BOX)의 삭감 정도, 국경조치및 수출보조 약속정도에 따라 정치적으로 결정될 수 밖에없다는 견해가 많음

- 시장접근 분야 관련해서는 갓트 11조 2항 비교역적 관심사항 (NTC) 문제를 집중논의했음.

0 갓트 11조 2(C) 문제는 폐지 방안과 존치 및 명료화 방안간 견해차가 상당히큰바, 협상원칙 (OVERALL PACKAGE)이 선명해 진 후에야 판단이 가능할 것으로 보임.

0 비교역적 관심사항 (NTC)에 관해서는 식량안보, 환경보전, 지역개발등 여러분야가 제기되었는바, 동 문제를 국내 보조중허용정책 (GREEN-BOX)에서 해결책을

통상국 2차보 대사실 경기원 재무부 농수부 상공부 、박수길 대사

PAGE 1 91.09.21 11:13 WG

외신 1과 통제관

0079

찾는 것이 좋다는 견해가 많았음. 이문제도 협상원칙이 선명해 지지 전에는 큰 진전을 기대하기 어려움.

- 수출보조 분야와 관련해서는 여타 분야와의 상호연계성, 삭감 대상정책 범위등이 논의되었음.

- 10.1. 및 10.16 주간에 비공식 협의를 계속 할계획임.

2. 평가

- 던켈 총장은 기술적 문제 논의가 계속되겠지만 정치적 문제를 논의할 싯점이되었다고 하면서, 실질 협상을 위한 협상수단 (MODALITY)에 대한 정치적 결정이 조속히 이루어져야 함을 강조하고 있으며

- 차기 회의에서는 각국 정부가 협상 입장을 재검토하여 융통성있는 입장을 가지고 임할 것을 당부하고 있는바

- 던켈총장은 년내 협상 타결을 목표로 하여 10월말 또는 11월초경 까지 협상참가국들이 합의를 이루는 협상의 FRAMEWORK 가 제시되어야함을 강조하고 있음.

첨부: 던켈총장 보고서 사본 1부.

(GVW(F)-0363).끝

(차석대사 김삼훈-국장)

PAGE 2

0080

GVW(F)- 0363 10920 1930

// GVW-1805 첨부,

CHECK AGAINST DELIVERY

20 September 1991

URUGUAY ROUND: NEGOTIATING GROUP

ON AGRICULTURE

Meeting of Friday, 20 September 1991

Chairman's Report on Informal Discussions

1. When I last reported to this Group on 26 July, I announced that I would circulate a number of addenda to the Options Paper (document MTN.GNG/AG/W/1) to help in intensifying participants' exploration of the options. You have all subsequently received these addenda, which were issued on 2 August as AG/W/1/Add.1-11. I would draw your attention to the covering note which points out that, like the Note on Options to which they refer, these addenda are issued on the Chairman's own responsibility, are not exhaustive and are without prejudice to participants' positions on these other issues which may also need to be considered further.

2. During this week I have resumed my informal consultations on the three areas of domestic support, market access and export competition, taking into account the Options paper and the addenda, while moving on to consider some of the other issues which also need to be addressed as part of the agriculture package.

3. In the area of domestic support, my consultations this week have centred on the option of defining the "Green Box" (policies to be exempt from reduction) and in particular on the criteria which might be established to govern eligibility for this exemption. Following my earlier consultations, AG/W/1/Add.3 set out some possible general criteria and explored more specific provisions relating to policies of the government service type. This week I have also discussed the criteria which could apply to certain direct payments to producers which might be considered "green".

4. As with government services, defining green direct payments might involve a combination of generally-applicable and policy-specific criteria. This approach seems to be widely supported as a modality for further

0081

5-1

development, but participants have nonetheless noted that, on the one hand, we should avoid excessive complication and, on the other, ensure sufficient precision in the criteria which are finally agreed to help avoid, and where unavoidable guide any future dispute settlement processes.

5. Direct payments, whose potential effect on production and trade is generally a greater concern than that of government services, is an area where this balance will not be easy to strike. It involves issues such as: the degree of decoupling of support from production to be required, and how this might be ensured; and to what extent and under what additional conditions payments related to production factors may be considered "green". Specific points on which views remain divergent include whether or not to require quantitative limits on any "green" direct payments, or degressive rates of support past some threshold.

6. There is substantial work still to be done on these and other questions, and I am encouraged that it is proceeding along clear and constructive lines. I have noted, however, that for a number of participants the final composition of the "Green Box" is a political decision which cannot be made in isolation from the nature of the commitments to be undertaken concerning "amber" support as well as in the areas of market access and export competition.

7. My consultations on market access concerned principally Article XI:2, market access related aspects of non-trade concerns, and the question of a special safeguard in the context of tariffication.

8. The discussion on Article XI:2 revolved principally around Article XI:2(c)i. It was at this stage inconclusive, with strongly held positions apparent for both elimination of the sub-Article and for its clarification. Again, the issue is largely of a political nature, and may be only judged once the overall package in agriculture has got sharper contours.

0082

5-2

9. Under the general heading of non-trade concerns, food security was often cited, in addition to concerns such as environmental issues, the maintenance of rural economies or regional development. Despite useful discussions during the week, there is no one view of what relevant non-trade concerns are and, more importantly, there is no agreement that the market access area is the most appropriate area to take them into account.

10. I should note in this connection that many participants regarded the consultations on the "green box" as an appropriate means to take account of many of the non-trade concerns that have been raised. Moreover, with particular reference to food security, many participants believed that the removal of Article XI:2(a) - the exemption from the prohibition of export restrictions under certain conditions - would reduce concerns about food security. No arguments were presented for its retention although, of course, the question remains open. The decisions outstanding in this area are, I believe, largely political in nature and little further progress can be made before greater precision is apparent in the modalities of the reform package.

11. I also gained from some participants preliminary views concerning a special agricultural safeguard mechanism in the context of tariffication. The scope and duration of such a safeguard remains open, but progress was made on a number of issues which may be relevant regarding the form and the modalities of applications of such safeguard. Those consulted tended to agree that both a price-based and quantity-based trigger would be appropriate and useful comments were made on the form such triggers could take.

12. As regards export competition, this week's informal consultations were concentrated mainly on the policy coverage of reduction commitments, using as a basis for further consideration the draft generic criteria and listing of export subsidy practices contained in MTN.GNG/AG/W/1/Addendum 10. Producer financed export subsidies and subsidies on agricultural primary products incorporated in exported products were also considered, along with

0083

6-3

some of the other matters that are mentioned in the Add.10 list, such as bona fide food aid and export sales from government-owned stocks.

13. Overall, the work undertaken on export competition this week has been useful. The fact that participants are increasingly focusing their attention and comments on the inter-linkages between specific commitments in this and the other main areas is evidence, as I see it, that a start is being made in really going into depth in this area.

14. This will not be easy. Compared to market access and domestic support, discussions on export competition, for example on the definition of policy coverage or on the modalities of reduction commitments, just to mention some of the key issues, are less advanced.

15. Clearly, as a number of participants have reiterated, there are fundamental political issues that will have to be resolved (what is to be reduced, what is to be disciplined, and how) before it will be possible to get to grips with many of the technical points involved. At the same time my own feeling is that the key political issues have to be presented for political consideration and decision against the background, or within the framework, of what I have called a solid working hypothesis in the area of export competition which takes account of the inter-linkages and maps out the general direction in which we might move.

16. I might add that the inter-linkages raised relate not only to equivalence of commitments as between one category of measures and another as they may affect export competition, but also more broadly to equivalence and balance in terms of an overall package and the framework of rules that would govern agricultural export competition in the longer term.

17. This is where our efforts should be directed in the coming weeks - not only in the consultations I shall be organizing - but also in capitals and in your own bilateral consultations.

0084

5-4

18. I observed in July that we were reaching a point where the issues were becoming as much political as technical. It is clear from my presentation today that we have indeed reached that point. While there is still useful technical work that can be done and is being done, some significant political decisions on the modalities for substantive negotiation must be taken soon. Our work over the last six months has helped to make it clear what these decisions concern, and what are some of the options available. I will be continuing my informal consultations in the week of 1 October and again in the week of 16 October, in order to maintain and intensify a process which I trust will contribute to a prompt and appropriate resolution of the outstanding questions.

UR농산물협상 공식.비공식회의 참석결과

1. 회의기간 및 장소

   o '91. 9. 16 ~ 9. 20, 스위스 제네바

2. 참 가 자

   o 농업협력통상관 조일호, 자문관 최양부외 1명

   ※ 차기회의 일정

   - 10.1~4, 10.16~19 기간중 회의개최
   - 10월말~11월초에는 약속수단에 관한 기초를 마련하는데 노력

3. 주요 토의결과

   가. 국내보조의 허용정책중 생산자에 대한 직접 보조

   o 환경보전, 자원이용전환, 재해보험 및 피해지원, 직접소득보전, 최저소득보장지원 등의 운용기준

   o 작목전환등 생산조정과 투자지원 (investment aid)는 미합의 사항으로 제시 : 구조개선의 핵심부분

   o 수출국을 제외한 대부분 국가들이 생산조정과 투자지원의 포함을 주장

   o 구체적 기준에 대해서는 간략화 되지 못하면 실천성이 없음을 강조

나. 수출보조

o 카나다, 호주 : Targeting 형태의 수출금지 필요성 강조

o 한국, 일본, 인도 : 국내보조, 국경조치와 균형되게 수출보조 문제도 심도있는 논의 필요성 강조

o 미 국 : 수출보조 (Export Subsidy)는 규제되어야 한다는 당위성만 피력

o E C : 수출보조는 국내보조등과 연계되어 있음을 감안 국내보조와 동시 검토필요

다. 시장개방에서 관세화의 예외가 되는 GATT규정 제 11조 2항(c)와 NTC의 취급문제

Non-paper의 요지

o Options-Paper에서 제시한,
① 관세화, ② 관세화 한뒤 집행측면에서 예외인정, ③ 관세화 하지 않는 방안의 세가지를 중심으로 기술적 검토 사항 제시

토 지 요 지

o 미국, 호주, 알젠틴 :
- 예외없는 관세화가 자신들의 핵심관심을 들어 반론제기
- 미국은 식량안보 개념은 부정, 다른 NTC요소는 국내보조에서 검토되야 할 것임을 주장

0087

o EC :

- 11조2(c)는 유지되야 함을 제기(단,새로운 품목의 적용제한에 반대 의견제시)
- NTC에 대해서는 각국별로 품목을 인정하는데 기술적 애로가 있음을 들어 국내보조에서 취급을 제기
- 핵심문제는 구체적인 품목의 범위에 있음을 강조

o 북구그룹

- 원칙적으로 11조 2(C)와 시장개방 분야에서 NTC의 중요성을 강조하면서도,
- 관세화한뒤 감축과정에서 별도의 예외가 인정되는 경우, 국내보조에서 추가적 고려가 중요함을 제시 (융통성)

o 오지리

- 11조 2(c)의 유지
- NTC는 국내보조에서 중점취급을 제시하면서 구체적인 품목의 내역이 검토되야 할 것임을 표명

o 스위스

- 11조 2(c)의 유지
- NTC는 국내보조에서 충분히 반영되는 경우, 수입제한등 국경조치에서는 융통성을 가질수 있음을 표명

o 카나다

- 11조 2(c)의 유지. 명료화 주장

o 멕시코, 인도

- 국경조치에서 NTC가 분명히 고려되이야 함을 강조

- 3 -

0088

종합의견

o 수출국그룹의 명백한 반론제기와 관심국들의 필요성 강조로 의견의 근접점은 없었음.

o EFTA그룹은 명백한 의사표명은 유보하면서 관세화 한뒤 별도의 예외조치(감축예외등)가 있을 경우 국내보조에서 NTC관련 관심반영의 중요성 제시

o 일본, 한국, 멕시코, 인도가 관세화 예외인정 필요성 강조

o EC는 각국별 품목설정의 애로등을 들어 난점 있음을 제시

전 망

o 첫번째로 토의된 사항이기 때문에 깊은 토의는 어려웠으나,
국내보조의 특례인정시 입장조정 가능성을 북구 및 스위스가 암시하였음.

o 개도국들은 대부분 깊은 내역을 알지 못하여 다음회의에 관심을 표명할 것으로 보임.

o 따라서, 앞으로도 소수의 특수입장을 계속 논의될 것이 전망되며 이에따른 대응책이 필요시됨.

4. 쌀등 기초식량의 관세화 예외 추진과 관련된 대응과제

동 향

o 한국. 일본이 강력주장, 미국. 케언즈는 반대입장

o 북구, 스위스, 오지리등 EFTA그룹이 정치적인 입장은 별개임을 제시하기는 하였으나,
- 시장개방에서는 일단 관세화를 받고 감축예외등 별도 조치를 받는대신 국내보조 감축 예외 확대를 선호하는 경향을 보임.

대 응 책

o 계속해서 강한 입장을 유지하여 우리의 기본입장을 반영할 수 있게 협상노력 강화

o 식량안보에 의한 관세화 예외인정의 세부기준과 보완장치 제시
- EC가 지적한 것과 같이 시장개방에서 예외인정은 연쇄효과(Chain-effect)로 다른 나라들이 모두 한두품목씩 예외를 가져가게되는 현실적 문제가 있음.
- 이같은 현실적 문제를 설득할 수 있는 구체적 기준설정 필요

5. 향후 추진대책

가. 미국, EC간의 접근동향 파악

o 주미, 주일대사관 및 주 EC 대표부를 통하여 동향분석

나. 주제네바 대표부(농무관)의 주요국 대표부 접촉

o 상대방 입장확인과 아국입장 전달등

다. 식량안보로 주장하는 쌀등의 구체적 적용기준 설정

o 연쇄효과 방지, 수출국의 관심조정등을 위한 세부내역 설명 : 반론제기 여지를 봉쇄

참 고

I. 논의방향

ㅇ 기 배포된 협상부속서 및 9.16 배포된 추가문서(Non Paper)를 중심으로 논의

ㅇ Non Paper

- Domestic Support

1) "Green Box" : Direct Payment
2) Definition of the AMS
3) The Treatment of Inflation

- Market Access

4) Special Safeguard Provisions
5) Maintenance of Current Access

- Export Competition

6) Policy Coverage of Reduction Commitments
7) Producer financed Export Subsidy
8) Subsidies on Agricultural Products

- 11 조 2항 (c)

- Non Trade Concern

ㅇ 10.1-10.4 및 10.16-10.18 기간중 주요국 비공식 회의 개최

ㅇ 10 월말 또는 11월초에는 정치적 문제까지 논의될 수있도록 협상단계 진전

0091

II. 협상부속서(Addenda)의 성격

Addenda는 협상기반 조성을 위한 토의자료에 불과함
향후 GATT 11조 2항 (C) 및 Non Trade Concern 에 대한 내용이 추가될 예정임

III. 주요 논의 내용

가. 대상품목(Product Coverage)

o 일 본
- 수산물, 임산물, 잠견, 잠사추가 주장

o 우루과이
- 수산물 추가

o 아 국
- 각국으로부터 대상품목 list를 받아 총정리 후 논의 요구

나 국내보조(Internal Support)

o 일 본
- AMS 계산에서 Input Subsidy와 Investment Aid는 제외되야 하며 수입비율, 생산통제 비율이 고려되야 함.

o 미 국, EC
- AMS 결정시 Internal Price대한 구체적인 기준 제시가 없음
- AMS 결정시 가공품 국내가격계측, 평균가격등의 문제가 있음

o 인 도
- 농가내 보호시설(In farm facility program)을 허용정책에 포함

o 아 국
- 구조조정과 관련된 경지정리, 유통시설(Marketing Facility) 보조등이 허용정책에 포함되어야함을 강조

0092

다. 국경보호(Border Protection)

o 미 국, 알젠틴, 호주등 Cairns Group
  - 최소시장접근(MMA)이 관세화의 필수요소임을 강조.

o 오스트리아
  - Guideline of Tariffication에 대해, TE에 대한 예외인정주장
  - MMA협상은 R/o base에의한 것이 합리적.

o 인 도
  - Guideline of Tariffication 에서 본질적인 BOP 문제가 바짐

라. 수출보조(Export Competition)

o 카나다, 호주
  - 수출보조의 Targeting과 Cease-fire 추가요구

o 일 본, 인 도
  - 국내보조, 국경조치와 균형될 수있도록 수출보조가 깊이있게 논의되야함

마. 개도국 우대

o 미 국
  - De-minimis에 대해 반대

o 호 주
  - De-minimis는 Cairns의 공식입장이 아님

0093

바. Green Box

o 미 국

-·Para 2,(c)에 제시된 수량적기준은 비현실적이며 시행에 한계가 있음

o EC, 일 본, 스위스

- Decoupled 형태의 직접지불정책이 대안이 될 수있음

- Adjustment 및 Investment Aid는 허용되야함

- 한시적 허용정책은 수용하기 어려움

- Criteria는 단순화 되야함

o 카나다, 호주, 페루, 알젠틴

- 삭감대상정책의 변칙허용이 일어나지 않도록 엄격히 규제

- 투자보조는 일정기간 동안만 허용하는 방안 검토 용의

o 아 국

- 구조조정 및 투자보조허용

- Decoupled Income Payment는 선진국에는 유리하나 개도국에는 재정의 한계로 실천이 어려움.

o 인도, 멕시코, 모로코등 개도국

- 재정의 부족으로 시행이 어려움

0094

사. 11조 2항 (C)

o 카 나 다

- 유지되어야 하나 효과적으로 운용될 수 있는 Clarification 이 필요
- 고율관세등의 대안이 있음.

o 일 본

- 유지되야 하며 clarification이 필요
- MMA는 협상대상이나 5% 이하여야함
- 대상품목
  1) 신선상품, 원료가 50%이상 사용된 가공품
  2) 가역성이 있는 품목
  3) GATT에서 합의된 품목
  4) 동일원료(성분)을 갖는 대체품

o EC, 북구, 오스트리아, 스위스

- 11조는 유지되야 하나 clarification이 필요하며 now-user 와 new-user간의 차이를 두어서는 안됨.

o 미국, Cairns group

- 11조 2C는 폐지되어야 하며, 예외없는 관세화 주장

0095

아. 비교역적 관심사항(NTC)

o 일 본

- 기초식량 안보를 위해 일정한 국내생산 유지필요, 최저 시장접근(MMA) 불인정

o 아 국

- NTC 는 식량안보, 환경보전, 지역개발등 포괄적 개념

o E C

- 특정국가의 특정품목에 대한 예외인정은 문제를 복잡하게 하며 모든국가에 적용할 수 있는 대안 모색필요
- 국경조치에 국한하지 말고 국내보조 특히 허용정책등에서 대안을 찾아야 함.

o EFTA, 스위스, 오지리

- NTC는 중요하나 허용정책을 확대하과 융통성을 줌으로써 해결가능
- TE를 높게 장기간 유지하는 방안에 관심요망

o 미국, 호주, 알젠틴등 Cairns 그룹

- 예외인정 곤란

0096

자. 수출경쟁

o 일 본

- Acquistion Value는 Market Price로 바꿔야함

- 국내보조, 국경보조와의 분리가 불가함

o 카나다

- Producer finance를규제하는 데 반대함

o E. C

- 수출보조에 대한 논의가 절대적으로 부족

- 수출보조는 다른 분야와 연결되어 있으며, balance 와 linkage를 보기위해 모두 전체로 보아야 함.

o 미 국

- Export Subsidy는 규제되야함

- 일본의 Acquistion value에 대한 논의에 반대함

o 아 국

- 수출분야에 대한 토론부족

- 국내보조에 대한 정책의 기준은 나오면서 수출보조에 대한 criteria가 없음

0097

IV. Dunkel 총장의 회의결과 보고

o 허용정책

- 정부의 공공서비스 사업은 일반적 기준과 정책별 기준을 혼용하는 범위에서 광범한 지지를 받음.

o 직접지불정책은 품목의 불특정성, 수량적 제한설정등에 의견차가 크나 건설적인 방향으로 나가고 있음.

o 11조 2항 (c) 존폐에 대해 견해차가 크나 협상원칙이 선명해진 후에야 판단가능

o NTC에 대해서는 합의를 이루지 못했으며(no agreement made) 국내보조에서 해결책을 찾자는 견해가 많았음.

0098

경 제 기 획 원

봉조이 10520-667 (503-9147) 1991.9.19

수 신 수신처 참조

제 목 UR/농산물협상 대상품목관련 관계부처 회의개최결과 통보

1. 봉조이 10520-63('91.9.16)의 관련임.

2. UR/농산물분야에서 논의되고 있는 협상대상품목(Product Coverage)관련한 관계부처간 의견조정내용을 아래와 같이 통보하니 조치하여 주시기 바랍니다.

- 아 래 -

- Addenda에서 제시된 Product Coverage에 관해서는 별도의 이견제시를 하지 않기로 함
- 다만 우리의 관심품목으로 제조담배(HS 2402-3), 생사류(HS 5001-6), 변성전분(HS 3505)을 추가제시하여 반영토록함
  - ○ 관련하여 수산물, 임산물에 대해서는 세부적인 고려사항의 논의결과, 기존분류대로 시장접근분야에서 논의하도록 하되, 임산물의 경우는 일본이 동품목을 주장하는 배경과 이유 및 주무기관(산림청)의 입장을 재점검하여 필요시 추가적인 논의를 하기로 함.

경 제 기 획 원 장

수신처: 외무부장관(통상기구과장), 재무부장관(국제관세과장, 관세협력과장), 농수산부장관(국제협력담당관), 상공부장관(국제협력담당관), 수산청장(무역과장), 산림청(수출진흥과장).

0099

UR/농산물 협상 회의(9.16-20) 결과 요지

1991. 9.24.
통상기구과

1. 부록(addenda)의 성격

o 미 국

- 대안과 관련된 기술적 문제를 보다 발전시킨 것임.

o 이 씨

- option paper는 그 자체로 존재하며, 부록은 기술적 성격에 국한됨.

o 아 국

- 특정 대안에 대한 기술적 주석에 불과함.

2. Product Coverage

o 미국, 알젠틴등

- addenda에 제시된 product coverage에 이견 별무

o 일 본

- 수산물, 임산물, 견사등 추가 필요

o 우루과이

- 수산물 추가 필요

o 아 국

- 각국으로부터 list를 받아 검토

3. 협상 요소별 토의 요지

가. 국내보조

o 미 국

- AMS 계측 관련 기술적 문제 추가 논의 필요

o 케언즈그룹

- 투자 지원을 일정기간 동안 잠정적으로 "green"으로 분류하는 방안 검토 용의

o E C

- 투자보조는 "green"으로 분류 필요
- decoupled 직접 지불은 향후 유용한 정책 수단

o 일 본

- 수입 비율, 생산 통제 비율 고려 필요
- 투자 보조는 "green"으로 분류 필요

o 아 국

- 구조 조정과 관련된 경지 정리, 유통시설 보조등은 "green"으로 분류 필요
- decoupled 직접 지불은 선진국에게는 유용한 정책이나 개도국에게는 재정적 한계등으로 현실적 어려움 있음.

나. 시장접근

o 미국, 케언즈그룹

- 최소 시장접근은 관세화와 불가분의 관계
- 11조 2항 C 폐지
- 예외없는 관세화

o 카나다

- 11조 2항 C의 유지, 개선이 필요하며 이와관련 MMA는 5%까지 인정 용의

o 일 본

- 11조 2항 C 대상품목으로 ①신선상품, 신선상품을 50% 이상 원료로 사용한 가공품, ②가역성(reversible)이 있는 품목, ③합의된 품목, ④동일 성분을 갖는 대체상품을 제시
- 식량안보 관련 품목에 대한 국경조치 인정

o 이 씨

- 11조 2항 C는 기본적으로 유지되어야 하며, 신규 도입이 허용되고 순수출 품목에도 적용 가능하여야 함.

- NTC 관련, 특정국의 특정품목에 대한 예외 인정은 문제를 복잡하게 하므로 모든 국가에 적용할 수 있는 대안 모색이 바람직하며, NTC 문제는 국경조치에 국한하지 말고 국내보조 특히 허용 정책에서 해결책을 찾는 것이 바람직.

o 북구, 스위스, 오지리

- 11조 2항 C 유지, 개선 필요
- 환경보전, 지역개발과 관련, TE를 높게 장기간 유지할 수 있는 방안에 관심표명 및 Green box를 보다 확대하고 융통성 부여 필요

o 아 국

- 11조 2항 C 유지, 개선 필요
- 식량안보 관련 국경조치 인정

다. 수출보조

o 이 씨

- 국내보조, 시장접근과의 연계 강조

o 일 본

- 미국의 결손 지불은 수출보조에서 논의 필요

o 미 국

- 수출보조 정의는 현실적으로 운용 가능한 것이어야 함.

o 케언즈그룹

- 궁극적으로 NG-10 text로 통합 필요

o 아 국

- targeting(특정시장 공략을 위한 수출지원 정책) 및 cease-fire (새로운 시장, 새로운 상품에 대한 수출보조 금지)에 대한 추가 논의 필요

4. 던켈 사무총장 언급 요지

o 부록의 성격

- 의장 책임하 작성 되었으며, 총망라적(exhaustivc)이 아니며, 각국의 입장을 예단하지 않음.

o 국내보조

- 허용대상 직접 지불정책 관련, 일반적 기준과 정책 특정적 기준을 혼용해 적용 가능
  . 생산과의 분리(decoupled) 정도에 대한 추가 논의 필요
  . 직접 지불 정도에 대한 수량적 한계 설정 필요성 여부등은 쟁점
- 결국, amber 분야에서의 감축 약속 정도, 시장접근.수출 경쟁분야에서의 약속 정도에 따라 허용 대상정책에 대한 정치적 결정 필요

o 시장접근

- 11조 2항 C의 철폐 또는 명료화 문제는 정치적 결정사항으로 협상 윤곽이 보다 명료화된 이후 전반적 package의 일환으로 타결 가능
- NTC 관련, NTC의 정의, 시장접근 분야에서 동 문제를 취급하는 것이 적절한지 여부등에 대해 상금 의견 접근이 이루어지지 못하고 있으며 정치적 결정사항
  . 많은 참가국들이 동 문제를 국내보조의 green box에서 취급하는 것이 적절하다는 의견
- 특별 세이프가드 관련, 많은 참가국들이 가격 및 물량 기준을 선호

o 수출경쟁

- 여타 협상 요소와의 연계성에 대한 논의를 통해 향후 집중 논의의 출발점 마련
  . 수출 경쟁 분야내에서의 상호 연계성 문제뿐만 아니라 여타 협상 요소와의 연계성 문제는 전반적 package의 균형(equivalence) 문제와 연관

o 기　타

- 실질 협상을 위한 협상 수단(modality)에 대한 정치적 결정을 위해 10월말-11월초경 framework 제시 필요.　　　끝.

관리번호	91-633

외 무 부

종 별 :

번 호 : USW-4737 일 시 : 91 0924 1400

수 신 : 장 관(통이,통기,경기원,농수산부,외교안보,경제수석)

발 신 : 주 미 대사

제 목 : 미 농무부 차관 서한

대: WUS-3999

연: USW-2923,4231

당관 이영래 농무관과 서용현 서기관은 9.20. 농무부의 JOHN CHILD 아시아과장, H. WETZEL 및 HEMPHIL 한국담당관을 면담한 기회에 연호 CROWDER 농무차관의 서한등에 관하여 의견을 교환한바, 동 요지 하기 보고함.

1. 한국의 농산물 시장개방 수준에 관한 평가

0 아측은 연호 서한에서 미측이 한미간의 농산물 시장개방 수준을 정태적(STATIC)으로만 비교하여 한국의 시장개방 수준이 떨어진다고 비난하고 있으나, 과거 오랫동안 자유무역제도하에서 구조조정을 해온 미국 농업과 농산물 교역자유화를 시작한지 얼마안되는 한국 농업을 평면적으로 비교함은 무의미하며, 중요한 것은 동태적 측면에서 개방과가 얼마나 진전되고 있느냐의 문제라고 지적함.

0 이에대해 미측은 한국측 논리에 일응 수긍이 가나, UR 농산물 협상과 관련하여 한국이 금년초 수정 입장을 제시한 이래 전혀 입장의 변화를 보이고 있지않으며, 또한 이러한 변화를 촉진키 위한 국내적 노력(청문회 개최등)도 보이지 않고 있어, 동태적으로도 한국의 입장에 진전이 없는 것으로 평가되고 있는 것이라고 말함.

0 미측은 사실상 한국이 쌀과 같은 민감한 품목에 대해 INITIATIVE 를 취하지 어렵다는 것은 이해하나 UR 이 종료되어 최종합의 PACKAGE 에 대한 가부선택의 기로에 놓일 경우를 상정한다면 한국이 보다 적극적인 입장에서 대응해 주기를 바란다고 하였음.

0 이에대해 아측은 지난 6 월 서면으로 제시한 쌀등 2-3 개 품목을 제외한 여타 품목의 개방이 우리가 할수 있는 최대의 양보선이며, 현상황하에서 더 이상의 개방은 불가능함을 강조하는 한편 더욱이 여타국들도 UR 농산물 협상과 관련한 입장에 뚜렷한

통상국 장관 차관 1차보 2차보 통상국 분석관 청와대 청와대
안기부 경기원 농수부

PAGE 1 91.09.25 07:44

외신 2과 통제관 BS

0104

진전이나 개선을 보이지 않은 상태에서 한국과 같이 농업상황이 어려운 나라가 더 이상의 진전된 입장을 내놓는다는 것은 어려운 실정임을 재차 강조하였음.

2. 기타 관련문제

0 미측은 돼지고기 통조림 긴급관세 부과등을 한국측의 BACKTRACKING 의 예로 들었는바, 이에대해 아측은 대호와 같이 동 긴급관세를 50%에서 40%로 인하했음을 설명하고, 한국과 같이 오랜 수입제한과 적자시대를 거친 나라에서는 수입개방 초기에 수입이 격증하는 경향이 있어 긴급관세 부과를 필요로 하는 경우가 있으나 이는 시간이 경과함에 따라 완화되고 따라서 긴급관세도 해제될 수 있는 것이라고 설명함.

0 플로리다산 오렌지류 수입에 대한 추가적 검역증명(지중해 광대파리 관련) 부과문제에 대해서는 아국정부는 이러한 추가 증명을 요구한 바는 없다고 하고 만약 여사한 사례가 있으면 구체적인 내용을 아측에 통보해 달라고 한데 대해미측은 사의를 표명함. 끝.

(대사대리 김봉규-국장)

예고: 91.12.31. 까지

일반문서로 재분류 (1991 . 12 . 31.)

원 본

외 무 부

종 별 :

번 호 : GVW-1848 일 시 : 91 0927 1200

수 신 : 장 관(통기,경기원,농수부)

발 신 : 주 제네바대사

제 목 : UR/농산물 협상

.1 개최 예정 표제 주요국 비공식 회의 소집통지서를 별첨 송부함.

첨부: UR/농산물 협상 주요국 비공식회의 소집통지서.

(GVW(F)-373)

(대사 박수길-국장)

통상국 2차보 경기원 농수부

PAGE 1 91.09.28 07:27 WH

외신 1과 통제관

0106

1991-09-27 15:53 KOREAN MISSION GENEVA 2 022 791 0525 P.01
SEP-26-'91 10:51 ID: 0041 22 731 42 06 TEL NO: GENEVE #021 P01

GATT FACSIMILE TRANSMISSION

Secretary	Counsellor	Minister	Ambassador

Centre William-Rappard
Rue de Lausanne 154
CH-1211 Genève 21

Telefax: (022) 731 42 06
Telex: 412324 GATT CH
Telephone: (022) 739 51 11

TOTAL NUMBER OF PAGES 1
(including this preface)

Date: 26 September 1991

GVW(F)-0373
10P27 1200

From: Arthur Dunkel
Director-General
GATT, Geneva

Signature:

"GVW-1848 첨부"

To:		Fax No:
ARGENTINA	H.E. Mr. J.A. Lanus	798 72 82
AUSTRALIA	H.E. Mr. D. Hawes	733 65 86
AUSTRIA	H.E. Mr. W. Lang	734 45 91
BANGLADESH	H.E. Mr. M.R. Osmany	738 46 16
BRAZIL	H.E. Mr. C.L. Nunes Amorim	733 28 34
CANADA	H.E. Mr. G.E. Shannon	734 79 19
CHILE	H.E. Mr. M. Artaza	734 41 94
COLOMBIA	H.E. Mr. F. Jaramillo	791 07 87
COSTA RICA	H.E. Mr. R. Barzuna	733 28 69
CUBA	H.E. Mr. J.A. Pérez Novoa	758 23 77
EEC	H.E. Mr. Trân Van-Thinh	734 22 36
EGYPT	H.E. Mr. M. Mounir Zahran	731 68 28
FINLAND	H.E. Mr. A.A. Hynninen	740 02 87
HUNGARY	Mr. A. Szepesi	738 46 09
INDIA	H.E. Mr. B.K. Zutshi	738 45 48
INDONESIA	H.E. Mr. H.S. Kartadjoemena	793 83 09
ISRAEL	Mr. A. Perry	798 49 50
JAMAICA	H.E. Mr. L.M.H. Barnett	738 44 20
JAPAN	H.E. Mr. H. Ukawa	788 38 11
KOREA	H.E. Mr. Soo Gil Park	791 05 25
MALAYSIA	Mr. Supperamanian Manickam	788 09 75
MEXICO	H.E. Mr. J. Seade	733 14 55
MOROCCO	H.E. Mr. M. El Ghali Benhima	798 47 02
NEW ZEALAND	H.E. Mr. A.M. Bisley	734 30 62
NICARAGUA	H.E. Mr. J. Alaniz Pinell	736 60 12
NIGERIA	H.E. Mr. E.A. Azikiwe	734 10 53
PAKISTAN	H.E. Mr. A. Kamal	734 80 85
PERU	Mr. J. Muñoz	731 11 68
PHILIPPINES	H.E. Mrs. N.L. Escaler	731 68 88
POLAND	Mr. J. Kaczurba	798 11 75
SWITZERLAND	H.E. Mr. W. Rossier	734 56 23
THAILAND	H.E. Mr. Tej Bunnag	733 36 78
TURKEY	H.E. Mr. G. Aktan	734 52 09
UNITED STATES	H.E. Mr. R.H. Yerxa	749 48 85
URUGUAY	H.E. Mr. J.A. Lacarte-Muró	731 56 50
ZIMBABWE	H.E. Dr. A.T. Mugomba	738 49 54

You are invited to an informal consultation on agriculture to be held at 3 p.m. on Tuesday 1 October in Room E of the Centre William Rappard. Attendance is restricted to two persons per delegation.

PLEASE NOTIFY US IMMEDIATELY IF YOU DO NOT RECEIVE ALL THE PAGES

** OUR FAX EQUIPMENT IS HITACHI HIFAX 210 (COMPATIBLE WITH GROUPS 2 AND 3) AND IS SET TO RECEIVE AUTOMATICALLY **

0107

기 안 용 지

분류기호 서번호	통기 20644- 121	(전화: 720 - 2188)	시 행 상 특별취급	
보존기간	영구. 준영구 10. 5. 3. 1.	장 관		
수 신 처 보존기간		대결		
시행일자	1991. 9.27.			

보조기관			협조기관		문 서 통 제
	국 장	전 결			
	심의관				
	과 장	(서명)			
기안책임자		송 봉 헌			발 송 인

경 유 수 신 참 조	건 의	발신명의		
제 목	UR/농산물 협상 회의 정부대표 임명			

91.10.1-4간 스위스 제네바에서 개최되는 UR/농산물 협상 회의에 참가할 정부대표를 "정부대표 및 특별사절의 임명과 권한에 관한 법률"에 의거, 아래와 같이 임명할 것을 건의하오니 재가하여 주시기 바랍니다.

- 아 래 -

1. 회 의 명 : UR/농산물 협상 회의

- 1 -

0108

2. 회의기간 및 장소 : 1991.10.1-4, 스위스 제네바

3. 정부대표

o 농림수산부 국제협력담당관 손정수

o 농림수산부 농업협력통상관실 사무관 윤장배

o 주 제네바 대표부 관계관

o 한국 농촌경제연구원 부원장 최양부 (자문)

4. 출장기간 : 91.9.28-10.6

5. 소요경비 : 소속부처 소관예산

6. 훈 령 : 별첨 대책자료 참조. 끝.

농 림 수 산 부

국협20644- 893　　　503-7227　　　1991. 9. 26.

수신 외무부장관

참조 통상국장

제목 UR농산물그룹회의 참석

1. '91.10.1-10.4간 개최예정인 UR농산물그룹회의에서 다음과 같이 당부대표를 파견코자 하오니 협조하여 주시기 바랍니다.

- 다 음 -

가. 당부대표단

구 분	소 속	직 위	성 명
대 표	국제협력담당관실	과 장	손 정 수
	"	행정사무관	윤 장 배
자 문	한국농촌경제연구원	부원장(장관 자문관)	최 양 부

나. 출장목적

0 UR농산물협상 그룹회의 참석

다. 출장기간 및 출장지

0 '91.9.28-10.6(9일간), 스위스 제네바

라. 소요경비 : $8,206(농림수산부 부담)

첨부 : 1. 세부 출장일정

2. 금차회의 참가대책 1부.

농 림 수 산 부 장 관

0110

대표단 세부 출장일정

o '91.09.28(토)	12:40	서 울 발
	17:55	런 던 착
	20:00	런 던 발
	22:30	제네바 착
o '91.09.29-09.30		협상참가대책 회의
o '91.10.01-10.04		UR농산물그룹회의 참석
o '91.10.05(토)	10:50	제네바 발
	12:15	파 리 착
	13:40	파 리 발
o '91.10.06(일)	10:10	서 울 착

0111

9. 30주간 UR농산물그룹 회의 참가대책

1991. 9.

농 림 수 산 부

0112

- 목　　　차 -

I. 금번회의 여건

ㅇ 9. 16주간까지 회의를 통해 기술적 쟁점사항에 대한 논의는 마무리 단계에 접어든 상태

- Options Paper 및 Addenda에 대한 논의를 통해 각국의 입장차가 명확히 표출되고 향후 협상진행 방향이 개략적으로 제시

ㅇ 년내 협상타결을 위해서는 10월말 또는 11월초까지는 Framework이 제시되어야 한다는 분위기 조성

- 4개 주요국은 11월초까지 던켈총장이 Framework을 제시하는데 합의

- EC와 미국간 합의도출 노력이 강화되는 경향

ㅇ Framework 성립과 관련, 10월중순이 결정적인 시기가 될 것으로 예상

- 수출보조 분야에서 미국, EC간의 의견접근 여부가 관건이 될 것으로 전망

II. 예상의제와 전망

ㅇ Options paper및 부속서(Addenda)에 대한 기술적 토의의 마무리 작업 전개

- 9. 16 주간회의에서 배포된 Addenda에 대한 기술적 쟁점 사항 논의

- 최소시장접근, 수출보조 감축방식, 개도국 우대등

ㅇ 향후 협상진행 방향과 Framework 설정을 위한 협의 추진

- 정치적 결정을 위한 기초로서 합의가능한 협상수단(Modality 또는 Instrument)의 모색

Ⅲ. 회의대책

아국의 핵심적 관심사항

o 1. 9 대외협력위 결정사항에 따른 기존입장으로 대응

- 쌀등 기초식품에 대한 식량안보의 예외
- 11조 2항 c의 유지개선
- 개도국 우대 조치의 적용

기술적 쟁점사항

o 9. 16주간 회의참가 대책을 토대로하여 실무토의에 적극 대응

- 국내보조 : Green Box, AMS의 정의
- 시장개방 : 최소시장 접근(MMA), 현행시장 접근보장, 긴급구제제도 (Special Safeguard)
- 수출보조 : 수출보조의 정의, 수출보조의 감축방법
- 개도국 우대 : 각 협상요소별 우대조치 반영방법

Framework 설정과 관련된 사항

o 던켈의장 및 주요국 동향을 예의 점검하고 아국의 관심사항을 제기
- 미국, EC간 의견접근 동향 점검
- 공동 관심국들과의 협조 강화

가. 국내보조 (Domestic support)

허용정책 (Green Box)의 유형과 조건

< Addenda의 주요내용 >

o 허용정책의 유형

① 정부의 서비스 제공
- 일반서비스 (연구, 병충해. 질병, 훈련, 홍보및 교육, 검사, 유통촉진)
- 농업목적 (on-farm)이 아닌 하부구조 개발
- 국내식량 보조 (food aid)
- 식량안보 목적의 비축

② 생산자에 대한 직접지불
- 소득보조, 작물보험, 탈농지원, 환경보전, 재해구조, 지역개발등
- 구조지원과 투자보조의 포함여부를 쟁점사항으로 제시

o 허용정책의 조건
- 일반적 조건과 정책별 조건의 제시

< 대응방안 >

o 허용대상 정부지원책중, 구조조정 투자(경지정리, 수리시설등), 유통시설지원을 허용대상에 포함되도록 노력

※ 농가에 대한 직접보조를 구조개선 차원에서 허용
- 투융자 보조, 기술개발 보조, 작목전환등

o 기타 국내보조에 대한 사항은 기존의 입장으로 대응
- AMS에서 국경보호 제외, De minimus포함, 쌀에 대한 보조감축 예외

- 4 -

0116

AMS

< Addenda의 주요내용 >

o 품목별로 감축하는 것으로 제시

o 대상정책의 유형과 계산방법

정책의유형	계산방법
o 시장가격지지 (MPS)	o 국경보호 포함여부는 대안으로 제시
o 직접지불	o 재정지출원칙, 가격차방식 대안
o 기타감축대상 정책	o 투자보조,금융및 재정지원 유통보조등

o Infla효과의 일부반영, 생산통제 효과반영등

< 대응방안 >

o 품목별 또는 품목군별로 실정에 맞게 감축하는 기본아국입장으로 대응

o 기타 사안들은 기존아국 입장견지

- MPS에서 국경보호 제외
- 감축은 예산 지출로 약속
- 구조조정 투자허용
- De minimus 원칙 반영

o Infla반영, 생산통제 반영등

나. 시장접근 (Market Access)

최소시장접근 (MMA)

< Addenda의 주요내용 >

- o MMA 예외인정에 대한 언급이 없이 단순히 기술적 사항 제기
  - 국내소비, 생산의 X%로 시장접근 확대 (기회의 제공이지 수입의 보장은 아님)
  - 통계자료가 없는 경우 추정치 사용
  - HS No, 구성단위 (Tariff - Line)별로 부여
  - 실제적용시 관세수준, TE조정등 검토
- o MMA설정관련 품목별 수급통계 자료 제출
  - Tariff-Line별 생산, 소비 통계산출 가능여부 확인 목적

< 대응방안 >

- o 논쟁점을 단순히 정리한 수준
- o 협상입지 강화 차원에서 관세화 하지않는 품목에만 MMA를 인정하되 쌀은 예외.
- o 기타기술적인 분야는 기존입장으로 적절히 대응
  - Tariff-Line별 생산소비, 통계자료의 미비등 기술적 문제제기
  - MMA는 실품목 또는 품목군별로 부여하는 방식 채택
- o MMA에 대한 Tariff-Line별 생산, 소비 통계자료 제출

- 6 -

0118

현행 시장접근 보장 (Current Market Access)

< Addenda의 주요내용 >

o 쿼타제, 가변부과금제, 최저 수입가격제등 다양한 국경보호 조치하에서 시장접근 부여방법을 구체적으로 제시

- 실제 수입량이 아닌 시장접근 기회 개념을 채택

o 기준년도, 대상품목, 적용관세, 보장기간등을 대안형태로 제시

< 대응방안 >

o MMA 설정문제와 유사하며 기술적인 사항을 정리한 수준

o 기존입장에 따라 적절히 대응

- 품목군 또는 실품목을 기준으로 부여

- 적용관세는 현행 관세율을 적용

- 년차별 확대에 반대입장 견지

Special Safeguard Provisions

< Addenda의 주요내용 >

o SSG의 유형을 3가지로 구분

- 물량기준, 가격기준, 환율변동도 고려한 가격기준 (Corrective Factor)

o 각 유형별 발동요건과 조치내용에 대한 기술적 검토사항을 제시

- 수입량, 기준년도, 발동수준(Trigger level), 대상품목, 기준가격의 결정

- 관세 추가인상 한도 설정

- 발동기간과 빈도의 제한

- 항구적 또는 이행기간중 과도기 조치로 인정 여부등

< 대응방안 >

o SSG는 농산물분야에 대한 특수성을 인정하고 항구적인 제도로 존치

o 물량 및 가격기준의 발동조치를 동시에 인정

o 발동기간 및 빈도등에 대한 엄격한 조건 부과를 배제

다. 수출보조 (Export Competition)

수출보조의 범위

< Addenda의 주요내용 > : 의장초안과 유사

- o 감축대상 수출보조금의 일반기준 제시
  - 수출에 대한 직접보조
  - 수출품에 대한 지원
  - 기타 모든형태의 수출지원
- o 수출보조 유형예시
  - 직접재정지원
  - 손해보상 지원
  - 공공소유및 재정지원 물량지원
  - 수출신용, 수송, 유통비용 지원
  - 조세감면, 가공품의 원료농산물 지원등

< 검토의견 및 대책 >

- o 수출국간 입장 첨예대립 분야
  - 미 국 : Deficiency Payment 처리문제
  - E C : 16조 3항의 골격하에 다룬다는 입장
  - 케언즈 : G-10 text에 의한 엄격규제 주장
- o 엄격한 수출보조 감축입장견지 (단, G-10 text 원용은 불가)
- o 기존수출 지원이 없는 국가는 (아국등) De minimus에 의한 최소지원 허용주장

수출보조 감축약속 방법

< options papaer의 내용 및 논의현황 >

o 감축약속 기준으로 재정지출(징수감면), 수출물량, 단위당 보조액, 혼합방법등을 제시

- 미국은 재정지출 및 수출물량의 감축, EC는 수출물량 감축이 실천적이라는 견해

- 케언즈그룹, 일본은 단위당 보조도 감축해야 된다는 입장

o 감축약속시 고려사항으로 국내시장 보호효과, 세계시장 가격변동과의 연계성, 감축약속의 실천 및 점검 가능성등을 제시

< 대응방안 >

o 국내보조, 시장개방 분야에서의 수입국 입장과 수출보조에서의 수출국 입장과의 형평성 강조

- 수출보조는 별도로 급속히 감축되어야 한다는 입장을 견지

- 수출보조 감축은 재정지원액, 수출물량과 단위당 보조의 동시 감축

- 수출보조가 없는 국가에 대한 De Minimis인정 및 신규시장, 신규상품에 대한 수출보조 금지

- 10 -

0122

라. 개도국우대 (S & D)

< Addenda의 주요내용 >

o 국내보조

- 개도국에 대한 별도 허용보조 추가설정
  . 투자보조, 무역왜곡 효과가 적은 기타정책등
- 보조감축과 이행기간 모두에 특례
  . 선진국의 X to Y % : 발전정도별 차등대우 전제
  . 선진국보다 Y년도까지 연장

o 시장개방

- (-)TE가 나오는 경우 최초 TE는 현행관세로 의제
- 개혁추진상 필요한 특별구제 조치를 허용하거나 일정한 기간동안 TE감축을 유예 (제 18조 B 활용허용)
- TQ, MMA, 자유화된 품목의 관세인하에서 별도고려
- TE 감축율을 선진국의 X to Y%만 하고 이행기간은 Y년도까지 연장 (※ 국내보조와는 달리 and/or)
- 열대농산물등 개도국 관심품목에 대한 선진국 우대

< 검토의견 및 대책 >

o 개도국의 농업.농촌발전과 최소한 국경보호 가격지지 필요성 강조
  → 관세화 예외 설정 주장 분위기 조성

o 모호한 사항의 구체화.명료화 강조
  예) Green Box 별도설정, TQ,MMA예외, 순식량 수입 최빈국 대책등

o 개도국 차등대우에 대한 반대입장 견지

3. 협상의 Framework 설정에 대한 대응

< 던켈총장의 의도 >

o 년내 협상타결을 위해서는 10월중 또는 11월초까지는 Framework이 제시되어야 한다는 점을 계속 강조

- 미국, EC간 막후교섭으로 수출보조등 쟁점사항에 대한 의견접근을 기대

o 협상의 실질적인 진전을 위하여 협상수단(Modality 또는 Instrument)을 준비하고 합의 도출을 모색할 가능성

- 국내보조 : Green Box와 AMS에 의한 감축
- 시장개방 : 관세화 및 Special Safeguard,
- 수출보조 : 감축대상 보조의 예시표 사용등

o 아국, 일본에 대하여는 던켈이 의도하는 협상 골격안에서 관심사항을 반영하는 방안을 종용할 것으로 예상

- 특히 아국이 이러한 Modality에 반대하거나 개도국들과 연계하여 예외주장을 강화하는 것을 경계

< 대책방안 >

o 아국의 기본입장에 대한 주의환기 (food security등)

o 협상 전개 상황에 따른 대책추진에 주력

- 미, EC의 합의움직임의 점검
- Small package 가능성 주시
- 공동관심국들과의 협조 강화

46968

기 안 용 지

분류기호 서번호	통기 20644-	(전화 : 720 - 2188)	시 행 상 특별취급	
보존기간	영구. 준영구 10. 5. 3. 1.	장 관		
수 신 처 보존기간				
시행일자	1991. 9.27.			

보조기관			협조기관		문서통제
	국 장	전 결			검열 1991. 9. 27
	심의관				
	과 장				
기안책임자		송 봉 헌			발 송 인

경 유 수 신 참 조	농림수산부장관 농업협력통상관	발신명의		발송 1991. 9. 27 외무부
제 목	UR/농산물 협상 회의 정부대표 임명 통보			

91.10.1-4간 스위스 제네바에서 개최되는 UR/농산물 협상 회의에 참가할 정부대표가 "정부대표 및 특별사절의 임명과 권한에 관한 법률"에 의거, 아래와 같이 임명 되었음을 알려드립니다.

- 아 래 -

1. 회 의 명 : UR/농산물 협상 회의

- 1 -

0125

2. 회의기간 및 장소 : 91.10.1-4, 스위스 제네바

3. 정부대표

o 농림수산부 국제협력담당관 손정수

o 농림수산부 농업협력통상관실 사무관 윤장배

o 주 제네바 대표부 관계관

o 한국 농촌경제연구원 부원장 최양부(자문)

4. 출장기간 : 91.9.28.-10.6

5. 소요경비 : 소속부처 소관예산

6. 출장 결과 보고 : 귀국후 20일이내. 끝.

- 2 -

0126

관리 번호	91-636

	분류번호	보존기간

발 신 전 보

번 호 : WGV-1297 910927 1524 FM 종별 :

수 신 : 주 제네바 대사. ~~총영사~~

발 신 : 장 관 (통 기)

제 목 : UR/농산물 협상

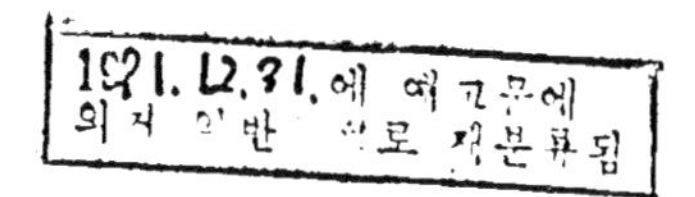
1991. 12. 31.에 예고문에 의거 일반문서로 재분류됨

연 : WGV-1226

1. 10.1.-4간 귀지에서 개최되는 표제회의에 참가할 본부대표를 아래 통보하니 귀관 관계관과 함께 참석토록 조치바람.

   o 농림수산부 국제협력담당관 손정수

   o 농림수산부 농업협력통상관실 사무관 윤장배

   o 한국농촌경제연구원 부원장 최양부 (자문)

2. 금번 회의에는 연호 기본입장, 본부대표가 지참하는 쟁점별 세부자료에 따라 적의 대처바람. 끝. (통상국장 대리 최 혁)

보안 통제	

앙 고 재	91년 9월 27일	통상기구과	기안자 성명		과 장		국 장		차 관	장 관
			송봉헌				전결			대결

외신과통제

0127

관리 번호 91-641

UR/농산물 협상 대책
(내부 검토 자료)

1991.12.31.에 예고문에 의거 일반문서로 재분류됨

1991. 9. 26.

통 상 기 구 과

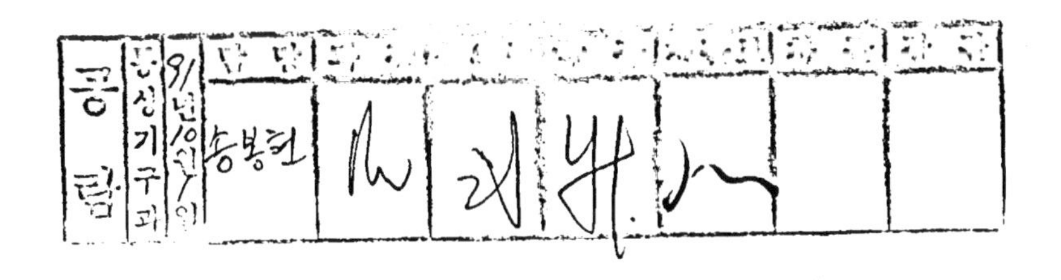

0128

목 차

0129

1. 최근의 농산물 협상 동향

가. 9.20. 농산물 협상 공식 회의시 던켈 사무총장 평가

o 국내보조

- amber 분야에서의 감축 약속 정도, 시장접근.수출 경쟁분야에서의 약속 정도에 따라 허용 대상정책에 대한 정치적 결정 필요

o 시장접근

- 11조 2항 C의 철폐 또는 명료화 문제는 정치적 결정사항으로 협상 윤곽이 보다 가시화된 이후 전반적 package의 일환으로 타결 가능
- 시장접근 분야에서 NTC 문제를 취급하는 것이 적절한지 여부등에 대해 상금 의견 접근이 이루어지지 못하고 있으며 정치적 결정 사항이나, 많은 참가국들이 동 문제를 국내보조의 green box에서 취급하는 것이 적절하다는 의견

o 수출경쟁

- 여타 협상 요소와의 연계성에 대한 논의등 향후 집중 논의의 출발점 마련

o 향후 협상 일정

- 실질 협상을 위한 협상 방식(modality)에 대한 정치적 결정을 위해 10월말-11월초경 framework 제시 필요

나. 9.20 그린룸 회의시 농산물 협상 관련 던켈 사무총장 언급 요지

o 시장접근 관련 관세화라는 원칙에 의견 일치는 이루지 못하였으나 참가국들의 기여 의지를 확인

1

0130

다. 9.18 아국과의 비공식 협의시 던켈 사무총장 언급 요지

o 특정품목(쌀)을 관세화의 예외로 하는 문제는 한국과 일본에 국한된 문제로 좁혀지고 있으므로 한국도 관세화 원칙을 수용하되 특정품목에 대하여는 고율의 TE를 설정하고 어느정도의 MMA를 허용하는 방향을 수용함으로써 관세화 틀내에서 실익 확보 요망

o 한국을 개도국으로 보는 국가가 많지 않은 것이 현실이므로 개도국 우대 적용에 관심을 갖지 않는 것이 바람직.

2. 평가 및 전망

o 브랏셀 각료회의 결렬이후 지금까지 UR 협상에 특별한 진전이 없고, 미.EC등 주요국의 뚜렷한 입장 변화 조짐도 없으며 특히 최근 동구, 쏘련의 변혁으로 UR에 대한 주요국의 관심이 상대적으로 저하되어 있음을 감안할때 년내 또는 내년초까지 UR 타결을 위해서는 10월말 또는 11월초까지 실질 협상을 위한 협상 방식(modality) 제시가 불가피

- 동 협상 일정에 대한 미.EC간 묵계가 있은지 여부는 불투명

o 또한, 년내 협상틀에 대한 기본적 합의를 이루고 그후 수개월간 기술적 미결쟁점을 타결치 못할 경우 92.11. 미 대통령 선거등 주요국의 정치 일정으로 인해 UR 협상은 결국 실패로 끝날 가능성이 크다는 우려에서 10월말-11월초까지 협상 타결의 윤곽에 대한 합의 도출 시도가 불가피

o 따라서, UR 협상 타결의 관건인 농산물 협상에서 합의 도출이 선행과제인 바, 지금까지의 농산물 협상 진행 상황에 비추어 3대 협상 요소에 대한 일괄적 합의 도출이 현실적으로 불가능하므로 3대 협상 요소중에서도 많은 참가국 (사실상 일본, 아국을 제외한 모든 참가국)이 수용할 태세가 되어 있는 예외없는 관세화 원칙에 대한 합의를 먼저 도출하고, 국내보조.수출보조 감축 문제는 미.EC간 타결되도록 유도할 전망

EC의 예외없는 관세화 원칙 수용을 전제로 미.EC간 국내보조.수출보조 분야에서의 어떤 묵계가 있었는지는 분명치 않으나, 예외없는 관세화 원칙에 합의가 이루어질 경우 케언즈그룹의 주 관심사항은 시장접근에 있음을 감안할때, 케언즈그룹의 이익은 일단 충족이 되므로 국내보조. 수출보조 분야에서의 미.EC간의 타협 결과를 케언즈그룹이 수용하는 것이 용이할 것으로 예상

o 결국, 아국은 경우에 따라서 10월중순-11월초경 예외없는 관세화 원칙 수용 여부를 결정하지 않으면 안될 상황에 처할 가능성 상존

3. 관세화 관련 최근 논의 현황

o 예외없는 관세화 문제

- 그간 관세화를 반대해 온 북구의 경우 9.16-20 농산물 회의시 국내보조의 green box를 보다 확대하고 융통성을 줌으로서 NTC 문제를 해결할 수 있을 것이라고 언급하고 고율의 TE를 장기간 유지하는 방안에 관심을 표명함으로서 사실상 예외없는 관세화 원칙을 수용
- EC의 경우도 9.16-20 농산물 회의시 특정국가의 특정품목에 대하여 예외적 조치를 인정할 경우 문제를 복잡하게 하므로 모든 국가에 적용할 수 있는 대안을 찾아야 하며 국내보조의 green box에서 해결책을 찾는 것이 바람직 하다고 언급함으로서 예외없는 관세화 원칙을 수용할 가능성 시사
- 따라서, 예외없는 관세화 원칙에 반대하는 국가는 아국, 일본만 남게 됨으로서 예외없는 관세화를 적용하되 그간 공식, 비공식적으로 거론되어 왔던 국내 보조의 green box 확대, TE 감축에서의 적절한 고려등을 통해 NTC 문제를 해결하는 방향으로 협상을 유도할 전망

o 11조 2항 C 대상품목에 대한 관세화 문제

- 11조 2항 C 폐지 또는 명료화 문제는 추후 논의할 것으로 전망되나 수량 규제가 아닌 관세화로 타결되는 방향으로 협상을 유도할 것으로 예상
- 카나다의 경우 유제품에 대한 수입제한 계속 필요성 때문에 11조 2항 C 대상품목에 대한 관세화를 반대

4. 대 책

가. 아국 기존 입장

o 관세화를 원칙적으로 수용

- 다만, 식량안보에 긴요한 쌀등 2-3개 품목 및 11조 2항 C 대상품목은 관세화 예외 (다만, 쌀을 제외하고는 최소 시장접근 보장)
- 미자유화 BOP 품목은 관세화에 연계

o 쌀에 대한 보조는 계속 허용

o TE, 국내보조 감축에서 선진국의 절반 수준 의무 부담

- 감축폭, 감축기간중 양자택일일 경우 선진국에 비해 2배의 감축기간 부여

나. 향후 대책

1) 기본 전제

o 던켈 사무총장이 국내보조, 수출보조 분야는 물론 시장접근 분야 내에서도 11조 2항 C등에 관한 논의는 뒤로 미룬채 우선 식량안보 품목에도 예외없는 관세화 원칙을 적용할 것인지 결정토록 유도하는 상황

2) 대　책

대안 1 : 수용 거부

o 수용 거부의 논거

- 국내보조, 수출보조 분야의 협상 윤곽이 전혀 불투명한 상황에서 협상 결과의 균형(balance) 측면을 전혀 도외시한채 예외없는 관세화 원칙에 대한 합의만을 추구하는 것은 부당
- 아국의 핵심 관심사항이며 89.4. MTR 합의사항인 식량안보에 대한 충분한 고려가 없으므로 수용 불가

o 장 점

- 아국 입장의 일관성 유지 및 최후 순간까지 leverage 확보
- 대국민 홍보면에서도 불가피

o 단 점

- 브랏셀 각료회의 때처럼 협상 결렬 비난의 표적이 될 가능성이 있음.
- 미국등으로부터 통상 압력 가중 예상

대안 2 : 조건부 수용

o 전제 조건

- 11조 2항 C의 개선, 명료화
- 식량안보등 NTC 관련 국내보조를 허용 대상 보조로 대폭 수용 및 허용 조건 완화
- 특별 세이프가드 제도의 항구화 및 수량 제한 인정

대안 2-1 : 장기 유예기간후 관세화 및 MMA 인정 조건

o 이 점

- X년이후 관세화하므로 동 유예기간을 구조 조정 기간으로 활용(X년은 협상을 통해 결정)

o 문제점

- X년이후 관세화를 통한 쌀시장 개방 불가피

대안 2-2 : 장기간 동안 고율의 TE 유지후 완만한 TE 감축 및 MMA 불인정 조건

o 이 점

- X년동안 고율의 TE 유지를 통해 어느정도의 수입제한 효과
- X년이후에도 완만한 TE 감축을 통해 고율 관세 유지 가능

0134

o 문제점

- 실질적으로는 UR 협상 결과 이행 초년도에 쌀시장 개방 불가피

대안 2-3 : 대안 2-1 및 대안 2-2 조건의 가능한 조합

5. 결 론

일본이 쌀시장 개방 불가 입장을 고수할 경우

o 사전에 일측과 긴밀한 협조 및 예상되는 미국등의 압력에 대비한 충분한 대책 수립을 전제로 대안 "1"로 대처

일본이 예외없는 관세화 원칙을 수용할 경우

o 아국만이 예외 없는 관세화 원칙 수용 불가 입장을 고수하는 것은 현실적으로 불가능하므로 대안 "2"로 대처하되 구조 조정에 필요한 기간 및 대농민 설득 측면에서 기본적으로 대안 "2-1"로 대처함이 바람직.

- 아국에 가장 유리한 대안 : ①X년 유예기간후, ②Y년동안 고율의 TE 유지후, ③완만한 TE 감축을 하되 MMA 불인정

o 또한, 예외없는 관세화 원칙에 대한 아국의 양보를 댓가로 잔여 협상 과정에서 상기 대안 "2" 전제조건(11조 2항 C,NTC 관련 허용 보조 확대등) 관철에 협상력을 집중하는 것이 실익 측면에서 유리

6. 향후 검토해야 할 과제

o 11조 2항 C

- MMA 인정 여부(예 : 쌀에 대해 11조 2항 C를 향후 원용할 경우 MMA를 인정할 것인지 여부등)
- 신규 원용 가능 여부(동 문제의 정확한 의미 파악 포함)

o NTC 관련 국내보조를 허용 보조로 확대 및 허용 조건 완화

- 아국의 대안 마련. 끝.

관리 번호	91- 642

기 안 용 지

분류기호 서번호	통기 20644- 234	(전화 : 720 - 2188)	시 행 상 특별취급	
보존기간	영구 . 준영구 10. 5. 3. 1.	장 관		
수 신 처 보존기간				
시행일자	1991.10. 2.			

보조기관			협조기관		문서통제
국 장	전 결		제2차관보		검열 1991. 10. 0 통제관
심의관					
과 장					
기안책임자	송 봉 헌				발 송 인

경 유 수 신 참 조	경제기획원장관, 농림수산부장관	발신명의	
제 목	UR/농산물 협상 대책		

1991.12.31.에 예고문에 의거 일반문서로 재분류됨

1. 9.20 UR/농산물 협상 공식 회의, 그린룸 회의 및 9.18 아국과의 비공식 협의시 던켈 갓트 사무총장의 언급내용 및 주 제네바 대표부 보고(GVW-1864, 1824, 1807 참조)등을 종합해 볼 때 던켈 갓트 사무총장은 년내 또는 내년초까지 UR 협상 타결을 ~~위해~~ 목표로 UR 협상 타결의

/뒷면 계속/

0137

관건인 농산물 협상에서 돌파구 마련을 위해 11월초까지 시장접근 분야에서의 예외없는 관세화 원칙 적용을 골자로 하는 농산물 협상 타결안을 제시할 것으로 전망됩니다.

2. 11조 2항 C와 관련 카나다가 일부 유보 입장을 견지하고 있으나 아국 및 일본을 제외한 사실상 모든 협상 참가국들이 상기 예외없는 관세화 원칙을 수용할 가능성이 있는 것으로 전망되는 바, 던켈 사무총장이 예외없는 관세화 원칙을 제시할 경우에 대비, 우리의 대책 방안을 검토하여야 할 것으로 사료됩니다.

3. 상기 감안, 향후 아국이 농산물 협상에서 취하여야 할 입장과 최근 협상 동향에 대한 대국민 홍보 대책등을 포함한 농산물 협상 종합 대책 방안을 조속 수립하여 주시기 바랍니다. 끝.

0138

관리 번호	91-644

원 본

외 무 부

종 별 :

번 호 : USW-4879 일 시 : 91 1002 1838

수 신 : 장관(통기,통이,경기원,농수부,상공부) 사본:주GV,주EC대사-필

발 신 : 주 미 대사

제 목 : UR 농산물 협상

당관 이영래 농무관은 10.1 미 농무부 해외농업처 RICHARD B. SCHROETER 처장보등 농무성 관계관을 접촉, 최근의 UR/ 농산물 협상관련 사항을 협의한바, 요지 하기 보고함.

1. 동 처장보는 금년 9 월까지는 주로 기술적인 사항을 중심으로 협상이 이루어졌으나, 10 월 이후부터는 실질적인 협상이 이루어져야 할 것으로 강조하고 있으며, 특히 10 월 하순 또는 11 월초에 발표될 것으로 기대되고 있는 DUNKEL GATT 사무총장의 협상안이 앞으로의 UR 협상에 큰 영향을 미칠 것으로 보고 있음. 또한 DUNKEL 사무총장의 협상안에는 TARIFFICATION 등 미국의 입장이 많이 반영되고 EC 가 상대적으로 양보하도록 요구하는 수준에서 제시될 것으로 기대하고 있다고함.

2. 미측이 대 EC 협상과 관련하여 보다 신축성을 보이고 있다는 일부 보도와 관련하여 동 처장보는 미국과 EC 간에 계속 양자협상을 하고 있으나 그동안 미측안은 지난해 10 월에 제시된 이래 결코 수정되지 않았다고 말하면서 다만 DUNKEL 사무총장이 새로운 협상안을 제시하면 이를 바탕으로 협상의 FRAMEWORK 를 마련코자 함을 시사하였는바, 당지 UR 협상 관계자들은 동 시점에서는 미국도 탄력성 있게 임할 것이라는 견해임.

3. 미국과 EC 간의 SMALL PACKAGE 채택 가능성에 대하여 문의한바, 의회는 물론 언론과 업계의 여론등을 감안할때 전적으로 불가능하다고 말하고 현재 미국 의회와 업계등에서는 실질 내용에서 진척이 있는 UR 협상의 타결을 요망하고 있다고함.

4. 미국과 EC 간에 합의가 이루어지고 일본이 쌀의 개방을 결정하면 종국적으로 한국이 쌀 때문에 UR 합의를 거부할수 없을 것이라는 미측의 견해 표시에 대해 이 농무관은 일본과 한국은 기본적으로 농업구조면에서 엄청난 차이가 있으며 한국의 쌀이 농가소득에 미치는 영향등을 감안할때 한국을 일본과 동일하게 보아서는

통상국 통상국 청와대 안기부 경기원 농수부 상공부 중계

PAGE 1 91.10.03 09:58

외신 2과 통제관 CF

0139

안된다는 점을 강조하였음.

5. 당지 UR 협상 관계자들은 미 행정부가 내년초까지 UR 협상을 마무리 하지 않으면 '92 대통령 선거와 관련하여 '92.11. 이후로 협상이 연기되어야 한다는 점을 잘알고 있기 때문에 11 월까지는 일응 기본 FRAMEWORK 합의에 최선을 다하여 다자간 협상과 병행하여 양자협상을 통하여 여러가지 대응방안을 강구할 것으로 예상하고 있음. 끝.

(대사 현홍주-국장)

예고: 91.12.31. 까지

일반문서로 재분류 (1991 .12. 31.)

PAGE 2

0140

원 본

외 무 부

종 별 :

번 호 : GVW-1892 일 시 : 91 1002 1900

수 신 : 장관(통기,경기원,농림수산부)

발 신 : 주제네바대사

제 목 : UR/농산물 협상(1)

10.1(화) 개최된 표제협상 주요국 비공식회의에서는 협상 대상품목 범위 및 AMS 에상응한 약속이 논의되었음.(천농무관, KREI최부원장, 농림수산부 손과장, 윤사무관참석)

1. 금차 회의진행 계획- 10.2(수) : 시장접근 분야 논의

0 현 시장수준 접근

0 최저시장 접근(특히 T.Q.와 관련)

0 TE 및 관세의 삭감 방법

- 10.3(목) : 수출 보조분야 논의

0 생산자 부담 보조

0 가공품에 대한 보조

0 식량원조

- 10.14(금) : 합의결과 이행점검 및 검토

2. 대상품목

- 일본은 수산물 및 임산물이 포함되야 하며,그밖에 SILK 의 포함과 FUR-SKIN 의제외를 주장함.

- 이씨는 수산물과 임산물은 제외되어야 하나, HS24 류 제조담배 포함, 전분, SILK 의 포함을 주장함.

- 아국은 누에고치 및 SILK 류(HS 5001-5006),변성전분(3505), 제조담배(2402-2403)의 추가를 주장하였음.

- 태국은 수산물이 포함되야 한다는 것이 입장이나 CONSENSUS 를 BLACK 하지는 않을 것이라고 함.

- 미국 및 호주등 케언즈 그룹국가는 ADDENDA 에제시된 품목에 이견이 없다고

통상국 2차보 경기원 농수부

91.10.03 10:02 BE

외신 1과 통제관

0141

발언함.

- 던켈 총장은 논의를 종합하면서, ADDENDA 에제시된 내용이 큰 문제가 없다고 전제하고, 일부개별 품목 추가문제는 융통성이 있을 것으로 보지만 수산물 및 임산물의 포함문제는 근본적문제이며, 포함될 여지가 많지 않은것으로 본다면서 조만간 이문제에 대한 결론을 얻어야한다고 하였음.

3. AMS 대상 품목 분류 및 상응한 약속

- 호주, 뉴질랜드, 알젠틴등 케언즈그룹 국가들은AMS 는 OECD 의 PSE 와는 용도가 다른 만큼 가능한 많은 품목에 대하여 가능한 품목별로 세분하여 약속해야 하고, 농산물 협상 대상품목은 모두 국내보조 약속(AMS 또는 상응한약속)을 해야 한다고 주장 하였음

- 이씨는 AMS 대상품목 문제에 정치적 측면과 기술적 측면이 있다면서, 기술적으로는 농가판매가격(FARM GATE LEVEL)을 국내가격으로 측정할 경우 기초 품목 중심으로 계측하게 된다는점을 강조 하였음.

- 아국은 재정지출을 기준으로 AMS 를 측정하는것이 적절한 방법이며 감축 약속은 정책별로 대상품목이 상이할 수 있으므로 품목 세분화가 항상 적합하지만은 않으며품목별 또는 품목군별로 융통성 있는 접근 방식이 바람직하다고 강조하였음.끝

(대사 박수길-국장)

PAGE 2

0142

관리 번호	91-648

분류번호	보존기간

발 신 전 보

번 호 : WJA-4450 911004 1013 BX 종별 :

WGV -1325

수 신 : 주 일 대사. 총영사 (사본 : 주 제네바 대사)

발 신 : 장 관 (통 기)

제 목 : UR/농산물 협상

1. 던켈 갓트 사무총장은 표제 협상 타결을 위해 11월초까지 시장접근 분야에서 예외없는 관세화 원칙 적용을 골자로 하는 협상 타결안을 제시할 것으로 전망됨.

2. 쌀 수입 개방 불가 입장을 견지하고 있는 아국 및 일본을 제외한 사실상 모든 협상 참가국들이 상기 예외없는 관세화 원칙을 수용할 태세가 되어 있는 것으로 ~~판단되는 바, 이에 대비한 아국의 대책 수립이 긴요한 실정임.~~ 관찰됨.

3. 이와 관련, 귀주재국 관련부서를 접촉, 던켈 사무총장이 예외없는 관세 원칙 적용을 제시할 경우에 대비한 일본의 향후 대처 방안 움직임을 보고 바람. ~~향후 협상 과정에서 양국간의 긴밀한 협조가 더욱 긴요함을 적의 설명바람.~~

끝. (통상국장 김 용 규)

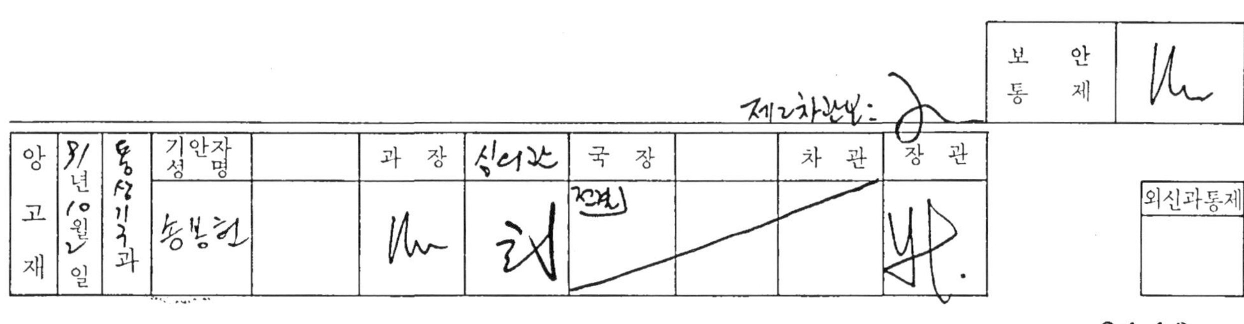

보안 통제	

제2차관보:

앙 고 재	91년 10월 2일	통상기구과	기안자 성명		과 장	심이관	국 장		차 관	장 관
			송봉헌				전결			

외신과통제

0143

	분류번호	보존기간

발 신 전 보

번 호 : WJA-4451 911004 1014 BX 종별 :

수 신 : 주 일 대사. 총영사 (사본: 주제네바대사) WGV -1326

발 신 : 장 관 (통 기)

제 목 : UR/농산물 협상

대 : JAW(F)-4296

대호 10.1자 '산께이' 신문은 하네다 전 농림수산대신등 농업관련 국회사절단이 10월초 제네바를 방문하여 던켈 사무총장이 11월초 제시할 예정인 농산물 시장접근 분야 협상 타결안 관련, 일본의 쌀 수입 개방 불가 입장을 동 사무총장 등에게 강력 주장할 예정이라고 보도한 바, 관련내용 확인 보고바람. 끝.

(통상국장 김 용 규)

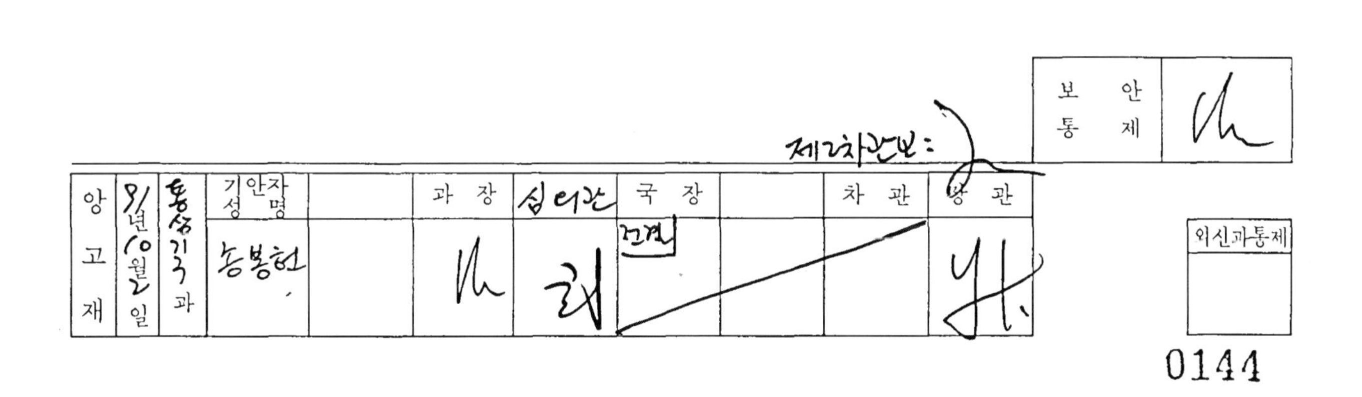

원 본

외 무 부

종 별 :

번 호 : GVW-1909 일 시 : 91 1004 1900

수 신 : 장관(통기,경기원,농림수산부)

발 신 : 주제네바대사

제 목 : UR/농산물 협상(2)

10.2(수) 속개된 표제협상 주요국 비공식회의에서는 기존 시장접근 유지 및 최저시장 접근에 대하여 논의하였음.

1. 기존 시장접근 유지

- 일본은 TQ 설정 방법외에 쇠고기 시장 개방시 사용했던 조정된 TE(CORRECTIVE TE) 설정방식을 통한 기존 시장접근 유지 방안을 주장하였음.

- 이씨는 기준년도에 대하여 중간 평가 합의사항을 존중(86년) 해야 한다고 하고TQ 내 수입량은 M.F.N 에 의해 할당하는 것이 원칙이겠지만 기존 국별 SPECIAL ARRANGEMENT 는 존중되어야한다고 주장하였으며, REBALANCING 에 대한 자국입장을 강조하였음.

- 호주는 기준년도를 (86-91) 5개년 평균을 사용하는방안을 제시한바, 오지리,스위스,아국등이 관심을 표명하였음.

- 미국 및 호주, 뉴질랜드, 알젠틴등 케언즈그룹국가는 TQ 를 설정하여 기존 수입량은 0 또는낮은 관세로 수입해야 하며 또한 TQ 는년차적으로 증가시켜서 이행시간이 끝나면 결국 TQ가 소멸되게 해야 한다고 주장하였음.

- 아국은 계산된 TE 가 양자 협상의 대상이되어서는 않된다고 하였음

또한 관세화는 점진적으로 추진되야 하고 일부품목에 대한 관세화 예외는 불가피하다고강조하였음.

- 이스라엘 및 멕시코도 관세화 원칙과 관련하여일부 품목의 관세화 예외가 필요하다고주장하였음.

2. 최저시장 접근

- 일본,북구, 스위스, 아국등은 관세화와 함께새로운 시장접근을 추가적으로 인정해 주는 것은어려움이 있다고 하였음.

통상국 2차보 경기원 농수부

PAGE 1

91.10.05 09:38 BX

외신 1과 통제관

0145

- 카나다, 이스라엘등은 갓트 11조 2(C)에 의거생산통제 하는 경우 최저시장 접근을 인정해주도록 되어 있다고 하면서 갓트 11조 2(C) 유지 및개선에 대한 기존 입장을 주장하였음.

- 이씨는 최저시장 접근을 품목군별로 인정할용의가 있으나 통계자료 조사의 어려움이 있다고하였음.

- 미국 및 케언즈그룹은 협상 목표는 단순한REINSTRUMENT 뿐만 아니라 실질적인시장접근개선이 필요하다고 하면서 최저시장 접근을품목별로 소비량의 5 퍼센트까지설정해야 한다고주장하였음

- 아국근 관세화 자체가 자유화를 의미하는데추가적으로 최저시장접근을 인정하도록 하는 것은 무리한 요구라고 하고 고율의 TE 에 대하여 CORRECTIVE TE 로 조정할수 있도록 하는 것은 곤란다고 하고, 특히 쌀의 경우는 최저시장 접근을 인정할 수없음을 강조하였음.끝

(대사 박수길-국장)

PAGE 2

0146

원 본

외 무 부

종 별 :

번 호 : GVW-1910 일 시 : 91 1004 1900

수 신 : 장관(통기,경기원,농림수산부)

발 신 : 주제네바대사

제 목 : UR/농산물 협상(3)

10.3(목) 속개된 표제 주요국 비공식 협의 요지 하기보고함.

1. 관세 및 관세상당액(TE) 삭감 방법

- 미국 및 호주, 카나다, 알젠틴, 뉴질랜드등 케언즈그룹국가들은 관세 및 관세상당액을 공식(FORMULA) 에 의해 10년간 75퍼센트를 삭감해야 한다고 주장하고 특히경과기간경과후에는 관세 및 관세상당액의 최고 50퍼세트를 넘어 서지 않도록 해야하며 관세화 하는 품목에 대하여는 T.Q 를 관세 삭감율과 똑같은 비율로 증가시켜 나가야 한다고 강조하였으며,개도국에 대하여는 이행기간과 삭감폭에서 융통성을 부여할 수 있 다고 주장하였음.

- 이씨는 FORMULA 접근법이 더 유용할 것으로보지만 조화 방식 또는 최저 삭감율설정등은 반대입장이라고 하였음.

- 일본, 스위스, 아국, 이스라엘등은 농산물의 경우 품목별 중요도가 다른 만큼일관적으로 공식을 적용 삭감하는 것은 불합리하며,관세협상그룹에서도 공식에 의한삭감이 합의되지 않았다고 하면서 R/O 에 의한 협상이 적합하다고 하였으며 관세만적용 되는품목(자유화된 품목)의 관세화 하는 품목의 TE 는 현실적으로 민감한 정도가 다르므로 별개로 취급하여 삭감방법을 달리할 필요성이 있다고주장하였음.

0 북구는 관세 만 적용되는 품목에대해서는 FORMULA 에 의하고 관세화 품목은 R/O 또는 FORMULA 접근을 일부 수정하여 융통성을 주는 방안을 제시하면서, 관세화할 경우 비교 QSLNTL 관심사항은 삭감폭, 기간등에서 융통성을 주어야 한다고 주장하였음.

- 던켈총장은 동 쟁점에 대하여 조속한시일내에(수주내) 해결되어야 할 중요사항들을 하기제시하면서, 협상 전체 페케지의 중요한 시발점이되야 한다고 하였음.

0 관세 및 관세상당치의 양허(공통적용 될수있는 접근 방법)

통상국 2차보 재무부 농수부

PAGE 1 91.10.05 09:43 BX

외신 1과 통제관

0147

0 관세 및 관세상당치의 양허(공통적용 될수있는 접근 방법)

0 관세 및 관세 상당치(TE)의 구분접근문제(일단 관세화되고 나면 TE 는관세가 되는 것이지만, 그때까지는 별도취급하는 문제)

0 FORMULA 접근법, R/O 접근법, 양자의 혼합접근법중 선택문제

(혼합접근법이 현실성이 있지만 FORMULA 와R/O 의 어느쪽에 더 비중을 둘 것인가에 따라달라질 것이며 협상 TARGET 과도 연계됨)

0 삭감기간(5-10 년으로 차이가 많은바, 공통적인접근이 필요)

√0 예외인정 문제(협상의 과정에서 예외를 인정한다는 것이 아니고 전반적인 삭감목표(TARGET) 를 충족시키는 범위내에서의 삭감의 예외를 인정해 주는 문제)

2. 생산자 부담 수출보조금

- 카나다는 유통위원회(MARKETING BOARD) 에 의해 운용되고 있는 생산자 부담 수출 보조의 경우 수출가격을 인하하기 위해 지급됐을때만 수출보조로 취급하자고 제의하였으며, 특히 PRICE POOLING경우는 수출보조가 아니라고 주장하였음.

- 콜롬비아는 생산자 부담 수출 보조금의 경우정부의 개입이 없을때는 수출보조로 취급해서는않된다고 주장함.

- 미국은 생산자 부담 수출보조금이 허용되기위해서는 유통 우원회 가입이 강제적이지 않아야하고, 정부의 직간접 개입이 없어야 하며, 재원이순수히 생산자에의해 조성되야 한다고주장하였음.

3. 가공품에 대한 수출보조

- 호주, 뉴질랜드등 케언즈그룹국가는 1차 상품에대해서만 수출보조 금지의 일반원칙이 적용되지않는 것이므로 가공품에 대해서는 일반 보조금에대한 규율을 그대로적용해야 한다고 주장함

- 스위스, 이씨, 북구등은 국내 원료농산물 가격이국제가격보다 높은 경우 가공품에 포함된 원료의국내외 가격차를 초과한 부분을 삭감토록 하자고주장함.끝

(대사 박수길-국장)

PAGE 2

0148

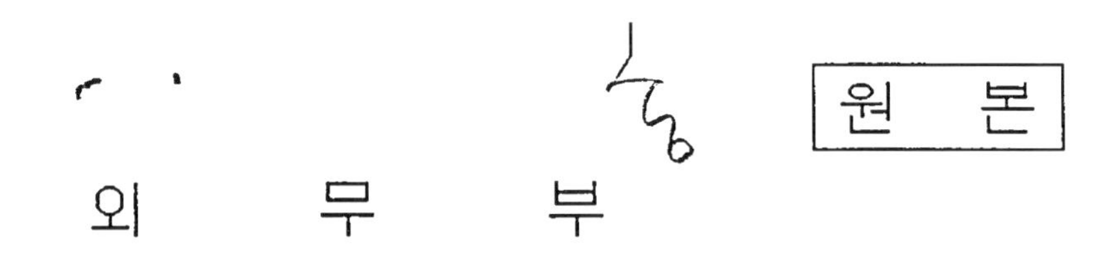

외 무 부

종 별 :

번 호 : GVW-1912 일 시 : 91 1004 2000

수 신 : 장 관(통기,경기원,농림수산부)

발 신 : 주 제네바 대사

제 목 : UR/농산물(4)

10.4(금) 속개된 표제 협상 주요국 비공식 회의에서는 점검 및 검토 (MONITORING ANDREVIEW)에 대하여 논의하였음.

1. 향후 작업 계획 관련 던켈 총장 언급 요지

- 10.16-18 기간 회의시는 순수입 개도국 및 식량원조 문제와 향후 작업 계획등을 논의할 계획임.

- 10.16 회의후 년내 타결을 위한 마지막 협상을 시도하겠음.

- 10월말 또는 11월초 제출될 W/35/REV. 2는 모든 협상 그룹의 TEXT 를 한꺼번에 놓고각국이 종합적인 시각 (GLOBAL VIEW)에서 보도록할것임.

0 최선의 방안은 REV.2 를 CONSENSUS PAPER 가되게 하는 것이지만 CHAIRMAN'S PAPER 가될것이라는 견해도 있음.

- 시장접근 (MARKET ACCESS)문제는 기술적 논의단계를 지났으며, 이제는 정치적으로 TARGET 와 MODALITY 를 정해야 함.

- 10월 말 11월 초경 협상 책임자가 제네바에상주할 필요가 있음.

2. 점검 및 검토 논의 요지(MONITORING AND REVIEW)

- 미국, 이씨, 호주등 대부분 국가가 하기 단계별접근이 필요하다고 주장함.

0 1단계: 협상 단계의 점검

. AMS 계산 상응한 약속, TE 계산, MMA계산 자료의 검토 (SCRUTINY)및 점검

. 양자 또는 다RELR 협상을 통해 접근

0 2단계: 이행기간중의 점검

. 각국의약속 이행사항, 각국의 국내 보조정책 (신규 도입 및 기존 정책)의 허용정책 기준합치여부, 식량원조의 조건 합리여부등 점검

. NOTIFICATION 및 LEGAL PROCESS

통상국 2차보 경기원 농수부

PAGE 1 91.10.05 10:32 WG

외신 1과 통제관

0149

0 3단계: 이행기간 경과후 추가적 개혁 조치 필요성 검토

- 일본, 이씨, 스위스등 수입국은 필요성에는 공감하지만 운용상 지나친 행정적 부담이 되지않아야 한다는 점을 강조함. 또한 선명한 TEXT가 없는 상황에서는 논의하기가 시기 상조임을 주장함.

3. 기타

- 뉴질랜드는 향후 협상 전개 관련 1차적으로 기본적인 METHODOLOGY 에 대하여 합의한후 SCRUTINY PROCESS 를 통해 DATA 의 적정성을 검토하고, 2차적으로 이를 기초로 FINAL FRAMEWORK 를 채택한후 3차적으로 각국별 양자 협상을 통한 추가적인 시장접근 협상을 하는 방식을 조심스럽게 제기하였고, 북구는 11월중에 정치적결단 (POLITICAL BREAKTHOUGH)이 이 이루어지고, 그 다음단계로 2-3 개월의 SCRUTNY PROCESS 를 거쳐서 92년초 (3,4월) 까지 최종 협상 결과 (FINALAGREEMENT)를 채택하는 과정이 되지 않겠느냐고 전망하였음.

- 이에 대하여 던켈 총장은 93년 부터 이행기간이 시작되기 위해서는 각국의 국내적 승인절차 때문에 적어도 92년 2월까지 모든게 끝나야한다고 강조하면서, 11월초까지 협상 PACKAGE 를 마련해서 시장접근 협상을 할수 있도록 하고, 11월 중순-92.1 월초 기간중 각국이 심도있는 양자, 다자간 협상을 해서 92년초 (2월)에 구체적인 협상 결과를 도출해야 한다고 하였음. 끝

(대사 박수길-국장)

1

원 본

관리번호	91-619

외 무 부

종 별 :

번 호 : JAW-5684 일 시 : 91 1007 1755

수 신 : 장관(통기,농수산부)

발 신 : 주 일 대사(경제)

제 목 : UR/농산물 협상

대:WJA-4451

1. 현재 국회 농림수산 관계 의원 3-4 명의 제네바 방문 및 덩켈 사무총장 면담 일정을 조정중이나, 아직까지 일정이 결정된 바는 없음. 내주중 (10.14 임주)이 될 가능성도 있으나, 자민당 총재선거가 가까와 지는 관계로 유동적인 면이 있음(카이후 자민당 총재의 임기가 10 월말 만료됨에 따라,10.19 총재선거 고시후,10.27 총재선 실시 예정)

2. 이번에 국회의원단이 덩켈 사무총장을 면담하려고 하는 것은 91.9 월 "곤도오"농림수산 대신 및 10.1 "모따이"농림수산성 고문(전 사무차관)의 덩켈 사무총장 면담과 맥을 같이 하는 것으로서, 일본원 쌀시장 개방 불가 입장등 농산물 협상에 대한 일본의 입장을 다시한번 제시하려는데 목적이 있음.

3. 이번에 제네바 방문을 계획하고 있는것은 "하다"의원(자민당, 전농수산대신),"오오가와라"의원(자민당 농업기본정책 소위원장)등임.끝

(대사 오재희-국장)

예고:91.12.31 일반

일반문서로 재분류 (1991 . 12 . 31 .)

통상국 장관 차관 2차보 분석관 농수부

PAGE 1

91.10.8 제네바대표부 사본 조치

91.10.07 18:22

외신 2과 통제관 CH

0151

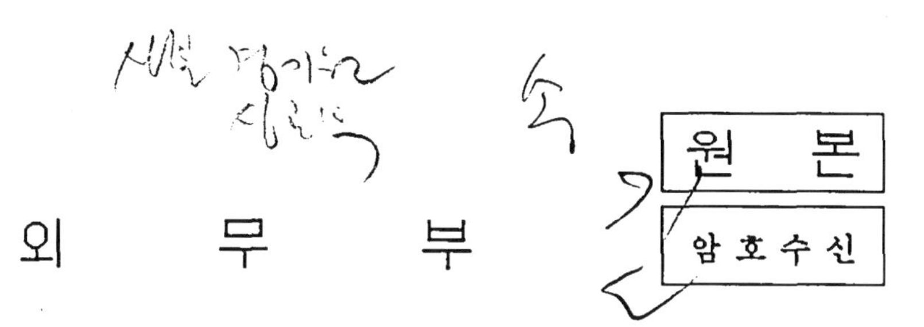

원 본

암호수신

외 무 부

종 별 :

번 호 : JAW-5757 일 시 : 91 1009 2135

수 신 : 장관(통기,통일,농수산부)

발 신 : 주 일 대사(경제)

제 목 : UR/농산물협상

1. 시와쿠 농림수산성 심의관(차관급)은 10.9. 동경주재 각국대사관의 우루과이 라운드 담당자를 대상으로 UR/ 농산물 협상에 대하여 일측의 종래의 기본입장을 다시한번 밝혔는바, 요지 아래 보고함.

가. 일측의 기본입장

1) 일본이 세계 최대의 농산물 수입국이라는 점을 고려 필요

2) 일본이 농산물 시장개방을 착실히 추진중이라는 점을 고려 필요

3) 이와같은 농산물 시장개방의 추진결과 일본의 식량자급율은 칼로리 기준48 퍼센트, 곡물기준 30 퍼센트로서 식량의 안정공급 문제에 대한 국민의 관심이 대단히 높은점을 고려 필요

4) 농업이 갖는 특수성(식량 안전보장, 환경보전, 지역사회 유지등 비무역적 측면)에 대한 고려 필요

0 미국의 WAIVER 제도, EC 의 가변 과징금도 이러한 특수성을 고려한 매문임.

5) 기초 식량에 관해서는 수입제한이 가능토록 조항을 신설해야 하며, 국내생산 제한 품목에 대해서도 수입제한이 가능토록 11 조 2 항 (C)를 명확히 함이 필요

0 이러한, 예외 불인정시, 농수산물 협상 합의는 곤란

나. 분야별 입장

1) 국내 보조금(국내지지)

0 기상, 자연조건, 식생활의 차이등 각국의 나름대로의 조건을 고려하고, 농산물 수출국과 수입국간 상황의 차이를 고려하여야 함.

0 따라서, 일률적이고 기계적인 삭감 방안은 비현실적

0 또한, 각국의 국내 지지 정책은 농업의 건전한 발전이라는 목적이외에도 식량안전보장, 국토와 환경의 보전, 지역사회의 유지등 농업이 담당하는 다면적인

통상국	장관	차관	1차보	2차보	통상국	분석관	농수부

PAGE 1 91.10.10 05:23

외신 2과 통제관 CA

0152

역할과 밀접히 관련되어 있다는 점에서 수출 보조금의 농산물 무역왜곡 기능과는 별도 취급 필요

2) 수입제한 조치(국경조치)

0 기초적 식량

- 식량 자급율이 낮은 수입국의 경우, 자급가능한 소수의 농산물에 대해 국민들이 큰 관심을 갖고 있음을 고려하여, 기초식량에 대해서는 예외조치 필요

0 11 조 2 항(C)의 요건의 개정 및 명확화

- 국내 생산조정을 실시중인 품목에 대해서는 수입제한이 가능토록 동조항을 명확화, 강화 필요

0 관세화 문제

- 모든 품목에 대해 관세화 조치를 적용함은 공업제품 분야에서도 완전히 실현되지 않은 실정인바, 농산물의 완전 관세화는 비현실적인 제안이며, 이러한 제안을 고집시, 합의는 곤란

0 최소시장 접근

- 일률적인 최소시장 접근 인정은 곤란

- 각국의 종합적인 시장개방 정도 및 품목별 사정을 고려한 탄력적인 최소시장 접근을 검토 필요

3) 수출 보조금

0 수출보조금이야 말로 농산물 무역 왜곡의 주원인인바, 단계적 삭감을 통해 철폐 필요

0 이와같이 무역왜곡 효과가 큰 수출보조금의 처리방향을 합의하지 않은채,국내보조금, 수입제한 문제 삭감문제를 협의함은 수입국 입장으로서는 수용 불가능

2. 당관관찰

금번 브리핑에서 일측의 새로운 입장제시는 없었는바, 10 월말 또는 11 월초 덩켈 사무총장의 토의 초안 작성과 관련하여 일측의 입장을 다시한번 강력하게 천명하려는데 금번 브리핑의 목적이 있는것으로 보임.

3. 금번 브리핑시 일측이 배포한 일측입장 정리자료는 팩시밀리로 송부예정이며, 덩켈 사무총장이 관세화안을 토대로 하는 토의 기초 자료 작성시 대책등 일측의 향후 대처방향등은 주재국 인사 접촉후 당관 평가와 함께 보고 예정임.끝

(대사 오재희-국장)

PAGE 3

0154

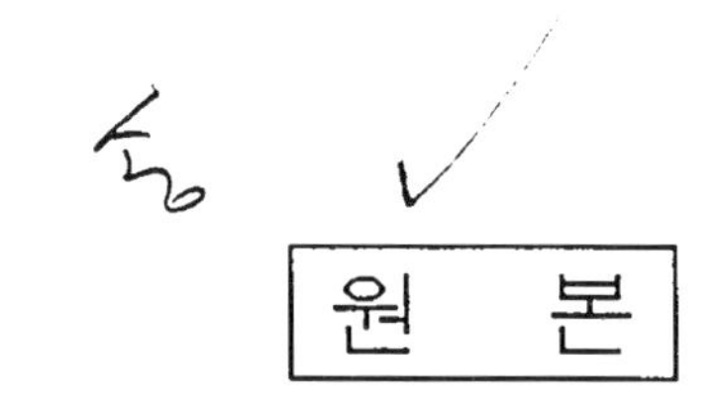

외 무 부

종 별 :

번 호 : AUW-0819 일 시 : 91 1010 1540

수 신 : 장 관(통기)

발 신 : 주 호주대사

제 목 : UR 농산물 협상

연:WAU-0818

연호, 주재국 BLEWETT 무역장관이 UR농산물협상과 관련 10.9 주재국 의회에서 발언한 내용 FULL TEXT를 FAX(AUWF-0029)송부함.끝.(대사 이창범-국장)

통상국

PAGE 1

91.10.10 15:26 WH

외신 1과 통제관

0155

호 주 대 사 관

번호 : AUW(F) 0029　　　　일시 11010 1540
수신 : 장관 (통기)
발신 : 주호주 대사
제목 : AUW-0879 첨부물

Blewett　　9 October 1991　　Page 1

HANSARD GREEN

#23

start question

Mr COURTICE - My question is directed to the Minister for Trade and Overseas Development. Will the Minister advise the House whether the discussions held in Europe last week between the bipartisan delegation of this Parliament and EC leaders provided any indication that the Uruguay Round agricultural negotiations will reach a successful conclusion?

#23

start answer

Dr BLEWETT - I thank the honourable member for his question and, of course, for being a member of the delegation which I led to five of the European Community capitals last week to protest the effects of the grain subsidies war on Australian farmers. I take the opportunity to thank all members of the delegation from both this House and the other House for participating in that delegation. I have no doubt that the delegation's efforts were worthwhile in getting the message across to the European leaders of the extent of the damage that is being done to Australian farmers by the export subsidy war between the United States and the European Community.

It became clear to us that there would be no cease-fire in the subsidies

0156

HANSARD GREEN

war - no minimisation of that conflict - unless the Uruguay Round agricultural negotiations were successfully concluded. I have to say to the honourable member and other members that the signals the delegation received on that point were mixed. Clearly, the Germans and the Dutch recognised the urgency of the situation and the importance of a good result to the world as a whole. Both were optimistic that a breakthrough was imminent. The delegation did not receive the same message in Paris. The French were still very resistant to any change and rather insensitive to the urgency and the universal nature of the need.

In meeting with the European commissioners in Brussels, the delegation reinforced the need for the European Community to show urgently the flexibility in order to negotiate a satisfactory outcome. The delegation pointed out quite clearly that, given the time framework, the next six weeks were critical. This was a message I repeated when I met the GATT Director-General, Arthur ~~Dunkle~~ DUNKEL, on Monday of this week in Geneva. I told Mr ~~Dunkle~~ DUNKEL that I shared his view that the next five or six weeks were a make or break time for the Round.

more to come - turn 24 follows

Dr Blewett 9 October 1991 **Page 1**

HANSARD GREEN

#24

Dr Blewett - in continuation

I indicated that we in the Cairns Group would do everything possible to bridge the gaps that remain in the negotiations. I expressed the view of Australia, and of the Cairns Group, that if significant gaps did remain then the Director-General would need to bring down a courageous paper setting out a framework agreement for the Round on a take it or leave it basis. I made it clear that Australia will not take it if the paper offers less than a substantial result on agriculture. We will not be pushed into a cosmetic, low level outcome just because time is running out.

We spelled out that for Australia and for the Cairns Group we must have a substantial outcome - one which ensures irreversible commitment to reform on internal support, on market access and on export subsidies over an acceptable period. We are ready to negotiate; we are ready to make compromises, we are ready to be flexible. But the prerequisite to any agreement is a structure which guarantees long term reform.

We should be quite clear now what the alternatives are in the next few weeks. If the European Community indicates long awaited flexibility and Mr ~~Dunkle~~ DUNKEL is able to produce a paper which all participants take as a basis for agreement, then the prospects for the Round are good. But if he is unable to produce such a paper offering a basis for consensus and participants leave rather

0158

Dr Blewett 9 October 1991 Page 2

HANSARD GREEN

than take his proposals, this will almost certainly mean the end of the agricultural negotiations and the Uruguay Round as a whole within the current time framework.

There is no doubt that that strategy involves high risks. But I believe now that it is the only hope of salvaging a round of critical importance not just to Australia but to the whole world.

end answer

Dr Blewett 9 October 1991 Page 1

HANSARD GREEN

#41

start speech

ADDITIONAL RESPONSE TO QUESTION WITHOUT NOTICE

Trade Negotiations

Dr BLEWETT - by leave - I wish to add to my answer given in Question Time today in reply to a question from the honourable member for Hinkler on the bipartisan trade delegation to Europe. I was remiss, Mr Acting Speaker, in not acknowledging the bipartisan delegation which you led in September which took up the same cause and whose good work I heard of in Europe. I acknowledge that now.

Mr ACTING SPEAKER I thank the Minister. I might also point out that my colleagues on both sides of the House were excellent members of the delegation, and I thank them for their cooperation.

end speech

0160

7통이.

원 본

외 무 부

종 별 :

번 호 : USW-4982 일 시 : 91 1010 1108

수 신 : 장 관(통이, 농림수산부)

발 신 : 주 미대사

제 목 : 미국 농산물 수출에 대한 각국의 무역장벽에

시보, 통기

대한 연례 보고서 송부('90 ANNUAL REPORT)

1. 1990 FARM BILL(PROVISIONS OF THE FOOD, AGRICULTURE,CONSERVATION AND TRADE ACT OF 1990) 에 의거 미국농산물 수룰에 대한 각국의 무역정책과 시장진출 기회등을 서술한 연례보고서가 종전의 MANDATE 에서 OPTION PAPER 로 수정되었으나 미농무성은 1990 연례보고서의 경우에는 종전의 예에 따라 작서, 지난 9월 하순 의회에 제출하였는바 아국 관련 사항을 별첨과 같이 팩스송부함.

2. 1991 연례보고서는 현재까지 발간 계획이 확정되지 않았음을 참고로 보고함.

첨부: 관련자료 1부 USWF-4229

(대사 현홍주 - 국장)

통상국 농수부

PAGE 1 91.10.11 06:46 FL

외신 1과 통제관

0161

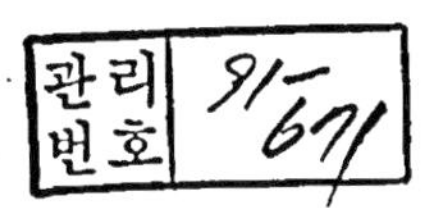

발 신 전 보

분류번호	보존기간

번 호 : WJA-4586 911011 1835 ED 종별 :

WGV -1372

수 신 : 주 일 대사. 총영사 (사본 : 주 제네바 대사)

발 신 : 장 관 (통 기)

제 목 : UR/농산물 협상

연: WJA-4450

10.11자 국내 일간지는 10.10. 마이니치 신문이 정부 소식통을 인용, '가이후' 총리가 쌀등 기초식량에 대해 관세화를 받아들이는 방향으로 검토토록 지시했다고한 보도한 내용을 인용게재한 바, 귀주재국 관련부서를 접촉, 관련사항 및 동 지시가 일본의 입장 변경을 의미하는 것인지 파악 보고바람. 끝.

(통상국장 김 용 규)

1991.12.31.에 예고문에 의거 일반문서로 재분류됨

보 안 통 제	

제2차관보:

앙 고 재	91년 10월 11일	통상기구과	기안자 성 명	과 장	심의관	국 장		차 관	장 관
			송봉헌			전결			

외신과통제

0162

	분류번호	보존기간

발 신 전 보

번 호 : WGV-1375 911011 2005 FN 종별 :

수 신 : 주 제네바 대사. 총영사

발 신 : 장 관 (통 기)

제 목 : UR/농산물 협상

금 10.11(금) 국회 본회의에서 표제관련 김현욱 민자당 의원의 질문요지 및 외무장관 답변 요지를 별첨(FAX) 송부하니 참고바람.

첨 부 : 상기 질문 및 답변요지 (3매). 끝.

WGVF-252.

(통상국장 김 용 규)

보안통제	

앙고재	91년 10월 11일	통상기구과	기안자 성명		과 장		국 장		차 관	장 관
			송봉헌							

외신과통제

0163

金顯煜 의원 추가질문

다음은 UR농산물협상에 대하여 외무부장관에게 확실히 묻겠습니다.

현재 UR협상은 10월말이나 11월초에 협상초안을 마련하는 또 하나의 중대한 고비를 맞이하고 있는 것으로 본의원은 알고 있습니다.

그동안 정부에서 많은 노력을 했고, 외무부에서도 다각적인 경로로 교섭에 임하고 있는 것으로 알고 있으나 최근의 동향은 지극히 걱정스러운 방향으로 전개되고 있습니다.

최근 던켈 사무총장이 예외없는 관세화의 방향으로 초안작성을 할것으로 시사하고 있습니다.

이렇게 되는 경우 쌀을 포함한 기초식량의 관세화 예외는 난관에 봉착할 것으로 예견되고 있고, 특히 이번의 협상초안은 협상그룹별로 채택여부를 결정하는 방식이기 보다는 전체협상안의 수용여부를 묻는 방식이 될 것이라고 하므로써 우리의 입장결정은 큰 부담요인이 될 것으로 보고 있습니다.

외무부장관은 첫째, 이와같은 최근의 보도와 정보가 사실인지? 협상은 어떻게 진개되고 있는지를 밝혀 주시기 바랍니다.

둘째, 정부 특히 외무부의 협상노력에 대해서는 많은 농민들이 깊은 의문을 갖고 있다는 점을 솔직히 지적하지 않을수 없습니다.

쌀에 대해서는 개방대상에서 제외한다는 우리의 입장을 반영시키기 위해서는 본국 정부는 물론이고 제네바 대표부의 대사를 비롯한 모든 협상책임자가 더욱 확고한 소신과 책임감을 가지고 협상에 임하는 것이 절대로 중요하다고 보는 것입니다.

700만 농민들은 지난4월 주제네바 대사의 발언때문에 과연 외무부가 우리 농민들이 간절히 바라는 바대로 과연 관철할수 있을지 염려를 하고 있습니다.

그동안 현지의 협상 책임자로서의 주제네바 대사가 얼마나 적극적으로 해왔으며 이와 관련하여 그동안 현지대사로부터 보고받은 사항과 또한 장관께서 현지대사에게 지시한 내용과 그 결과를 분명하게 밝혀 주시기 바랍니다.

셋째, 이미 정부로서도 쌀시장을 개방할수 없다는 방침은 누누히 밝혀오고 있지만 외무부장관으로서는 과연 앞으로 어떠한 결의와 방법으로 정부의 움직일수 없는 기본 방침을 어떻게 관철시킬 것인지를 밝혀 주시기 바랍니다.

3-1

0164

①UR 協商의 展開 狀況, 특히 쌀등 基礎食糧의 例外 確保 展望
②外務部의 協商 努力, 특히 駐 제네바 大使의 活動狀況
③쌀市場 開放 不可 立場 貫徹 方案

o 今年 가을들어 UR 協商이 本格的으로 進行되고 있으나, 아직 美國, EC등 主要國家間에 UR 協商의 核心爭點인 補助減縮等 農産物 協商, 知的所有權, 서비스 分野에 대한 合意가 이루어지지 않아 協商의 妥結 時期와 具體的 內容은 尙今 不透明함.

o 다만, 協商을 主導하고 있는 Dunkel 갓트 事務總長은 美國, EC等 主要國家間의 合意 不在에도 不拘하고 UR 協商의 早期 妥結을 促進하기 위하여 11月初까지 農産物을 包含한 모든 協商 分野에 걸쳐 一括的인 妥協案을 마련코자 督勵하고 있음.

o 우리가 關心을 갖고 있는 農業 分野만 하더라도 美國과 EC間의 妥協이 이루어지지 않고 있어 妥結 展望은 現在 正確히 말씀드리기 어려움.

o 그러나, 現地 協商 雰圍氣는 特定 農産物 例外나 特別 取扱은 어렵다는 雰圍氣가 강함.

3-2

0165

o 우리 農業의 構造的 어려움과 農民의 權益 保護를 위해 우리 立場을 協商 結果에 反映토록 繼續 努力 하겠으며, 특별한 例外 措置等을 認定받을 수 있도록 最善을 다하겠음.

o 外務部로서는 商工部, 農水産部等 關係部處와의 緊密한 協議를 통하여 對處해 나가겠음.

3-3

0166

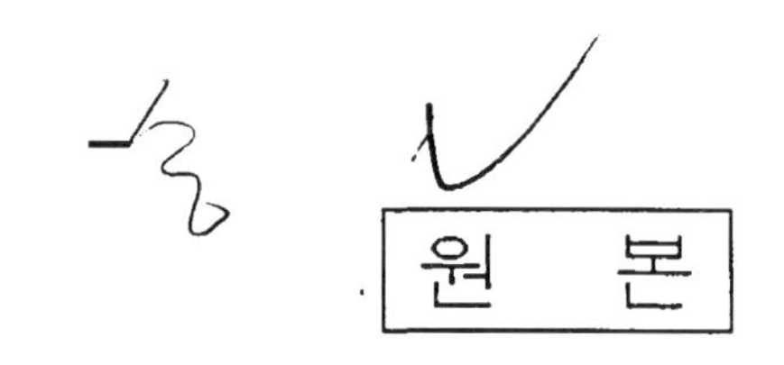

외 무 부

종 별 :

번 호 : JAW-5794 일 시 : 91 1011 2134

수 신 : 장 관(통기,농수산부)

발 신 : 주 일 대사(경제)

제 목 : UR/ 농업협상

10.10자(목) 마이니찌 신문(조간)이 카이후 수상이 농수산물 관세화안을 검토하도록 지시했다고 보도한데 대해, 금 10.11. 농림수산성은 사무차관 명의로 이러한 보도내용을 부인하는 담화를 발표했는바, 담화의 내용은 다음과 같음.

1. 카이후수상 으로부터 관세화안을 검토하라는 지시를받은바가 전혀 없으며, 10.8 곤도 농림수산 대신이 우루과이 라운드 농업교섭 상황을 수상에게 보고시 수상은 '관세화를 받아들일수 없음은 이미 부시대통령 에게도 언급한바 있다'고 하였음.

2. 농업협상에 있어서는 수출 보조금의 철폐야말로 최대의 문제로서, 수출보조금문제가 적절히 처리되지 않는한, 수입국으로서는 수입제한 및국내보조의 삭감에는 응할수 없음.

3. 앞으로도 일본으로서는 일본이 최대의 식량 수입국 이라는 점이 교섭과정에서적절히 반영되도록 전력을 다할 의향임.끝

(대사 오재희-국장)

통상국 2차보 아주국 청와대 안기부 농수부

PAGE 1 91.10.11 23:48 FN

외신 1과 통제관

0167

기 안 용 지

분류기호 서번호	통기 20644-	(전화: 720 - 2188)	시 행 상 특별취급	
보존기간	영구. 준영구 10. 5. 3. 1.	장 관		
수 신 처 보존기간				
시행일자	1991.10.14.			

보조기관			협조기관		문서통제
	국 장	전 결			
	심의관				
	과 장				
기안책임자		송 봉 헌			발 송 인

경 유 수 신 참 조	건 의	발신명의		

제 목	UR/농산물 협상 회의 정부대표 임명

91.10.16-18간 스위스 제네바에서 개최되는 UR/농산물 협상 회의에 참가할 정부대표를 "정부대표 및 특별사절의 임명과 권한에 관한 법률"에 의거, 아래와 같이 임명할 것을 건의하오니 재가하여 주시기 바랍니다.

- 아 래 -

- 1 -

0168

1. 회 의 명 : UR/농산물 협상 회의

2. 회의기간 및 장소 : 1991.10.16-18, 스위스 제네바

3. 정부대표 및 출장기간

o 경제기획원 통상조정2과장 김명식(10.15-20)

o 농림수산부 국제협력담당관 손정수(10.14-20)

o 주 제네바 대표부 관계관

o 한국 농촌경제연구원 부원장 최양부(자문, 10.14-20)

4. 소요경비 : 소속부처 소관예산

5. 훈 령 : 별첨 전문 참조. 끝.

- 2 -

0169

경 제 기 획 원

봉조이 10520- 717 (503-9146) 1991.10.14.

수신 외무부장관

참조 통상국장,아주국장

제목 UR/농산물협상 그룹회의참가

스위스 제네바에서 개최되는 UR/농산물협상회의('91.10.16-19) 와 UR/농산물관련 일본동향을 분석하기 위해 아래와 같이 참가코자 하오니 해외출장에 필요한 조치를 취하여 주시기 바랍니다.

- 아 래 -

가. 출장자

소 속	직 위	성 명
대외경제조정실 통상조정2과 GATT Division, int'l Policy Coordination Office, E.P.B	통상조정 2과장	김 명 식 KIM Myung-Shik

나. 출장지: 스위스 제네바(10.15-19),일본동경(10.20-23)

다. 출장기간: '91.10.15 - 23

라. 출장목적: UR/농산물협상 그룹회의 참가 및 자료조사

마. 여행경비: 당원부담

바. 기타 협조사항: 일본 외무성,농림성 관계관등과의 면담주선요망. 끝.

첨부: 출장일정표 1부.

경 제 기 획 원 장 관

0170

출　　장　　일　　정

'91.10. 15(월)	13:50	서울발 (KE 903)
	19:00	프랑크프르트
	21:05	프랑크프르트 발 (SR 545)
	22:10	제네바 착
10. 16(수) ~ 10. 18(금)		협상대책 회의 및 UR/농산물협상참가
10. 19(토)	06:00	제네바 발(SR 610)
	08:50	로마 착
	12:30	로마 발(JL 416)
	17:00	동경 착
10. 20(일) ~ 10. 22(화)		일본의 UR/농산물협상동향파악을 위한 외무성.농림성 관계관 면담
10. 23(수)	12:30	동경 발(KE 701)
	14:40	서울 착

0171

한사람이 지킨질서 모아지면 나라질서

농 림 수 산 부

국협20644- 956 (503-7227) 1991.10.11.

수 신 외무부장관

참 조 통상국장

제 목 UR농산물그룹회의 참석

1. '91.10.16-18간 개최예정인 UR농산물그룹 회의에 다음과 같이 당부대표를 파견코자 하오니 협조하여 주시기 바랍니다.

- 다 음 -

가. 당부대표

구분	소속	직위	성명	비고
대 표	농업협력통상관실	국제협력담당관	손정수	
자 문	농촌경제연구원	부원장(장관자문관)	최양부	소요경비:당부부담

나. 출장목적

0 UR농산물협상 공식회의 및 주요국 비공식회의 참석

다. 출장일정 및 출장지

0 '91.10.14-10.20(7일간), 스위스 제네바

라. 소요경비 : $5,780(농림수산부 부담)

첨부 : 1. 출장일정 1부.

2. 금차회의 참가대책 1부. 끝.

농 림 수 산 부 장

0172

1. 출장일정 및 소요경비내역

가. 출장일정

'91.10.14(월) 12:40 서 울 발(KE 901)
18:10 파 리 착
20:45 파 리 발(SR 729)
21:45 제네바 착

'91.10.15(화) 협상참가대책 회의

'91.10.16-10.18 UR농산물그룹회의 참가

'91.10.19(토) 10:50 제네바 발(LH 1855)
12:15 프랑크푸르트 착
13:40 프랑크푸르트 발(KE 916)

'91.10.20(일) 10:10 서 울 착

나. 소요경비 내역

(1) 국외여비

	손정수 과 장	최양부 부원장
항 공 료	$ 2,106	$ 2,106
일 비	$ 20 x 7일 = $ 140	$ 20 x 7일 = $ 175
숙 박 비	$ 66 x 5일 = $ 330	$ 79 x 5일 = $ 395
식 비	$ 42 x 6일 = $ 252	$ 46 x 6일 = $ 276
체재비계	$ 722	$ 846
합 계	$ 2,828	$ 2,952

0173

10. 16주간 UR농산물협상 그룹회의 참가 당부입장

1. 금차회의 의제 및 전망

- '91.10.1~4간 개최된 UR농산물협상 주요국 비공식회의시 던켈총장이 언급한바에 의하면 금차회의는 Non-Paper중 논의되지 못한 식량순수입 개도국우대 및 식량원조에 관한 기술적 문제의 토의를 끝으로 3월이래 추진해온 기술적 의제의 토의를 종결할 계획으로 있으며,

- 합의 초안제시와 아울러 정치적 타결을 목적으로한 향후 작업일정등이 주로 협의될 전망임.

- 따라서 금차회의는 아직까지 협상타결의 전기가 마련되지 아니한 상황하에서 구체적인 타협점 마련보다는 새로운 협상단계로의 진입을 위한 하나의 과정으로서의 성격을 가질것으로 예상되며 공식적으로는 던켈총장이 구상하고 있는 협상 일정대로 타협이 원활히 이루어 질 수 있도록 각국의 신축적인 태도변화를 촉구하는 내용이 핵심사항이 될 것임.

- 아울러 협상 초안작성과 관련 각국은 자국입장 반영을 위하여 집중적인 막후 접촉을 시도할 것으로 예상됨.

0174

2. 금차회의 참가중점 사항

1) 기술적 의제의 토의에는 기존 아국입장하에 대처

o 주요국간 막후 접촉을 통하여 일방적인 방향으로 타협점을 모색하려는 의도를 사전 견제

2) 10월말내지11월초에 제시될 것으로 예상되는 농산물의장 초안에 대비

o '91. 1. 9 대외협력위원회에서 결정된 아국 농산물 협상대책의 관철을 위하여 최대한의 협상력을 경주

o GATT 관계관, 주요국 대표들과의 수시접촉을 통하여 아국의 확고한 입장을 전달하는 한편, 현지의 분위기, 미국, EC등 주요국의 동향파악에 주력

3) 향후 협상일정과 관련, 협상의 조속한 타결을 위한 일정 마련은 동의, 다만 실질적인 내용에 있어 의장초안은 모든 협상참가국의 관심사항을 균형되게 반영시켜야 할 것임을 강력히 촉구

0175

50432

기 안 용 지

분류기호 서번호	통기 20644-	(전화 : 720 - 2188)	시 행 상 특별취급	
보존기간	영구. 준영구 10. 5. 3. 1.	장 관		
수 신 처 보존기간		(서명)		
시행일자	1991.10.14.			

보조기관			협조기관		문서통제
	국 장	전 결			검열 1991. 10. 1 통제관
	심의관				
	과 장	대결			
기안책임자		송 봉 헌			발 송 인

경 유 수 신 참 조	경제기획원장관, 농림수산부장관	발신명의		
제 목	UR/농산물 협상 회의 정부대표 임명 통보			

91.10.16-18간 스위스 제네바에서 개최되는 UR/농산물 협상 회의에 참가할 정부대표가 "정부대표 및 특별사절의 임명과 권한에 관한 법률"에 의거, 아래와 같이 임명 되었음을 알려 드립니다.

- 아 래 -

1. 회 의 명 : UR/농산물 협상 회의

- 1 -

0176

2. 회의기간 및 장소 : 91.10.16-18, 스위스 제네바

3. 정부대표 및 출장기간

o 경제기획원 통상조정2과장 김명식(10.15-20)

o 농림수산부 국제협력담당관 손정수(10.14-20)

o 주 제네바 대표부 관계관

o 한국 농촌경제연구원 부원장 최양부(자문, 10.14-20)

4. 소요경비 : 소속부처 소관예산

5. 출장 결과 보고 : 귀국후 20일이내. 끝.

0177

관리 번호	91-677

	분류번호	보존기간

발 신 전 보

번 호 : WGV-1382 911014 1602 FO 종별 :

수 신 : 주 제네바 대사. 총영사

발 신 : 장 관 (통 기)

제 목 : UR/농산물 협상

1991.12.31.에 예고문에 의거 일반문서로 재분류됨

1. 91.10.16-18간 귀지에서 개최되는 표제 회의에 아래 본부대표를 파견하니 귀관 관계관과 함께 참석토록 조치바람.

   o 경기원 통상조정2과장 김명식

   o 농수산부 국제협력담당관 손정수

   o 농촌경제연구원 부원장 최양부 (자문)

2. 금번 회의에는 기존 입장, 아래 중점사항 및 본부대표가 지참하는 쟁점별 세부 자료에 따라 적의 대처바람.

   o 기술적 의제의 토의에는 기존 입장에 따라 대처하되 주요국간 막후 접촉을 통하여 아국의 핵심이익을 무시하고 일방적인 방향으로 타협점을 모색하려는 의도를 사전 견제

   o 10월말내지 11월초에 제시될 것으로 예상되는 농산물 의장 초안에 대비

   - 91.1.9. 대외협력위원회에서 결정된 아국 입장 반영을 위하여 최대한의 협상력을 경주

   - GATT 사무국 관계관, 주요국 대표들과의 수시 접촉을 통하여 아국의 입장을 전달하는 한편, 현지 분위기, 미국, EC등 주요국의 동향 파악

   o 향후 협상일정과 관련, 협상의 조속한 타결을 위한 전략과 사무총장의 이니시어티브는 지지하되 ~~일정 마련은 동의하되 실질적인 내용에 있어~~ 의장 초안은 모든 협상 참가국의 관심사항을 균형되게 반영시켜야 할 것임을 강력히 촉구. 끝. (통상국장 김용규)

보안 통제	

앙 고 재	91년 10월 14일	통상기구과	기안자 성명 송봉헌		과 장	심의관	국 장 전결		차 관	장 관

외신과통제

0178

관리번호 91-684

원본

외 무 부

종 별 :

번 호 : GVW-1991 일 시 : 91 1014 1820

수 신 : 장관(통기,경기원,농림수산부)(사본:주미,주이씨 대사(중계필)

발 신 : 주 제네바 대사

제 목 : UR/농산물 협상

김대사는 10.14 갓트 사무국 WOLTER 농업국장을 오찬에 초대, UR 농산물 협상 최종 협상 문서 작성과 관련한 아국의 입장을 설명, 이해를 촉구하고, UR 협상 전망등에 관해 의견을 교환한바 요지 아래 보고함.(오참사관, 천농무관 동석)

1. 김대사는 11 월 초까지 작성될 UR 농업 분야 협상문서(REV.2)는 모든 참여국의 관심이 포괄적으로 반영된 균형된 문서가 되어야 하며, 특히 작년 브랏셀에서의 실패가 농업 수입국의 입장이 적절히 반영되지 않았던데 원인이 있었음을감안, 농업 수입국의 입장이 보다 적절히 반영되어야 할 것임을 지적하고, 수출 보조 문제가 세계 농산물 교역에 있어 최대 걸림돌이 되고 있음에도 불구하고시장 접근 분야에 역점을 두고 협상을 추진한다고 하는 것은 형평에 어긋나는 것이며, 특히 예외없는 관세화를 원칙 수용 차원에서 우선적으로 다루는 것은 도저히 받아들일수 없다는 아국 입장을 설명하고 아국 농산물 분야의 낙후성, 쌀의문제가 아국의 정치, 경제, 사회 문화적으로 미칠 심대한 영향등을 거듭 강조하였음.

2. WOLTER 국장은 한국 농업의 어려움에 대해 서는 익히 잘 알고 있으며, 특히 쌀 개방 문제가 어느정도 심각하다는 것도 알고 있다고 전제하고, 아래와 같은 반응을 보였음.

가. 갓트 사무국으로서는 농산물 협상과 관련 수출, 수입국 모두가 나름대로 어려운 국면이 있다는 것을 감안, 최대한 중립적 입장을 견지하고 있음.

나. 항간에 루머가 있는 것으로 알고 있지만 농산물 협상에 있어 관세화 원칙 문제를 여타 문제와 분리시켜 우선적으로 처리토록하는 것은 아니며, 농산물 협상 최종문서는 국내 보조, 시장접근, 수출경쟁, 위생,검역문제등 4 가지 분야를 동시에 다루게 될것임.

다. 한국의 쌀문제가 어려운 것은 이해하나 관세화에서 예외되도록 한다는 것은

통상국	장관	차관	2차보	분석관	청와대	안기부	경기원	농수부
중계								

PAGE 1 91.10.15 19:09

외신 2과 통제관 BW

0179

파급 효과를 감안할때 매우 어려운 문제라는 점을 지적하지 않을수 없으며, 협상 최종안은 관세화로 인해 한국만이 어려움을 감내하도록 하지는 않을 것이고 모든 나라가 상기 4 개 분야와 관련 각기 나름대로 매우 어려운 결정을 하지 않으면 안되는 협상안이 될 것임.

3. 동 국장은 지난 수요일(10.9) 독일 KOHL 수상이 UR 농산물 협상관련, 과거 불란서와 같이 강경한 입장에서 선회하여 보다 융통성 있는 입장으로 임할 것을 내각에 지시한 것은 매우 중요한 EVENT 라고 평가하였으며, 지난주말 (10.11-12)개최된 EC 통상장관 회의에서도 UR PACKAGE 에 대해 년내에 정치적인 결단을 내려야 한다는 분위기였다고 하였음.

4. UR 협상 년내 타결 전략과 관련 미.EC 간의 별도 회담 개최 가능성 문의에 대해 동 국장은 현재로서는 통상적인 접촉을 제외한 특별한 계획은 없는 것으로 안다고 말하였음.

5. 김대사는 동국장이 아국의 입장을 충분히 이해하고, 균형되게 반영된 최종문서가 되도록 협조해 줄것을 당부하고 아국 농업 현황에 관한 농협발간 자료를 제공하였음. 끝

(대사 박수길-국장)

예고:91.12.31 까지 일반문서로 재분류 91. 12.31.

PAGE 2

0180

관리번호 91-689

원 본

외 무 부

종 별 :

번 호 : AUW-0838 일 시 : 91 1015 1650

수 신 : 장관(통기)

발 신 : 주 호주 대사

제 목 : UR 농산물협상

대:통기 20644-34493

연:AUW-0819

1. 당관 장동철 참사관은 금 10.15 주재국 외무성 WILKINSON 가트담당 부국장을 접촉, 쌀시장 개방불가등 UR 농산물 협상과 관련한 우리의 입장을 설명하고주재국도 비현실적인 기대를 낮추고 보다 신축적인자세로 전환해야할것임을 강조함.

2. 이에대해 WILKINSON 부국장은 최근 주재국 BLEWETT 무역장관이 의회에서밝힌바와같이 주재국은 모든문제에 대해 협상하고 또한 타협할 준비가 되어있으며 이러한 호주측의 입장은 BLEWETT 장관의 유럽순방시 유럽과 CAP 과 관련 독일이 보인 신축적인 입장과도 관련이 있다고 말하고 UR 7 개협상그룹의 의견을 최대한으로 수렴한 DRAFT FRAMEWORK AGREEMENT 를 바탕으로 DUNKEL 사무총장이 PAPER 작성, 제시하면 UR 협상 진전에 커다란 계기가 마련될것으로 본다고 말함.

3. 쌀등 일부 기초식품에 대한 관세화 및 MMA 예외인정문제에 대해, 동부국장은 호주의 입장은 농산물 교역 3 대분야에 있어 장기적인 개혁을 추구한다는것이며 모든 품목에 대한 보조나 지원의 단기간내의 COMPLETE ELIMINATION 를 지향하는것이 아니라 점진적이고 장기적인 PARTIAL REDUCTION 을 추구하는것이라고 말하고 한국이 특히 관심을 가지고있는 쌀시장 개방문제에 있어 쌀이라는 특정품목을 예시하는것은 좋은 방법이 아니며 한국이 주장하는 FOOD SECURITY 라는 용어는 특정품목을 영원히 보호하겠다는 인상을 주고있으며 현재의 국제정세및 앞으로의 추세를 감안할때 적절한 표현이 아닌것으로 보인다고 말함.

4. UR 협상의 기본목표는 특정품목을 어떤 기간내에 어느만큼 보호를 감축하느냐 보다는 국경보호, 국내보조 및 수출보조의 3 대부문에서 앞으로 장기간에걸쳐 개혁을 하겠다는 각국의 의지를 원칙으로 채택, 선언한다는 의미가 있으며 각국이 특수사정을

통상국 차관 2차보

91.10.15 17:19

외신 2과 통제관 BW

0181

안고있는 특정품목에 대해서는 추후 다자 또는 양자협상을통해 문제를 해결할수 있다는것이 호주의 입장이라고 말함.

5. 다시말해 농산물 교역자유화를 장기목표로 지향하면서 농업분야 개혁을 추진하기 위해 후퇴할수 없는 어떤 방향과 선을 국제적으로 설정한후 이러한 틀내에 각국의 특수한 상황을 교섭과 협상을 통해 해결하자는것이며 이러한 원칙은농업분야에만 해당되는것이 아니고 UR 협상 여타 분야에도 적용되는것이라고함.

6. 한국과 관련 호주가 특히 관심을 갖고있는 품목은 쇠고기와 낙농제품으로서 쌀시장 개방문제는 우선순위를 부여하지 않고있으며, 한국의 경제발전 속도및 농민의 고령화등 전통농가의 급속한 붕괴현상에 비추어볼때 20-30 년의 장기적인 목표 추구를 위한 다자간의 노력에 있어 처음부터 교섭의 여지를 차단하는것은 좋은일이 아닌것으로 본다고 말하고 한국측이 처음 주장한 GRACE PERIOD 부여 주장 철회는 이러한 맥락에서 현명한 결정으로 본다고 말함. 끝.

(대사 이창범-국장)

예고:91.12.31. 까지

91.12.31.

PAGE 2

0182

발 신 전 보

분류번호	보존기간

번 호 : WUS-4682 911015 0950 FO 종별 :

수 신 : 주 수신처 참조 대사. 총영사

WJA -4636 WEC -0617
WCN -1272 WAU -0793
WGV -1392

발 신 : 장 관 (통 기)

제 목 : UR/농산물 협상

1. 표제 관련, 작 10.14 국회 농수산위에서 채택된 결의안을 별첨(FAX) 송부하니 참고바람.

2. 동 결의안은 금 10.15 국회 본회의에서 채택될 예정이며 10.15자 각언론에 크게 보도되었음을 첨언함.

첨 부 : 결의안 1부.(3매) 끝. (통상국장 김 용 규)

수신처 : 주 미, 일, EC, 카나다, 호주, 제네바 대사
WUSF-916, WJAF-107, WECF-42, WCNF-81, WAUF-41, WGVF-284.

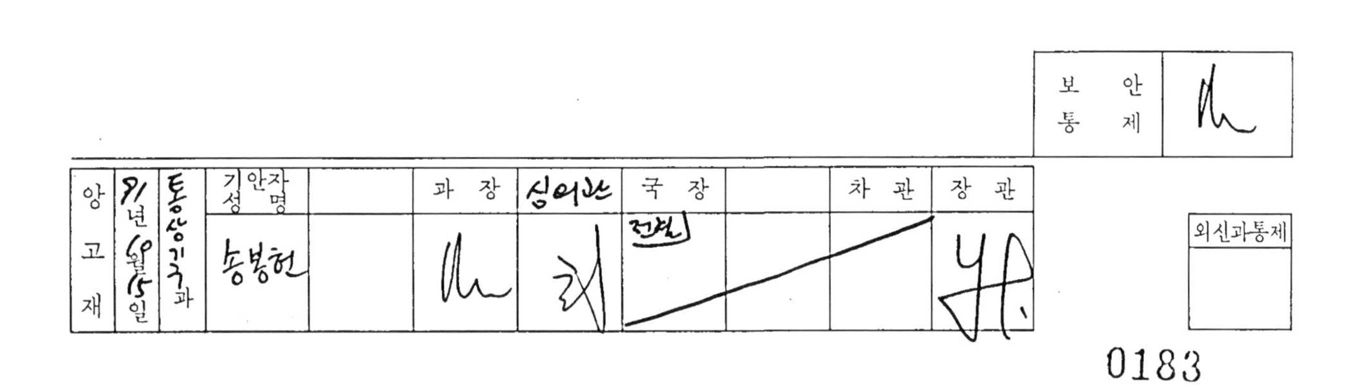

보안통제	

앙고재	91년 10월 15일	통상기구과	기안자 성명		과장	심의관	국장		차관	장관
			송봉헌				전결			

외신과통제

0183

RESOLUTION AGAINST THE LIBERALIZATION OF IMPORTS OF BASIC FOODSTUFFS INCLUDING RICE

The National Assembly of the Republic of Korea,

Reaffirming its basic position expressed through "The Resolution on the Uruguay Round multilateral trade negotiations" adopted at the 151st Plenary Session on October 10, 1990 and "The Resolution against the Liberalization of Rice Import" adopted at the 154th Extraordinary Session on May 7, 1991, that basic foodstuffs including rice cannot be subject to import liberalization or tariffication ; and

Emphasizing once again, as the Uruguay Round negotiations may reach its conclusion within this year, that tariffication or even the minimum amount of import cannot be allowed for with regard to basic foodstuffs, such as rice ;

Hereby resolves:

1. that the respective positions of the importing and exporting countries be reflected in a balanced manner in the Uruguay Round negotiations which have its objectives in benefitting all the participants by establishing a fair international trade order, and that the Korean Government exert its utmost efforts so that our basic position is reflected in the Uruguay Round negotiations;

2. that for countries like the Republic of Korea whose food self-sufficiency ratio is very low, and whose most food products are imported, the production base for basic foodstuffs must be maintained, and that non-trade concerns such as food security must be fully recognized in the result of the Uruguay Round agricultural negotiations;

0184

3. that the idea of "a clean tariffication without exceptions" being discussed in the Uruguay Round negotiations, that fails to take into account the unique characteristics of agriculture and does not properly reflect the agricultural development stages of each individual country, can not be accepted;

4. that, since for Korea, in particular, rice is deeply rooted in our cultural heritage, the staple food of our entire population, and the main source of income for our 7 million farmers, and also plays a great role in ensuring food security, farm income growth and land preservation, the liberalization of rice import, even the minimum amount of import, is not acceptable in any circumstances, and that unless exceptions are allowed for with regard to import liberalization commitment, we will reject it out of hand for the sake of our farmers whose livelihood is at stake;

5. that the Korean Government should strive positively to pursue measures to spur the structural adjustment of the agricultural and fisheries sectors and enhance their competitiveness in preparation for the pending internationalization and liberalization of agriculture in the post-Uruguay Round period, and that it should, in particular, devise measures to deal with damages to the agricultural sector that might arise due to the liberalization of agricultural product imports; and

6. that the National Assembly will do its utmost for the development of Korea's agricultural and fisheries sectors.

0185

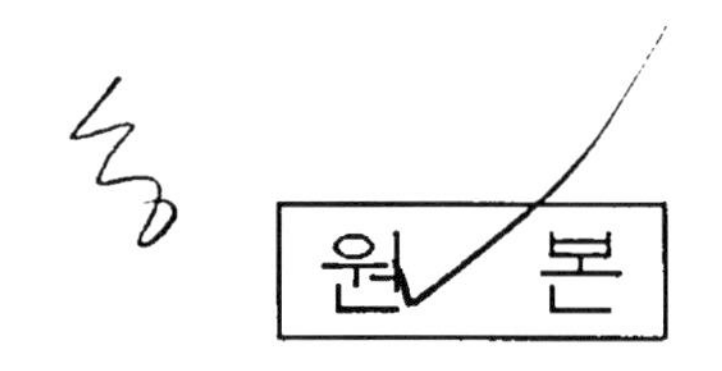

외 무 부

종 별 :

번 호 : GVW-1989 일 시 : 91 1014 1730

수 신 : 장관(통기,경기원,농림수산부)

발 신 : 주 제네바 대사

제 목 : UR/농산물 공식회의

10.18(금) 개최 예정 표제 공식 회의 소집 통지서를 별첨 송부함.

첨부: UR/농산물 공식회의 소집 통지서 1부. 끝

(GVW(F)-412)

(대사 박수길-국장)

통상국 2차보 경기원 농수부

PAGE 1

91.10.15 07:46 DQ

외신 1과 통제관

0186

GVW(F)-0412, 11014 1730 송신
" GVW-1808 첨부

GATT/AIR/3252 10 OCTOBER 1991

SUBJECT: URUGUAY ROUND NEGOTIATING GROUP ON AGRICULTURE

1. THE NEGOTIATING GROUP ON AGRICULTURE WILL MEET ON FRIDAY, 18 OCTOBER 1991 AT 5 P.M. IN THE CENTRE WILLIAM RAPPARD.

2. THE FOLLOWING AGENDA IS PROPOSED FOR THE MEETING:

A. REPORT BY THE CHAIRMAN ON INFORMAL CONSULTATIONS;
B. OTHER BUSINESS.

3. GOVERNMENTS PARTICIPATING IN THE MULTILATERAL TRADE NEGOTIATIONS, AND INTERNATIONAL ORGANIZATIONS WHICH HAVE PREVIOUSLY ATTENDED PROCEEDINGS OF THIS NEGOTIATING GROUP, WISHING TO BE REPRESENTED AT THIS MEETING ARE REQUESTED TO INFORM ME AS SOON AS POSSIBLE OF THE NAMES OF THEIR REPRESENTATIVES.

A. DUNKEL

OBJET: NEGOCIATIONS D'URUGUAY - GROUPE DE NEGOCIATION SUR L'AGRICULTURE

1. LE GROUPE DE NEGOCIATION SUR L'AGRICULTURE SE REUNIRA AU CENTRE WILLIAM RAPPARD LE VENDREDI 18 OCTOBRE 1991 A 17 HEURES.

2. LES QUESTIONS QU'IL EST PROPOSE D'INSCRIRE A L'ORDRE DU JOUR SONT LES SUIVANTES:

A. RAPPORT DU PRESIDENT SUR SES CONSULTATIONS INFORMELLES;
B. AUTRES QUESTIONS.

3. LES GOUVERNEMENTS PARTICIPANT AUX NEGOCIATIONS COMMERCIALES MULTILATERALES, AINSI QUE LES ORGANISATIONS INTERNATIONALES AYANT DEJA ASSISTE AUX DEBATS DE CE GROUPE DE NEGOCIATION, QUI DESIRENT ETRE REPRESENTES A CETTE REUNION SONT PRIES DE ME COMMUNIQUER DES QUE POSSIBLE LES NOMS DE LEURS REPRESENTANTS.

A. DUNKEL

ASUNTO: RONDA URUGUAY - GRUPO DE NEGOCIACION SOBRE LA AGRICULTURA

1. EL GRUPO DE NEGOCIACION SOBRE LA AGRICULTURA SE REUNIRA EL VIERNES 18 DE OCTUBRE DE 1991 A LAS 17 H EN EL CENTRO WILLIAM RAPPARD.

2. SE PROPONE EL SIGUIENTE ORDEN DEL DIA PARA LA REUNION:

A. INFORME DEL PRESIDENTE SOBRE LAS CONSULTAS INFORMALES;
B. OTROS ASUNTOS.

3. LOS GOBIERNOS PARTICIPANTES EN LAS NEGOCIACIONES COMERCIALES MULTILATERALES, ASI COMO LAS ORGANIZACIONES INTERNACIONALES QUE YA HAYAN ASISTIDO A LAS SESIONES DE ESTE GRUPO DE NEGOCIACION, QUE DESEEN ESTAR REPRESENTADOS EN ESTA REUNION TENDRAN A BIEN COMUNICARME LO ANTES POSIBLE LOS NOMBRES DE SUS REPRESENTANTES.

A. DUNKEL

91-1396

0187

MISSION PERMANENTE
DE LA REPUBLIQUE ISLAMIQUE DE L'IRAN
AUPRES DE L'OFFICE DES NATIONS UNIES
ET DES AUTRES ORGANISATIONS INTERNATIONALES
28, CHEMIN DU PETIT SACONNEX
1209 GENEVE / SUISSE

In The Name Of God, Almighty.
****

No.620-1-3/3746

The Office of the Permanent Representative of the Islamic Republic of Iran to the United Nations Office and to other International Organizations in Geneva, presents its compliments to H.E. Mr. Ricardo Cabrisas Ruiz, Minister of Foreign Trade of Cuba, in his capacity as President of the Sixth Ministerial Meeting of the Group of 77 and has the honour to convey through him the invitation of the Government of the Islamic Republic of Iran to all members of the Group of 77 to participate in the Ministerial Meeting of the Group of 77 which will be held in Tehran from 16 to 23 November 1991.

The Office of the Permanent Representative of the Islamic Republic of Iran to the United Nations Office and to other International Organizations in Geneva, avails itself of this opportunity to renew its highest considerations to the President of the Sixth Ministerial Meeting of the Group of 77.

Geneva, 7 October 1991

His Excellency
Mr. Ricardo Cabrisas Ruiz,
Minister of Foreign Trade,
Havana, Cuba.

0188

송(1부 경기원, 신부)

원 본

외 무 부

종 별 :

번 호 : USW-5071 일 시 : 91 1016 1936

수 신 : 장 관 (통기,통삼,통이,농림수산부)

발 신 : 주 미 대사

제 목 : UR 관련 동향

1. JOURNAL OF COMMERCE 와 FINANCIAL TIMES 지는 9.15자 및 9.16자 기사에서 독일 정부가 EC 농산물정책과 관련 그간의 강경입장에서 후퇴하여 보조금의 대폭 삭감을 지지하는 방향으로 정책변경을 하였다고 보도하였는바, 동 기사 요지 하기보고함.(기사전문은 별첨 FAX 송부함)

- 독일의 JURGEN MOLLEMANN 경제장관은 지난주말 네델란드 헤이그에서 개최된 EC 통상장관 회의에서 독일이 작년 12월 UR협상 결렬에 책임이 있음을 언급하는 한편, 기존 EC 의 농산물 보조금 정책의 변경 필요성, 즉 EC 농산물 보조금의 대폭 삭감필요성을 인정하는 취지의 발언을 함.

- 독일은 그간 프랑스, 아일랜드와 함께 농산물 보조금 삭감에 반대해 왔으며, 공동 농업정책 (CAP) 개혁을 둘러싸고 영국, 네덜란드, 덴마크등 EC 내 자유주의 그룹과 대립해왔음에 비추어, 금번 독일의 정책 선회는 독일.프랑스간 밀월관계의 종식을 의미함과 동시에 EC 내 프랑스와 아일랜드의 입지를 약화시키고, 미국과 CAIRNS 그룹과의 협상시 EC협상 대표들에게 보다 많은 융통성을 주며 UR협상 타결을 촉진시키는 하나의 계기로 평가됨.

- EC 농산물 보조금 철폐는 동구권의 농산물가격의 경쟁력 제고와 경화 (HARD CURRENCY)획득을 용이하게 하여 독일이 이들 국가에 대해가지는 부담을 상대적으로 경감시키는 파생적 효과를 가질 것으로 전망됨.

- 한편, 미측 관리들은 독일정부의 금번 정책선회에 매우 고무적인 반응을 보이는 한편, EC협상 실무자와 마찬가지로 동 정책 선회가 어떤제안으로 구체화될지 지켜보겠다는 반응을 보임. 워싱턴의 일부 회의론자들은 상기 독일의 정책선회가 일종의 덫 (TRAP) 으로 실제 제안은 보도내용에 훨씬 못미치는 것이 될수 있다고 추측함.

통상국 2차보 통상국 통상국 농수부

PAGE 1 91.10.17 10:01 WG

외신 1과 통제관

0189

- 아일랜드의 DES O'MALLEY 통상장관은 독일의 정책 선회에 심각하 우려를 표하며 독일이 너무 성급하게 협상 타결을 서두른다는 취지로 언급함.

2. 상기 독일의 정책 선회와 관련 당지 반응은 파악되는 대로 추보 위계임.

첨부: USW(F)-4340(3 매).끝.

(대사 현홍주-국장)

번호 : USW(F) - 4340

수신 : 장관 (통기, 통상, 통이) 경기원, 농수산부

발신 : 주미대사

제목 : 독일, EC의 농산물보조금 대폭삭감 필요성 인정 (3매)

German Concession on GATT May Not Resolve Subsidy Issue

By BRUCE BARNARD
Journal of Commerce Staff

BRUSSELS, Belgium — The stalled negotiations on a more liberal world trading system are up and running again.

Germany, accepting its responsibilities as the world's largest exporter, provided the impetus last week by accepting the need for deep cuts in farm subsidies within the European Community.

This issue has dogged five years of talks in the Uruguay Round of the General Agreement on Tariffs and Trade, jeopardizing success in many other sectors from textiles to services.

"There has to be a change in the EC's position in agriculture, including export subsidies," Jurgen Molleman, the German economics minister, told EC trade ministers in the Hague over the weekend.

A contrite Mr. Molleman confessed Germany was to blame for the collapse of the Uruguay Round last December because it refused to support an improved EC offer on farm subsidies.

Germany's about-face was a long time coming, but it has radically shifted the balance between the liberal and protectionist camps in the EC.

Until last week, the EC Commission, which negotiates on behalf of the 12 member states, was in a strait jacket, as Germany, France and Ireland wielded sufficient votes to block any meaningful concessions.

The rupture of the Bonn-Paris axis has given EC negotiators more flexibility to cut a deal with the United States and the 14-member Cairns group of agriculture exporting nations that have demanded steep cuts in EC farm subsidies.

Yet Germany's shift hasn't erased the doubts of trade negotiators. "We will have to analyze whether (Germany's statement) is just words," said a Dutch official at the GATT in Geneva.

Others question whether Germany's move has come too late and if it will enable the EC to satisfy demands of the United States and the Cairns nations.

U.S. officials have been highly encouraged by the German statement but stress that they want to see how it translates into an improved EC offer. There is some skepticism in Washington that the German move is a "trap" and that forthcoming offers will be far less substantive than advertised.

To be sure, a huge gap still divides the two sides. The United States and its allies have been pounding the table for cuts in subsidies of between 75% and 90% while the EC has stuck to its original offer of 30% spread over 10 years, with 1986 as the base year.

Yet negotiators at the failed ministerial meeting here last December were moving within sight of an agreement. The commission finally accepted the need for "specific binding commitments" on reducing internal farm subsidies, import protection and export subsidies.

"It was an opening" to a deal, according to Mats Hellstrom, then Swedish farm minister who chaired the agriculture negotiating group in the Uruguay Round.

But the embryonic agreement fell apart at the last minute because EC trade and farm ministers, notably from Germany, France and Ireland, reined in the commission negotiators.

Mr. Hellstrom, however, says a key problem was the lack of communication between the commission and EC member states.

With the once-powerful Franco-German alliance in tatters, the EC negotiators can return to the table with more "elbow room" in the words of Frans Andriessen, the EC's external relations commissioner.

The negotiators will be freed from political pressure from EC ministers.

"The last thing we need is a new (negotiating) mandate," said Hugo Paeman, the EC's chief negotiator at GATT.

Germany's sharp turn around at the Hague left France and Ireland reeling.

Des O'Malley, Ireland's trade minister, expressed "grave concern" that the Germans are "very anxious that an agreement be reached very quickly, irrespective of what the costs may be."

Dominique Strauss-Kahn, France's foreign trade minister, said Paris was ready to let the commission negotiate separately on the three areas of farm support: internal subsidies, market access and export subsidies.

Until now France, backed by Germany, has insisted that the EC should negotiate a "global" farm agreement that would allow it to share out the cuts between the three areas of support.

Louis Mermaz, France's farm minister, still stuck to the "global" approach when he addressed the French Senate last Friday, but he admitted Paris was in a weak position and unable to offer counter-proposals.

JOC 10/16/91

0191

주 미 대 사 관

번호 : USW(F) -
수신 : 장관 (통기, 통이)
발신 : 주미대사
제목 : 주간, EC 농업정책개혁 관련 ... (1매)

German move lifts Gatt talks

By David Dodwell, World Trade Editor, in London

THE STALLED talks on the reform of world trade were revitalised at the weekend following a reversal of German policy on agricultural prices by Chancellor Helmut Kohl.

European Community trade ministers meeting in The Hague learned that Mr Kohl had told his cabinet that it would be "a catastrophe" if the Uruguay round of the General Agreement on Tariffs and Trade, now nearing its conclusion, did not succeed.

Ministers left the two-day meeting saying they were confident of "reaching substantial results" in the Gatt Uruguay round by the end of the year.

Mr Frans Andriessen, vice-chairman of the EC Commission, said he was confident that he had won the elbow room his staff needed to negotiate on the Community's behalf.

Mr Kohl's decision to support trade reformers pressing for reductions in the EC's costly agriculture subsidy system comes after a protracted debate inside the German cabinet. This is one of Germany's most sensitive political subjects and the farming lobby has forced the government to tread warily on reform.

The shift in Germany's position was reported to the trade ministers by Mr Jürgen Möllemann, the German economics minister.

"There has to be a change on the EC's position in agriculture, including export subsidies," he said, indicating that Germany had broken with its previous insistence that farm price supports remain high.

The Uruguay round of Gatt collapsed last December when the EC refused to accept proposed cuts in its extensive agricultural subsidies programmes, which cost European taxpayers £7bn ($12bn) last year.

The US and the 14-member Cairns Group of agriculture exporting nations demanded cuts in EC farm subsidies of between 75 per cent and 90 per cent. The EC was only willing to offer cuts of 30 per cent, using 1986 as the base year for calculation.

The German shift has isolated French and Irish officials, whose governments sought German support in limiting cuts in farm subsidy spending. They can be expected to lobby hard in defence of farm subsidies at an EC agriculture ministers meeting planned next week.

Germany's move provides fresh evidence of a rift in the Bonn-Paris axis which would need to be intact if the French are to remain confident of successfully limiting subsidy cuts.

While French officials cancelled plans for a press briefing at the end of the two-day trade ministers' meeting, Mr Des O'Malley, Ireland's trade minister, expressed "grave concern" at developments. The Germans were "very anxious that an agreement be reached very quickly, irrespective of what the costs may be".

He added: "They are far more emphatic than they were in the past in abandoning agriculture pretty well in its entirety." At an official briefing at the end of the meeting, Ms Yvonne van Rooij, Dutch trade minister, claimed it had been successful in reconciling internal differences on the EC's negotiating position in the world trade talks, but she gave few details.

"The ministers were of the opinion that we really have entered the final stage of negotiations and all delegations reaffirmed the objective of reaching substantial results in the negotiations by the end of this year," she said.

On agriculture in particular, she said the EC Commission had "enough indications to be able to conduct further negotiations in a constructive manner".

A "sense of urgency" was apparent at the meeting, she said – a clear riposte to Mrs Carla Hills, the US trade representative, who said in Kuala Lumpur last week that the EC must show the political will to move the stalled talks forward.

Last Friday Mr Arthur Dunkel, Gatt director general, warned trade negotiators that they had to finish their work by November 1. If agreement was not reached by then, draft texts would be prepared by chairmen of the negotiating groups and put to governments to take or leave.

Implicitly, his message was that if the main trading powers did not now move to bridge the remaining gaps on critical issues such as farm trade, services, intellectual property rights, textiles and clothing, and tariff cuts, the most ambitious effort ever made to liberalise world trade would have to be abandoned.

Mr Andriessen said after the trade ministers' meeting that his staff needed continuous policy guidance, and "a certain margin of flexibility" if it was to negotiate on the community's behalf.

"Both of these have been given, which confirms me in my conviction that as far as the EC is concerned, we will be able to make the goal we have set ourselves of a positive and satisfactory conclusion by the end of the year," he said.

FT 10.14.91

4340-3 (END)

0192

The EC's impending "climb down" will be ritually savaged by EC farm ministers when they gather in Luxembourg next Monday. With farmers on the rampage in France, Belgium, Germany and the Netherlands in recent weeks they have little choice.

But the farm ministers aren't calling the shots in the Uruguay Round negotiations. That power resides with the EC's foreign ministers supported by their trade counterparts, Yvonne van Rooy, the Netherlands foreign trade minister, stressed after the Hague meeting.

And with Germany firmly in the liberal camp along with Britain, Denmark and the Netherlands, France is marginalized.

The "waverers" like Italy, Greece and Spain, are mainly concerned that their small family farms don't lose out in any deal the EC cuts in the Round.

France and Ireland are bowing to the inevitable, though their agriculture ministries continue to play to the farm gallery. Both countries, however, stand to gain from the EC commission's plans to reform the Common Agricultural Policy at the expense of Britain, Denmark and the Netherlands.

France also is well aware that the payoff to its burgeoning services industries from a successful Uruguay Round far outweigh the benefits of protecting its inefficient marginal farmers. Moreover, its large, efficient cereals producers in the Paris Basin can compete in international markets without subsidies.

Bonn, too, knows its small farmers will gain from the reform of the CAP that will compensate for any short term losses from lower subsidies.

The elimination of trade-distorting subsidies has the added attraction that it will lighten Bonn's Eastern European burden by enabling the fledgling market economies to sell their competitively priced farm produce in hard currency world markets.

2/2

4340-2

0193

기 안 용 지

분류기호 문서번호	통기 20644- 38267 (전화: 720 - 2188)	시 행 상 특별취급	
보존기간	영구. 준영구 10. 5. 3. 1.	장 관	
수 신 처 보존기간			
시행일자	1991.10.18.		

보조기관			협조기관		문서통제
	국 장	전 결			
	심의관				
	과 장				
기안책임자		송 봉 현			발 송 인

경 유 수 신 참 조	수신처 참조	발신명의		
제 목	축산관련 단체 건의문			

축협은 91.10.15 국내 9개 축산관련 단체가 공동으로 개최한 "축산물 수입개방 반대 결의 대회"에서 채택한 대정부 건의문을 전달해 온 바, 동 건의문을 별첨 송부하니 업무에 참고하시기 바랍니다.

첨 부 : 동 건의문 사본 1부. 끝.

수신처 : 주 제네바, 미국, 호주, 카나다, 뉴질랜드 대사

0194

축산업협동조합중앙회

홍보1110-08548 (475-8033) 1991. 10. 16.

수신 외무부 장관

참조

재목 건의문 제출

'91. 10. 15. 9개 축산관련 단체가 공동으로 개최한 축산물 수입개방 반대 결의대회에서 채택한 건의문을 별첨과 같이 진달하오니 정책에 반영될 수 있도록 배려하여 주시기 바랍니다.

첨부 : 건의문 1부. 끝.

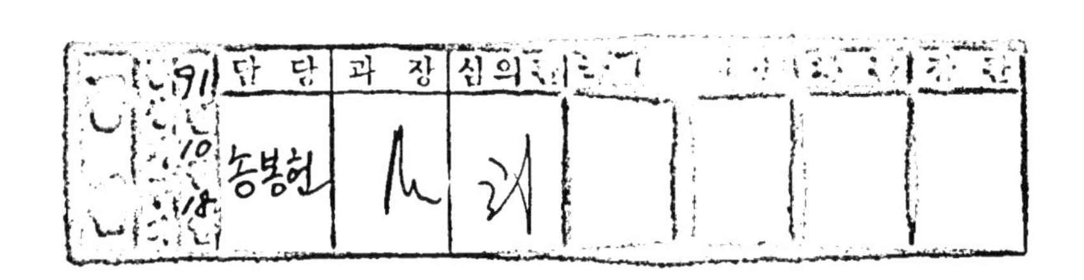

회 장 명 의

0195

34498

建 議 文

그동안 우리는 우루과이라운드 農畜産物 協商에서 食糧安保와 環境保全등 畜産業의 非交易的 機能이 반드시 考慮되어야 하며 특히 쇠고기등 主要 基礎食糧에 대해서는 政府의 繼續的인 支援 育成이 必要하다는 것을 一貫되게 主張해 왔습니다.

그러나 最近 우루과이 라운드 農畜産物 協商과 關聯한 進展狀況을 보면 우리의 所望과는 다르게 쌀을 包含하여 主要 畜産物도 非交易的 對象品目에서 除外하여 例外없이 市場開放을 해야 할 것이라는 消息입니다.

우리 養畜農民들은 그래도 畜産만이 農村의 主所得源으로 自負하며 精誠을 다해 길러온 소, 돼지, 닭등의 飼育을 抛棄해야 하지 않을까 하는 不安과 걱정속에서 政府의 農畜産物 協商 結果를 注視해 오고 있습니다.

오늘날의 畜産業은 單純한 比較優位論으로 接近해서는 안될 國民의 貴重한 食糧産業 입니다.

더구나 最近의 肉類需要가 미처 生産이 이를 뒤따르지 못할 程度로 크게 늘어나고 있는 現實을 볼 때 農村에서 信念을 가지고 努力한다면 가장 確實한 所得源이 될 수 있는 未來의 農村 産業이라고 할 것입니다.

0196

때문에 畜産을 지키고 育成한다는 것은 農家 所得源을 保障하는 큰 뜻 以外에 國家의 食糧資源 確保는 물론 急速한 農村 人力의 他産業 轉出에 의한 人口 移動을 抑制하고 地域間 均衡發展을 維持하게 하는 農畜産業의 非交易的 特性을 考慮한다면 매우 重要한 國家的 産業이라고 하지 않을 수 없을 것입니다.

따라서 우리 1百萬 養畜農民은 쇠고기를 비롯한 돼지고기, 닭고기, 牛乳와 乳製品등의 急速한 市場開放은 絶對로 있어서는 안될 것이라는 確固한 立場을 다시한번 分明히 밝혀 두면서 다음 事項을 懇曲히 建議합니다.

첫째, 政府는 모든 外交的 力量을 다하여 쌀과 主要 畜産物의 開放을 반드시 沮止하고 開放 留豫期間도 充分히 確保해 주시기 바랍니다.

쇠고기는 이미 相當한 量이 輸入되고 있어 그 自給率이 50%以下로까지 떨어지고 있는 現實을 볼 때 市場開放이 決定된다면 國內 飼育基盤 崩壞는 時間問題라고 指摘하지 않을 수 없습니다.

이렇게 急速한 速度로 農村 支柱産業인 畜産基盤이 崩壞되는 것을 繼續 放置한다면 農畜産物 輸出國들의 食糧武器化는 물론 國際 食糧 需給의 不均衡 現象이 나타날때 우리는 엄청난 代價를 치루어야 한다는 事實을 看過해서는 안될 것입니다.

따라서 政府는 國民의 生命維持에 必要한 畜産物의 市場開放은 어떠한 狀況에서도 막아주시기 바라며 國際貿易 與件上 開放이 不可避 하다고 한다면 그 留豫期間을 充分히 確保하여 國內畜産業이 競爭力을 갖출 수 있도록 最善의 努力을 傾注해 주시기 바랍니다.

0197

둘째, 畜産物의 過多한 輸入政策을 즉시 中斷해 주시길 바랍니다.

加速化 되어가고 있는 農畜産物의 輸入開放 擴大속에서 不可避한 需要不足分만을 充足시키는 制限的 輸入政策이야말로 國內 養畜農民의 生産意慾을 높일 수 있는 좋은 方案중의 하나라고 할 수 있을 것입니다.

올해 쇠고기의 爆發的 需要는 所得增加와 食生活 水準의 向上에서 비롯되었다고만 判斷할 것이 아니고 國內産 쇠고기와의 價格差異가 너무커서 한편으로 消費가 助長된 結果라는 分析이 나오고 있습니다.

돼지고기 또한 物價安定用으로 輸入하고 있으나 一時的인 供給 不足現象인 點도 考慮하시어 過剩 輸入에 의한 國內畜産物 價格 下落을 미연에 막고 養畜農民들에게는 生業에 專念할 수 있도록 政策的인 配慮를 해 주시기 바랍니다.

특히, 農畜産物 價格이 庶民生活에 미치는 影響이 크다고는 하지만 國民經濟의 均衡的인 發展을 圖謀하고 畜産業의 成長을 통한 肉類의 自給을 達成한다는 食糧安保的 側面에서 畜産物 輸入에 의한 臨時方便的인 物價安定 政策을 止揚해 주시기 바랍니다

세째, 畜産業의 競爭力 提高를 위한 制度改善과 財政投資등 劃期的인 政策支援을 擴大해 주시기 바랍니다.

그동안 우리가 一貫되게 主張해온 飼料, 動物藥品 및 畜産機資材에 대한 附加價値稅와 關稅의 免除는 지극히 當然하고 絶對 必要한 措置라고 생각합니다.

0198

이미 耕種 農民과 漁民에게 이러한 惠澤을 주고 있는 事實을 생각해 볼때 이는 반드시 改善해야 된다고 봅니다.

비록 來年부터 附加價値稅로 徵收된 稅額이 畜産業 構造改善에 投資된다고는 하지만 이는 政府財政에서의 投資가 아닌 養畜農民이 負擔한 財源인 點을 勘案한다면 生産原價를 낮추어 國際競爭力을 높이기 위한 政策的인 支援이 時急하다고 하겠습니다.

네째, 全國에는 政府의 畜産奬勵施策에 따라 畜産을 하기 위해 零細한 養畜農民이 지은 畜舍의 大部分이 無許可 狀態로 놓여있는 것이 現實입니다

때문에 政府가 올해 마련해준 淨化施設資金 42億원을 必要한 農家에게 支援하지 못한채 死藏 시키고 있는 實情 입니다.

養畜農民들에게 畜産意志를 높혀 스스로 삶의 터전을 지키도록 關聯法規의 例外認定 措置를 바랍니다.

다섯째, 韓國馬事會는 그 管掌部處가 지난해 國會에서 體育靑少年部로 移管토록 決定한바 있지 마는 우리 100萬 養畜農家들은 繼續해서 農林水産部가 管掌토록 바라고 있습니다

이는 韓國馬事會의 設立目的인 畜産振興을 위해서 뿐만아니라 政府의 農村과 農畜産業에 대한 확고한 意志로 받아들일 수 있는 상징적인 일이기 때문입니다.

0199

農村과 農畜産業에 대한 政府의 意志가 있다면 果敢한 政策轉換을 早速히 實踐하여 주실것을 懇曲히 當付드립니다.

1991. 10. 15.

畜産業 協同組合 中央會長	明 宜 植
韓國酪農肉牛協會長	李 潤 雨
大韓養豚協會長	全 東 龍
大韓養鷄協會長	申 洪 鍾
韓國養蜂協會長	趙 琪 泰
韓國養鹿協會長	安 鼎 植
韓國種畜改良協會長	薛 東 攝
全國 農民 團體 協議會長	姜 春 成
韓國 農漁民後繼者 聯合會長	丁 相 守

0200

원 본

외 무 부

종 별 :

번 호 : GVW-2046 일 시 : 91 1017 2000

수 신 : 장 관(통기,경기원,농림수산부)

발 신 : 주 제네바대사

제 목 : UR/농산물 협상(2)

10.17(목) 속개된 표제 주요국 비공식 회의에서는 국내보조 분야중 허용정책 및 개도 국 우대문제가 논의된바 요지 하기 보고함.

1. 허용정책(DECOUPLED INCOME SUPPORT 및 지역개발정책)

- 미국은 품목과 연계되지 않은 소득보조(DIS)가 생산 감축등으로 인한 보상적인조치가 될 우려가 있다고 하면서, 이를 방지하기 위해서 별도의 보완장치(INSTRUMENT) 가 마련되야 한다고 하였으며,지역개발 정책도 국내보조감축의 우회 수단으로 남용되지 않도록 해야한다고 주장함.

- 이씨는 DIS 의 탄력적 운용 필요성을 주장하고, 생산 농가에 대한 지원 비율을지속적으로 삭감토록 하는것은 수용하기 곤란하다는 입장을 밝힘.

- 호주, 뉴질랜드등 케언즈그룹 국가는 DIS가 국내보조 계속의 우회 수단이 되지않도록 상한선의 설정등 엄격한 기준 설정이 필요하다고 하고, 특히 지역개발을 빙자하여 축산 진흥정책을시행할 경우 UR 협상 효과를 반감시키게 될우려가 있다고 하였음.

- 일본은 DIS 의 허용문제는 논란이 불필요하다고 하고, 작목전환, 구조조정, 은퇴농가지원 정책의 허용 필요성을 주장함.

- 북구, 스위스, 오지리등 EFTA 국가들은 DIS 를통한 농가 보상이 없이는 UR 결과를 국내에 설득시킬수 없다고 하고, 지역개발 정책은 각 국별실정에 따라 융통성 있게 운용될 수 있어야 한다고 하였음.

- 아국은 농업 보호정책이 정치적으로 결정되는 경우가 많음을 지적하면서 DIS 에 상한을 설정하는 것에 반대 입장을 밝히고, 지역개발정책과 관련 해서는 아국과 같이 시장개방을 추진하는 국가에게는 구조조정 정책이 필수적이라고 하면서 이와같은정책은 감축대상에서 제외되야 한다고 강조하였음.

통상국 2차보 경기원 농수부

PAGE 1

91.10.18 09:15 WH

외신 1과 통제관 0201

2. 개도국 우대- 일본은 대안문서 부속서(ADDENDA) 6의 PARA 1(A)관련 지속적인경제적 궁핍상태라는 조건설정은 갓트 18조 B를 통해서 해결될 수있을 것이라고 말하고, 개도국도 일반 개도국(LESSDEVELOPED COUNTRY)과 최저개발국(LEAST DEVELOPEDCOUNTRY)으로 구분하여 예외를 설정하는 것이 바람직하다고 하였음.

- 태국, 멕시코, 모로코등은 동 부속서 PARA 1(A)에 제시된 최소한의 무역왜곡 효과라는 조건은 삭감 대상정책(AMBER)의 DEROGATION 이라는 점에서 모순되는 점이라고 지적하였고, 삭감폭, 삭감기간에 대한 부속서 제시 내용에는 동의표명

- 개도국 우대문제는 10.18 비공식 회의시 계속 논의될 예정인바 아국은 동 기회에 아국입장을 표명토록 하겠음.끝

(대사 박수길-국장)

PAGE 2

0202

관리번호	91-681

원 본

외 무 부

종 별 :

번 호 : GVW-2028 일 시 : 91 1017 2000

수 신 : 장관(통기,경기원,농림수산부,상공부,청와대,경제수석)

발 신 : 주 제네바 대사 사본:주이씨대사(직송필)

제 목 : 농민대표 방문(1)

일반문서로 재분류(1991.12.31)

10.16(수) 당지를 방문한 한호선 농협중앙회장등 농민대표(7 명)는 금일 던켈 갓트사무총장을 면담(본직 동석) 아국 농민입장을 전달하였는바 요지 하기 보고 함.

1. 한호선 농협회장 언급 요지

- 최근 UR 농산물 협상 과정에서 예외없는 관세화가 논의되는데 큰 우려를 표명하면서, 아국으로서는 비교역적 관심사항(NTC) 반영, 구조조정에 필요한 유예기간 인정, 갓트 11 조 2 항(C)의 명료화가 매우 중요하다고 강조

- 아국 농업의 특수성을 설명하면서 특히 쌀의 경우 농민 대다수가 종사하고 있고 농가소득의 절대부분을 차지하는 생존이 걸린 문제라고 언급한후 각국의 이와같은 특수사정이 협상 결과에 반영되야 한다고 주장함.

- UR 협상을 반대하는 것이 아니고, 갓트 회원국으로서의 책임을 다하겠지만 한국의 특수한 문제가 반영되지 않을 경우 협상 결과를 받아들일수 없다는 강한 입장을 전달

2. 던켈 총장 언급요지

- 한국은 79 년 세계 29 위 수출국에서 작년 13 수출국으로 발전하여 더 이상 개도국으로 볼수 있겠느냐고 반문하면서, 특정 산업이 어렵다고 해서 보호해야 한다는 것은 국제 무역 질서에 맞지 않는다고하고, 한국이 그동안 갓트 체제의 덕을 보아온 만큼 이제는 그에 상응한 책임을 부담해야 한다고 강조

- 예외없는 관세화 추진관련 현재 이에 대한 광범위한 CONSENSUS 가 형성되고 있다고 전제하고 관세화 하면서도 효과적으로 농민을 보호하는 방법이 있는바그예로서 관세상당액(TE) 설정시 융통성 부여, 허용정책(GREEN BOX), 특별세이프가드등을 제시하고, 정부가 관세화를 받아들이면서 그 범위내에서 농업보호 방법을 찾는 방향으로 검토하도록 한국농협이 정부에 대하여 영향력을 행사할 것을 당부

통상국	장관	차관	1차보	2차보	분석관	청와대	청와대	안기부
경기원	농수부	상공부						

PAGE 1

91.10.18 00:55

외신 2과 통제관 FM

0203

- 사견임을 전제하고(자신은 협상 당사자간 아님을 강조), 다수국가가 아국의 인접국(일본을 지칭)에게 최대의 압력을 행사하고 있다고 하면서, 한국이 마지막 단계에 궁지(CORNER)에 몰리는 것을 자신은 원치 않는다고 함.

- 인씨, 북구, 스위스등은 예외없는 관세화를 받아들이면서 국내보조 정책등을 통해 계속 농민을 보호할 것이라고 하면서, 공산품 수출을 계속 확대하기 위해서는 농산물 시장을 개방해야 국제무역이 균형을 이룰수 있다고 강조함.

- 최근 한국 국회 쌀시장 개방 반대 결의문 통과 사실을 알고 있다고 하면서, 다른 나라 의회가 한국의 자동차등 공산품 수입을 반대하는 결의를 한적이 있느냐고 반문 하였음.

- 한호선 회장은 던켈 총장의 예외없는 관세화 발언에 강력한 반론을 제기하고 이문제의 올바른 처리 여부는 한국 800 만 농민의 생존문제와 직결되어 있음을 강조한후, 갓트총장과 한국·농협간에는 뚜렷한 의견 차이가 있음을 분명히 했음.

3. 한편 한회장등 농민대표 일행은 던켈 총장 면담전에 당대표부를 방문, UR/ 농산물 협상 현황에 대한 설명을 들었는바, 일부 조합장은 아국의 국제수 적자가 확대되는 점을 들어 BOP 조항 재원용과 농협을 통한 농업 구조개선 추진 등을 주장하였음. 끝

(대사 박수길-국장)

예고:91.12.31. 깢

PAGE 2

0204

관리번호	91-691

원 본

외 무 부

종 별 : 지 급

번 호 : USW-5112 일 시 : 91 10118 1123

수 신 : 장관(통기),통이,경기원,재무부,농수산부,상공부)

발 신 : 주 미 대사 사본:주제네바,EC 대사-중계필

제 목 : UR 농산물 관련 사항등 협의

1. 당관 구본영 공사는 10.17 미 농무성의 DUANE ACKER 해외 농업 처장을 신임 인사차 예방한 자리에서 UR 협상 관련 사항등에 대하여 상호 의견을 교환한바, 요지 아래 보고함(이영래 농무관 동석)

0 ACKER 처장은 현재 관심 사항으로 되어 있는 DUNKEL 사무총장의 TEXT 는 단일안으로 작성 제시될것이며 모든 체약국은 TAKE IT OR LEAVE IT 의 결정을 해야할것으로 본다고 말함.

0 또한 UR 농산물 협상의 전망과 관련하여 최근 독일의 입장 전환으로 협상이 건설적인 방향으로 진척되고 성공 가능성도 상당히 높아졌으나 아직도 불란서등의 입장이 변경되지 않고 있어 향후 2-3 개월내에 정치적 타결에 성공할수 있을것으로 낙관하기에는 일다고 당지 언론 보도와는 다소 다른 반응을 보임.

0 이에 대해 구 공사는 전세계적으로 농업정책은 경제 논리보다는 주로 정치 논리에 좌우되는 분야로서 특히 한국은 최근 무역 수지 적자의 심각성, 민주화 이후 농민의 정치적 영향력 강화및 내년의 대통령, 국회 의원 선거등 주요 정치 일정을 감안할때 농산물 시장의 추가 개방이나 현재 아측 입장의 완화는 정치적으로 기대하기 어려울것임을 재강조 하였음.

2. 한편, 동석했던 HOUSE 실무 과장은 GSM-102 PROGRAM 과 관련하여 미 농무성은 한국정부(재무부)가 1994 년까지 동 자금 사용을 PHASE OUT 할것으로 듣고 있다고 하며, 미 농산물의 원활한 수출을 위해 동 자금의 지속적 활용을 희망한다고 피력하였는바, 상기 PROGRAM 에 대한 정부의 방침 회시 바람.끝.

(대사 현홍주-국장)

예고: 91.12.31 까지

일반문서로 재분류 (91.12.31.)

통상국	장관	차관	1차보	2차보	미주국	경제국	통상국	외정실
분석관	청와대	안기부	경기원	재무부	농수부	상공부	중계	

PAGE 1 91.10.19 07:58

외신 2과 통제관 BS

0205

원 본

외 무 부

종 별 :

번 호 : GVW-2065 일 시 : 91 1019 1130

수 신 : 장관(통기,경기원,농림수산부)

발 신 : 주 제네바 대사

제 목 : UR/농산물 공식 회의

10.18(금) 개최된 표제 공식회의에서는 던켈총장이 10.1 주간 및 10.16 주간 개최된 비공식협의 결과를 하기 요지로 보고 하였음.(천농무관,경기원 김과장, 농림수산부 손과장, 농경연최부원장)

1. 협상 대상 품목 범위

- 대체적인 CONSENSUS 가 형성되고 있지만 수산물 및 임산물의 포함여부 문제는아직 논란이 있음.

2. 점검 및 검토

- 자료 검토를 위한 충분한 시간을 사전 부여토록 해야 하고, 협상 결과의 이행을 점검 할수 있는 후속 조치가 필요함.

3. 국내 보조

0 삭감 대상 정책

- 삭감대상 정책과 관련해서는 AMS 를 통한 삭감방식에 구체적 진전이 있었으나정책범위의 융통성과 관련 다소 쟁점이 남아 있음.

0 허용정책

- 직접 지불 정책을 중점 논의했는바, 특히DIS 및 지역 개발 정책에 특별한 관심표명이 있었음.

0 개도국 우대

- 대안 문서 부속서에 제시된 접근 방법에 대하여 광범위한 지지가 있었음.

4. 시장접근 분야

0 관세화

- 관세화의 범위내에서 융통성을 인정하는 문제에 대하여 기술적으로 검토하였음.

0 현시장 접근 수준 유지

통상국 2차보 구주국 청와대 안기부 경기원 농수부

PAGE 1

91.10.19 20:40 FN

외신 1과 통제관

0206

- TQ 에 의한 방식을 다수 선호하고 있음.

0 최저시장접근

- 국별 할당 방식에 대해 중점 논의하였으며,QUOTA RENT 분재 문제도 논의되었음.

0 TE 및 관세 감축

- 공식 적용 방식과 R/O 방식 및 양자의 혼합방식등이 특히 물량 및 재정지출 기준삭감방식에 진전이 있었음.

6. 동식물 검역

0 브랏셀 각료회의때 제출된 합의 초안을 중심으로 논의했는바, 정치적 결정 사항만미결로 남겨둔 상태임.,

7. 던켈 총장의 비공식협의 결과 보고서는 별첨 FAX 송부함. 끝

첨부: 던켈 총장의 비공식 협의 결과 보고서. 끝

(GVW(F)-430)

(대사 박수길-국장)

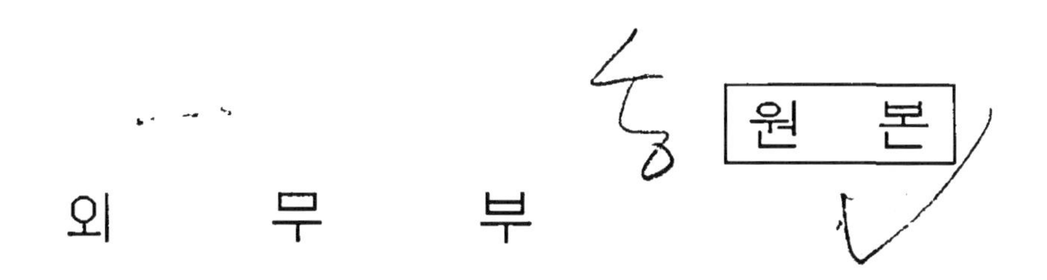

외 무 부

종 별 :

번 호 : GVW-2064 일 시 : 91 1019 1130

수 신 : 장 관(통기,경기원,농림수산부)

발 신 : 주 제네바 대사

제 목 : UR/농산물 협상(3)

표제 회의가 금일 10.18 국내 보조부문 개도국우대에 관한 논의가 있었는바, 하기 요약 보고함.

1. 국별 발언 요지

0 인도, 자마이카, 콜롬비아, 아르헨티나, 이집트

개도국의 문제해결을 위해서는 조사.교육.이술이전등이 매우 중요할 뿐만 아니라아울러 INPUT SUBSIDY,MARKET PRICE SUPPORT 등 여러분야에서 보조 감축에대한 예외가 이루어져야 하며, 또한 개도국의 농촌지역 개발, 식량안보 확보등을 위해 광범위한 조치가 강구되어야 함을 주장.

0 필리핀, 브라질

특수한 일부 개도국 국내 경제에 차지하는 비중이 큰 일부 수출 품목에 대해서도보조 감축에 대한 예외가 필요함을 강조

0 아국

개도국에 대한 우대문제는 UR 농산물 협상 모든 의제에서 핵심적인 분야임을 강조하고 개도국 농업 개발을 위해서는 현재 AMBER 에 분류되고 있는 감축대상에 대해서도 예외가 인정되어야 할뿐 아니라 특히 타 산업 분야와 발전정도에 있어서 균형을유지할수 있도록 개도국 농업 개발에 대해서는 감축 예외가 광범위하게 인정되어야함을 강조함. 개도국문제는 18조 B 항과 관계없이 GATT 의관행적(SELF-DEFINE)인 방식에따라야 함을 강조하고 한국의 농업은 개도국 우대 조치가 필히 인정되어야 함을 주장.

0 파키스탄, 말레이지아, 나이제리아 등

의장대안서의 부속서(ADD. 6)에서 제시한 AMBER에 대한 감축예외 조건으로 최소무역 왜곡효과를 넣는 것은 불합리하다고 지적하면서 감축폭, 감축이행 기간등에

통상국 2차보 구주국 청와대 안기부 경기원 농수부

PAGE 1 91.10.19 20:42 FN

외신 1과 통제관

0208

대한별도 고려조항에 대해서는 동의함.

2. 위생.검역 규제

0 90.12 브랏셀 회의에 제시된 SANITARY ANDPHYTOSANITARY(MTN.GNG/NG5/WGSP 17)에 대한 TECHNICALLEVEL 의 CONSULTATION 이 가능한 빠른 시일내에 개최될 예정이며참가를 희망하는 국가는 사무국에 통보 요청함.

3. 향후 일정 설명

0 10.28 주간에 3-4 일간 개최키로 함.

0 향후에는 기술적 논의에서 정치적 결정 단계로 움직일 것임. 끝

(대사 박수길-국 장)

관리번호	91-6141

원 본

외 무 부

종 별 :

번 호 : GVW-2079 일 시 : 91 1021 2000

수 신 : 장관(통기,경기원,농림수산부)사본:주미,주이씨대사(본부중계요)

발 신 : 주 제네바 대사

제 목 : UR/농산물 협상

던켈 사무총장은 10.20(일) 오후 HUSSEIN 사무차장과 WOLTER 농업국장을 대동, 룩셈브르크 향발하였는것이 제네바 공항에서 목격, 확인되었는바 던켈총장 일해의 룩셈브르크 출장은 10.21(월)-22(화)간 개최되는 EC 농업이사회를 계기로EC 측과 농산물 협상에 관한 비공식 협의를 위한 것으로 보임.끝

(대사 박수길-국장)

예고:91.12.31. 까지

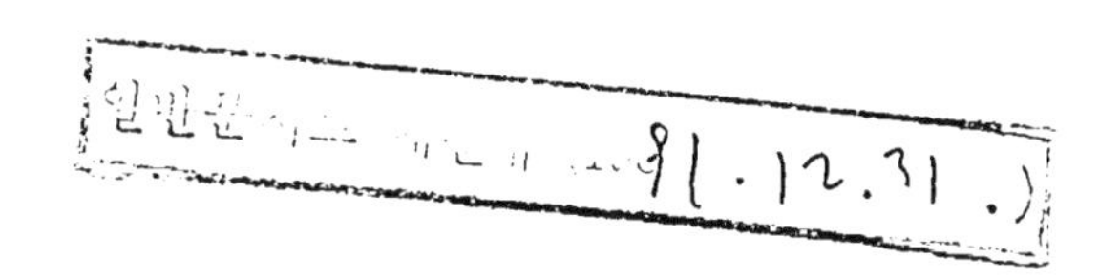

통상국	장관	차관	1차보	2차보	구주국	경제국	외정실	분석관
청와대	안기부	경기원	농수부	중계				

PAGE 1 91.10.22 07:13

외신 2과 통제관 BD

0210

관리 번호	91-701

외 무 부

원 본

종 별 :

번 호 : JAW-5951 일 시 : 91 1022 0929

수 신 : 장관(통일)

발 신 : 주 일 대사(일경)

제 목 : UR/농산물 협상

일반문서로 재분류 91. 12. 31

대:WJA-4627

연:JAW-5846

대호, 김명식 경기원 통상조정 2 과장은 10.21(월) 오전에는 기타지마 외무성 국제기관 1 과장을, 오후에는 미야모토 농림수산성 국제경제과장을 각각 면담코, 표제문제를 협의하였는바, 양인의 주요 발언 내용을 종합, 다음 보고함.(당관에서 김종주 농무관 및 조태영 서기관 동행)

1. 농산물의 완전 관세화 문제

0 농산물의 예외없는 완전 관세화는 일본으로서는 받아들이기 어려움

0 현재, 덩켈 GATT 사무총장은 최근 관세화 문제만을 주로 거론하는 경향이있으나, 수출 보조금 문제를 먼저 처리하지 않은 상태에서 관세화 문제만을 거론함은 편파적인 태도라고 봄.

- 수출 보조금 삭감이 이루어 지지 않은 채, 농산물의 관세화 만을 실현 시킬 경우, 수출 보조금의 지원을 받은 농산물이 마구 수입되는 결과가 되는바, 수입국의 입장으로서는 수용하기 어려움.

2. 덩켈 사무총장의 합의 초안

0 11 월초로 알려지고 있는 덩켈 사무총장의 합의 초안은 협상 분야에 따라성격이 다를 것으로 보이나, 최소한 농산물 분야에서는 양자택일(TAKE IT OR LEAVE IT)식의 페이퍼는 곤란하다고 봄.

0 사무총장이 제시하는 페이퍼는 어디까지나 협상의 기초가 되어야 하는 만큼, 양자 택일식의 페이퍼로는 협상의 진전이 어렵지 않나 봄.

3.UR 의 연내 타결 가능성

0 연내 타결 가능성은 50:50 정도라고 봄.

통상국	장관	차관	1차보	2차보	아주국	경제국	외정실	분석관
청와대	안기부							

PAGE 1 91.10.22 10:49

외신 2과 통제관 BD

0211

- 연내 타결시 안된다면 그것은 농산물 분야 때문일 것임.끝.

(대사 오재희-국장)

예고:91.12.31. 까지

PAGE 2

0212

관리번호	91-680

원 본

외 무 부

종 별 : 지 급

번 호 : ECW-0842 일 시 : 91 1022 1730

수 신 : 장 관 (통기,경기원,재무부,농림수산부,상공부)

발 신 : 주 EC 대사 사본: 주 미,제네바중계필

제 목 : GATT/UR 농산물협상

1. 10.21. FINANCIAL TIMES 는 표제협상및 CAP 개혁관련 이제까지 강경입장을 취하던 불란서가 대규모 농민시위에 불구하고 입장을 변경하고, 10.21-22 개최되는 EC 농업이사회에 자국입장을 밝힐 것이라고 보도한바

2. 동 보도 관련하여 10.21 당관 이관용 농무관은 관계관들을 접촉한 결과,미국대표부의 PHIHOWER 농무관은 동 보도의 사실여부에 대해 부정적인 반응을 보이고, 미국으로서는 구체적인 정보를 갖고 있지 않으며, 룩셈부르그에서 개최중인 농업이사회의 결과를 주시하고 있다고 말함. 한편 GUTH 대외총국 농산물 담당과장은 비록 구체적으로 불란서정부가 어떤 새로운 입장을 제시할지는 모르나,동 이사회에서 자국입장을 밝힐 것이며, 동 내용은 10.22. 오찬시 기자회견을 통해 발표될 것이라고 말함

watch

3. 동 이사회 결과및 불란서 발표결과는 추보하겠음. 끝

(대사 권동만-국장)

예고: 91.12.31. 까지 일반문서로 재분류(1991 . 12. 31.)

통상국	장관	차관	1차보	2차보	구주국	경제국	외정실	분석관
청와대	안기부	경기원	재무부	농수부	상공부	중계		

PAGE 1 91.10.23 06:05

외신 2과 통제관 DE

0213

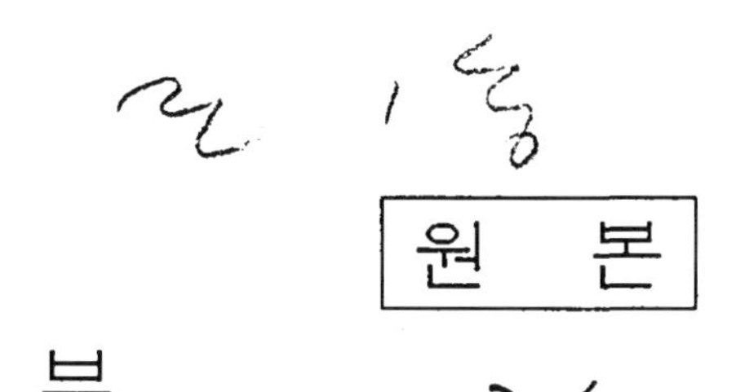

관리 번호	91-685

원 본

외 무 부

종 별 : 지 급

번 호 : ECW-0847 일 시 : 91 1022 2010

수 신 : 장관 (통기,경기원,재무부,농림수산부,상공부)

발 신 : 주 EC 대사 사본: 주 미,제네바대사 중계필

제 목 : GATT/UR 농산물 협상

일반문서로 재분류(1991.12.31.)

대: WEC-0619, 0646

당관 정공사는 이관용농무관과 함께 10.22. EC 집행위 농업총국의 SCHIRATTI 대외담당 국장을 면담, 대호 아국입장을 설명하고 UR 협상전망등에 관해 협의한바 아래 보고함

1. 아측입장및 관심사항에 대한 EC 측 반응

가. 예외없는 관세화 움직임에 대한 아국의 반대입장에 대하여 동국장은 아국의 국내 정치.경제적 사정은 이해하나, UR 협상의 성공적 타결을 위해서는 개별국가의 이해가 모두 반영될수 없는 것이며, EC 로서는 예외없는 관세화에 동조하고 있음을 분명히 함. 동 국장은 이어 예외없는 관세화가 확정되더라도 CORRECTIVE FACTOR 등을 통해 보완적 조치를 취할수 있지 않겠느냐고 언급함

나. GATT 제 11-2-C 조항 개정문제에 대해 EC 로서는 동 조항의 적용기회가사실상 제한되어 있어 주요국들간의 협상추이를 관망하고 있는 입장이나 수출품목에 대한 적용 배제문제에 대해서는 좀더 구체적 협의가 있어야 할 것이라고 말함

다. 한국에대한 개도국우대 적용문제와 관련, 동 국장은 한국은 농업분야에서의 입장뿐 아니라 산업발전 수준도 일본과 유사한 나라로 인식되고 있으므로 여타 개도국과 동일시 하기에는 문제 있을 것이라고 지적함

2. 던켈의 룩셈부르그 방문및 UR 협상전망

가. 동국장은 던켈 GATT 사무총장이 10.20. 룩셈부르그를 방문, MAC SHARRY위원및 EC 농업각료들과 일련의 접촉을 갖고 있음을 시인하고, 동 방문의 주목적은 던켈총장이 준비중인 TEXT 작성을위한 EC, 미, 일 및 케언즈그룹등과의 막후접촉의 일환이라고 언급함

나. 동국장은 이미 던켈 TEXT 는 빠르면 11 월초에 제출될수 있을 것이며, 동 TEXT

통상국	장관	차관	1차보	2차보	구주국	경제국	외정실	분석관
청와대	안기부	경기원	재무부	농수부	상공부	중계		

PAGE 1 91.10.23 07:55

외신 2과 통제관 BD

0214

에서는 국내보조 감축과 관련한 AMS 사용방법, 관세화, 최소시장접근, TE 등 4 개 사항이 중점적으로 제시될 것으로 본다고 말함

다. 동 국장은 늦어도 금년내로 UR 협상의 정치적 타결이 이루어 질것이며 이에따른 기술적 사항에 관한 협상에 약 2-6 개월이 추가 소요될 것으로 전망함

3. CAP 개혁 추진동향

가. 동 국장은 UR 협상과 CAP 개혁이 10.21-22 간 룩셈부르그에서 개최중인농업이사회의 당초 안건은 아니었으나 활발히 논의되고 있다고 말하고, 작 10.21. 저녁 EC 농업각료들은 CAP 개혁에 관한 집행위의 제안을 원칙적으로 수락하였으나 세부사항에 관한 회원국들간의 의견조정에는 상당한 시일이 더 소요될 것이라고 언급함. 다만, 이번 UR 협상결과로 국내보조감축, 가변부과금과 관련있는관세화문제 및 수출보조금과 관련한 원칙에 변화가 있게 될 것이므로 이 결과를 기본으로 하여 향후 CAP 개혁방향이 재설정 될수도 있을것이라고 전망함

나. 동 국장은 이어 지난 10.11-12 헤이그에서 개최된 비공식 EC 통상각료회의에서의 결정사항이 UR 협상에 관한 EC 의 기본 입장이며, 이의 재검토를 위한 특별 농업이사회등의 개최는 없을 것으로 본다고 말함

다. 또한 CAP 개혁에 관한 불란서의 최근 입장변경은 UR 협상의 추이등을 감안 가격보조에서 소득보조로 전환키로 한 독일의 입장과 같은 맥락에서 필연적으로 취해진 결정으로 평가함. 끝

(대사 권동만-국장)

예고: 91.12.31. 까지

PAGE 2

0215

관리 번호	91-686

원 본

외 무 부

종 별 :

번 호 : USW-5190 일 시 : 91 1022 1830

수 신 : 장 관 (통기,경자,경기원,농수산부,수산청,경제수석)

발 신 : 주 미국 대사

제 목 : 일본 경제공사 접촉 결과

당관 구본영 경제공사는 10.22 주미 일본대사관 '히라마야시' 경제공사와 만나 상호 관심사에 관하여 의견을 교환하였는바, '히라마야시' 공사 언급내용중참고사항을 하기 보고함.

1. UR 관련

- 일본은 '우루과이 라운드' 협상 마지막까지 쌀시장 개방을 저지하기 위해노력할 것임.

- 예외없는 관세화는 정치적으로 수용하기 어려우나 3-5%의 최소시장 접근은 수용가능한 것으로 봄. 따라서 마지막 단계에서는 최소시장 접근을 대안으로제시하게 될 것으로 봄.(개인적 의견 전제)

- 쌀시장 개방은 일본의 식량 관리법의 개정을 필요로 하는데 국회 분위기로 보아 통과가 절대 불가능할 것으로 봄.(개정안 제출 즉시 수상해임 건의안이 제출될 것임)

2. 유자망 관계

- 2 주전 일본 수산청장의 방미는 아무 성과없이 끝났음. 따라서 최근에는 UN 에서 결의안을 제출하면서 미측과 합의를 도모하고 있음.

- 현재 일본 어민대표가 와싱톤을 방문하여 정부및 의회관련 인사들과 접촉중이나 미측 입장이 매우 강경하여 일체 양보 기미가 없음.

- UN 결의안에 대하여 몇몇 국가는 일본 입장에 동정적이나 미국.일본간 싸움에 개입하지 않으려는 분위기임.

3. 양공사는 향후 긴밀히 접촉을 갖고 상호 관심사에 대하여 의견을 교환하기로 하였음. 끝.

(대사 현홍주-국장)

예고: 91.12.31. 까지

일반문서로 재분류 (1991.12.31.)

통상국	장관	차관	1차보	2차보	아주국	미주국	경제국	외정실
분석관	청와대	청와대	안기부	경기원	농수부	수산청		

PAGE 1 91.10.23 08:47

외신 2과 통제관 BS

0216

관리 번호	91-692

분류번호	보존기간

발 신 전 보

번 호 : WJA-4789 911023 1811 FN 종별 :

수 신 : 주 일 대사. 총영사

발 신 : 장 관 (통 기)

제 목 : 일.카나다 농무장관 회담 결과

10.23자 아사히 신문은 귀지 방문중인 카나다 농무장관과 귀주재국 농림수산 대신과의 회담에서 UR/농산물 협상 관련 갓트 11조 2항 C(생산통제 품목에 대한 수입 제한 허용) 대상품목에 대하여는 예외없는 관세화를 수용할 수 없으며 관세화 문제에 대해 상호 계속적인 협조를 확인할 것으로 보도한 바, 회담 결과등 관련사항 파악가능한데로 보고바랍. 끝. (통상국장 김 용 규)

1991.12.31. 에 예고문에 의거 일반문서로 재분류됨

보안 통제	

앙 고 재	91 년 10 월 23 일	통상기구과	기안자 성명		과 장	심의관	국 장		차 관	장 관
			송봉헌				전결			

외신과통제

0217

원 본

암호수신

외 무 부

종 별 :

번 호 : JAW-5992 일 시 : 91 1023 1500

수 신 : 장관(통기)

발 신 : 주 일 대사(일경)

제 목 : UR/ 농산물

91.10.27. 자민당 총재 선거에서 차기 총재로 선출될것이 유력시되고 있는 (자동적으로 차기 수상이 됨을 의미) 미야자와 키이찌 자민당 의원및 일 정계에서 실력자로 알려지고 있는 가네마루 전 부총리(자민당)는 10.22 및 10.20 각각 농산물 협상에 일본이 유연하게 대처함이 필요하다는 취지의 발언을 하였는바, 양인의 발언 요지를 하기 보고함.

1. 미야자와 키이찌 자민당 의원 발언

가. 덩켈 사무국장이 11 월에 제시할 예정인 합의 초안이 많은 내용이 담긴팩키지 일것인지, 아니면, 내용이 별로 없는 것일지를 끝까지 지켜볼 필요가 있음

나. 일본만이 특별히 양보할 것은 없으나, 그렇다고 해서 여타 국가보다 적게 양보해서도 안될 것임. 각국이 어떻게 대응하는지를 끝까지 지켜봄이 필요하나, 동시에 우루과이 라운드가 일본때문에 실패로 끝나는 일이 있어서는 안될것임

2. 가네마루 전부총리 발언

가. 식량 안보론도 물론 생각해야 하지만, 쌀 재배 기술의 발달로 언젠가는세계 전체적으로 쌀이 남아돌 정도로 생산될것이라고 보면, 역시 농업에 있어서도 선견지명을 갖춘 대책을 갖추어 나가야 할것임.

나. 미국이 일측에 쌀시장 개방을 강력히 촉구하고 있는 상황에서 우루과이 라운드에서 쌀문제를 어떻게 할 것인가에 대해 무관심하게 있을수만은 없음.

다. 또한, 현재 일본내 쌀 가격은 상당히 높은바, 이것이 과연 소비자를 위한것인가 의문임.

3. 주재국의 쌀 시장 개방문제에 대한 전망 및 당관의 평가는 주재국내 논의 동향을 좀더 관찰하여 추후 보고예정임.끝

(대사 오재희-국장)

통상국 장관 차관 1차보 2차보 아주국 경제국 외정실 분석관
청와대 안기부

PAGE 1 91.10.23 16:52

외신 2과 통제관 BN

0218

원 본

외 무 부

종 별 :

번 호 : JAW-5993 일 시 : 91 1023 1500

수 신 : 장 관(통기)

발 신 : 주 일대사(일경)

제 목 : UR/ 농산물협상

방일중인 '맥나이트' 카나다 농업장관은 10.22 일본경제신문과 인터뷰를 갖었는 바,주요 내용다음 보고함.

1. 10.22. 있은 '곤도오' 일 농림수산 대신과의 회담에서 일.카 양국은 예외없는 완전관세화 안에 계속 반대해 나가기로 합의했으며, 이과정에서 양국은 긴밀히 연락해 갈 계획임.

2. 한국, 일본과 카나다가 완전 관세화에 반대하는데 있어 같은 입장을 갖고 있음은 대단히 중요하다고 생각함.

3. 국내에서 생산조정을 실시중인 품목에 대해서는 수입제한이 인정되도록 GATT에 외규정(11조 2항 C)을 유지, 강화할 것을 계속 주장해 나갈 계획임.

4. 농산물 무역을 왜곡 시키고 있는 보조금을 없애는 것이야말로 우루과이 라운드의 목표라고 생각함.끝

(대사 오재희-국장)

통상국 2차보

PAGE 1 91.10.23 15:51 WH

외신 1과 통제관

0219

관리번호	91-701

원 본

외 무 부

종 별 :

번 호 : GVW-2117 일 시 : 91 1023 2030

수 신 : 장 관(통기,경기원,재무부,농림수산부,상공부)

발 신 : 주 제네바대사

제 목 : UR 분야별 협상대책(농산물)

연: GVW-2083

1. 주요쟁점 사항

가. 국내보조

- 허용정책(GREEN BOX) 대상범위 및 허용조건의 설정

0 특히 부자보호, 구조조정정책, 생산조정 정책등의 허용 여부

- 삭감대상 정책(AMBER BOX)의 삭감 방법

0 AMS 에 의한 삭감 방법 또는 특정 정책별 삭감 방법

- 개도국 우대의 범위

0 삭감대상 정책에 DEROGATION 을 정해주는 문제 및 개도국의 차별화 문제

- 기타: 인플레 반영, AMS 에 상응한 약속등

나. 시장접근

- 관세화 원칙

0 예외없는 관세화를 협상 원칙으로 할 것인지 또는 일부 특수한 품목에 예외를 인정할 것인지 문제(갓트 11 조 2(C) 및 NTC 등)

0 TE 설정 방법 및 삭감 방법에서 융통성을 부여하는 문제

- 최저시장접근 및 현시장 접근 수준 보장

0 관세할당(TQ)의 설정 방법, 배분 방법 및 융통성 인정 문제

- 특별세이프가드

0 물량 및 가격기준 발동을 인정할 것인지 또는 항국적인 성격의 환율 및 가격조정 장치(CORRECTIVE FACTOR)를 인정할 것인지

- 기타: 개도국 우대의 범위, 갓트 규범 강화등

다. 수출경쟁

통상국	장관	차관	1차보	2차보	경제국	외정실	분석관	청와대
안기부	경기원	재무부	농수부	상공부				

PAGE 1

91.10.24 09:31

외신 2과 통제관 BS

0220

- 수출 보조 삭감 대상 정책의 범위 및 조건의 설정

- 삭감방법

0 물량 기준 및 재정지출액 기준 또는 단위당 보조액 기준

- TARGETING 및 CEASE-FIRE

라. 허용 기준년도, 이행기간, 삭감폭등에 대한 정치적 결정

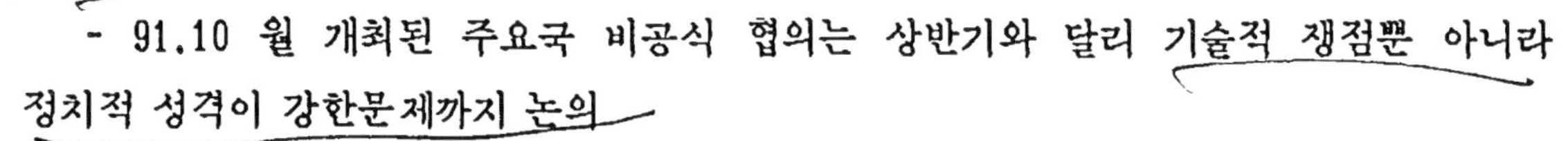

2. 최근의 협상 동향 및전망

- 91.10 월 개최된 주요국 비공식 협의는 상반기와 달리 기술적 쟁점뿐 아니라 정치적 성격이 강한문제까지 논의

0 대다수국이 지지하는 방향으로 CONSENSUS 를 형성해 가면서 각국의 정치적 타결 노력을 촉구

- 그러나 아직도 논의가 불충분 하거나 각국의 입장 차이가 좁혀지지 않고 있는 분야가 상당히 남아 있음.

0 10.28 주간에 농산물 회의를 재개하여 추가 논의 예정(동 회의가 마지막 기술적 협의가 될 것인지 아직 불투명)

- 전체적으로는 던켈 총장의 협상 전략(11 월초 REV 2 제시 - 정치적 결단 - 92.2 월까지 협상 종결)에 대해 각국이 기본적으로 호응하고 있으며, 미국과 이씨가 조기 타결을 위해 활발히 접촉 하고 있음

0 특히 최근 독일의 입장변화(불란서도 입장 변화 가능성 시사)로 인하여 이씨의 협상 융통성이 더욱 커져서 타결의 가능성이 높아진 것으로 관측

- 11 월 중순경 제시될 것으로 예상되는 REV. 2 는(미.이씨간 타협 진전에 따라 다소 지연되거나 제시되지 않을 가능성도 있음) 던켈총장 책임으로 작성된 단일 협상안(TAKE IN OR LEAVE IT)이 될 가능성이 큼

0 내용은 미국과 이씨의 타협 방향이 기본 골격이 될것임.

0 구체적으로 허용정책, 관세화, 최저시장 접근, 특별세이프 가드, 삭감대상 수출 보조등이 주 내용이 될 것으로 전망해 볼 수 있음.

3. 우리의 핵심 관심 분야

- 국내보조 분야

0 구조 조정정책, 부자보조등을 허용정책에 포함시키고 허용조건(CRITERIA)은 최대한완화

- 시장접근

0 쌀등 기초식량에 대하여 관세화 및 최저시장 접근등 시장개방 약속에서 제외되도록 함.

- 개도국 우대

0 삭감폭을 축소하고 이행기간을 최대한 연장

4. 관심사항 반영 방안

- 아직까지는 REV.2 의 출현시기, 내용등이 불투명한 상황이므로 미국과 이씨간의 논의 동향과 케언즈그룹등 주요국 동향을 신속히 파악 대처

- 아국의 핵심관심 사항과 이에대한 정부의 분명한 입장을 미국, 이씨등 주요 협상 참가국과 갓트 사무국에 전달

0 각급 사절단 활동 및 주요국 주재 아국 대사관을 통한 주요국 관계자 접촉, 공식, 비공식 회의시 발언등

- 우리와 유사한 입장의 국가들과 의견 교환 및 공조 체제 강화

0 일본, 카나다, 북구, 멕시코, 이스라엘등과 이해를 감안하는 부분에 대해서 입장을 강화 시키기 위해 노력

- REV 2 제시이후 사태발전에 면밀히 대비

0 예상 가능한 여러 타협안에 대한 대응책 검토

0 국내외의 협상력을 총집결 할 수있는 체제 마련. 끝

(대사 박수길-국장)

예고:91.12.31. 까지 일반문서로 재분류(1991.12.31.)

PAGE 3

0222

원 본

외 무 부

종 별 :

번 호 : GVW-2113 일 시 : 91 1023 1830

수 신 : 장 관(통기,경기원,재무부,농림수산부,상공부)

발 신 : 주 제네바대사

제 목 : UR/농산물 협상

10.29(화)개최 예정인 표제 주요국 비공식회의 소집통지서를 별첨(FAX)송부함.

첨부: UR/농산물 주요국 비공식회의 소집 통지소1부(GVW(F)-0441).끝

(대사 박수길-국장)

통상국 2차보 경기원 재무부 농수부 상공부

PAGE 1

91.10.24 09:10 WH

외신 1과 통제관

0223

Gvw(F)-441 JH 23 1800
Gvw-2113

GATT FACSIMILE TRANSMISSION

Secretary	Counsellor	Minister	Ambassador

Centre William Rappard
Rue de Lausanne 154
CH-1211 Genève 21

Telefax: (022) 731 42 06
Telex: 412324 GATT CH
Telephone: (022) 739 51 11

TOTAL NUMBER OF PAGES (including this preface) 1

Date: 22 October 1991

From: Arthur Dunkel
Director-General
GATT, Geneva

Signature: [signature]

To:			Fax No:
	ARGENTINA	H.E. Mr. J.A. Lanus	798 72 82
	AUSTRALIA	H.E. Mr. D. Hawes	733 65 86
	AUSTRIA	H.E. Mr. W. Lang	734 45 91
	BANGLADESH	H.E. Mr. M.R. Osmany	738 46 16
	BRAZIL	H.E. Mr. C.L. Nunes Amorim	733 28 34
	CANADA	H.E. Mr. G.E. Shannon	734 79 19
	CHILE	H.E. Mr. M. Artaza	734 41 94
	COLOMBIA	H.E. Mr. F. Jaramillo	791 07 87
	COSTA RICA	H.E. Mr. R. Barzuna	733 28 69
	CUBA	H.E. Mr. J.A. Pérez Novoa	758 23 77
	EEC	H.E. Mr. Trân Van-Thinh	734 22 36
	EGYPT	H.E. Mr. M. Mounir Zahran	731 68 28
	FINLAND	H.E. Mr. A.A. Hynninen	740 02 87
	HUNGARY	Mr. A. Szepesi	738 46 09
	INDIA	H.E. Mr. B.K. Zutshi	738 45 48
	INDONESIA	H.E. Mr. H.S. Kartadjoemena	793 83 09
	ISRAEL	Mr. A. Perry	798 49 50
	JAMAICA	H.E. Mr. L.M.H. Barnett	738 44 20
	JAPAN	H.E. Mr. H. Ukawa	788 38 11
	KOREA	H.E. Mr. Soo Gil Park	791 05 25
	MALAYSIA	Mr. Supperamanian Manickam	788 09 75
	MEXICO	H.E. Mr. J. Seade	733 14 55
	MOROCCO	H.E. Mr. M. El Ghali Benhima	798 47 02
	NEW ZEALAND	H.E. Mr. A.M. Bisley	734 30 62
	NICARAGUA	H.E. Mr. J. Alaniz Pinell	736 60 12
	NIGERIA	H.E. Mr. E.A. Azikiwe	734 10 53
	PAKISTAN	H.E. Mr. A. Kamal	734 80 85
	PERU	Mr. J. Muñoz	731 11 68
	PHILIPPINES	H.E. Mrs. N.L. Escaler	731 68 88
	POLAND	Mr. J. Kaczurba	798 11 75
	SWITZERLAND	H.E. Mr. W. Rossier	734 56 23
	THAILAND	H.E. Mr. Tej Bunnag	733 36 78
	TURKEY	H.E. Mr. G. Aktan	734 52 09
	UNITED STATES	H.E. Mr. R.H. Yerxa	749 48 80
	URUGUAY	H.E. Mr. J.A. Lacarte-Muró	731 56 50
	ZIMBABWE	H.E. Dr. A.T. Mugomba	738 49 54

You are invited to an informal consultation on agriculture to be held at 10 a.m. on Tuesday 29 October in Room E of the Centre William Rappard. Attendance is restricted to two persons per delegation.

PLEASE NOTIFY US IMMEDIATELY IF YOU DO NOT RECEIVE ALL THE PAGES

** OUR FAX EQUIPMENT IS HITACHI HIFAX 210 (COMPATIBLE WITH GROUPS 2 AND 3) AND IS SET TO RECEIVE AUTOMATICALLY **

0224

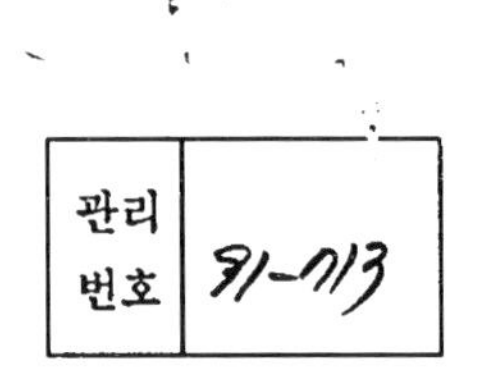
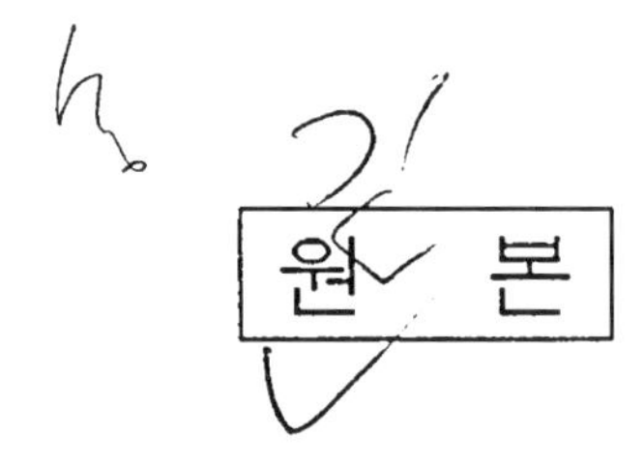

관리 번호 91-713

원 본

외 무 부

종 별 : 지 급

번 호 : GEW-2185　　　　일 시 : 91 1024 1830

수 신 : 장 관(통기)

발 신 : 주 독 대사

제 목 : UR 협상

대:WGE-1645

연:GEW-2146

대호관련, 당관 정참사관이 10.22. 및 23. 주재국 외무부, 경제부및 식량농업부의 UR 담당과장들과 면담, UR 농산물 협상전망등에 관해 종합 파악한 내용 요지를 아래 보고함

1.EC 농업이사회(10.21-22. 룩셈부르크)결과

동회의의 주의제는 OIL SEED 보조감축, 동물보호기준 적용등에 관한 사항인바, CAP 개혁, UR 협상에 관해서는 의견교환에 그쳤음.

가.OIL SEED 감축

89 년 GATT 의 OIL SEED 관련 EC 규정 개정요구이래 현안인 동문제는, 종래의 가공업자에 대한 가격보조방식에서 향후 생산농민에 대한 경지 면적기준 보조(FORFEIT SUPPORT) 방식으로 바꾸는 타협안 합의에 성공함. 동 타협안은 10.31. 한 EC 에서 확정키로 합의된바, 11.8. 시한부로 개선을 요구하고 있는 미국등 요구에 부응할 것으로 전망함.

나.CAP 개혁

동 문제는 UR 협상문제와 함께 10.22. 농업장관 오찬시 상호 비공식 의견을교환한바, 공식 결정사항은 없음.

독일측은 연호입장을 통보했고, 불측은 언론보도와는 달리 독일측 입장과 유사한 미온적 입장을 개진한바, 불측은 멕셀리 CAP 개혁 플랜에 변형을 가한 대안으로 5 년이상의 단계적 가격인하, EC 우대원칙 지속, 충분한 시장보호 긴요성을 강조한 것으로 파악됨.

동문제는 11.18-19. 간 브랏셀 개최 차기 EC 농업이사회에서 재협의 예정임.

통상국 장관 차관 1차보 2차보 구주국 경제국 외정실 분석관
청와대 안기부

PAGE 1　　　　91.10.25 06:16

외신 2과 통제관 FI

0225

2. 주재국의 입장

주재국 KIECHLE 농업장관은 10.22. 오찬시 아래입장을 제시함.(10.22. 독일경제성으로부터 비공식 입수한 장관 발언요지 준비자료에 의거함)

- 연호 10.9. 주재국 각의 결정내용 통보(91.2. 던켈 사무총장 제시) 구체양허 약속(SPECIFIC BINDING COMMITTMENTS 수용)

- CAP 관련 독일측입장은 지지 가격인하는 소득보조와 병행하여 향후 농업의 시장가격으로의 발전이 가능토록하며, 또 소득보조는 대규모 영농에 차등을 가하지 않음으로서 기업 영농과 구조적 농업발전을 저해치 않도록 한다는 방침

- 영농감축이 불가피하게 만드는 GATT 결정이 내려지지 않도록 교섭하는 방침

3.EC 의 UR 농산물 협상전망

독일의 연호 10.9.UR 협상관련 입장전환 천명은 아래이유로 EC 의 UR 농산물 협상타결에 매우 긍정적인 변수로 작용할 것으로 전망됨.

- 그간 EC 와 미국을 비롯한 케언즈그룹간의 대립은 국내보조 감축율에 관한 이견에서 나온것이나, 10.9. 독일이 연호보고와 같이 던켈 사무총장 제시 구체적 양허 약속(SPECIFIC BINDING COMMITTMENTS)방식 수용을 천명함으로써 EC 내이견조정에 의한 UR 협상 MANDATE 수정 가능성이 증대됨.

- 연호 독일측의 5 년간의 구체적 양허 약소 이행제의는 결국 EC 의 30 프로 감축의 5 년 이행이 미국측의 10 년간 75 프로 감축이행과 비교, 결과적으로 종합적 감축효과는 매우 근접하고 있으며 5 개 주농산물 이외의 기타 농산물에 대한 30 프로 감축 가능성도 시사한 점은 협상타결 전망에 매우 고무적임.

이는 90.12. 국내 보조이외의 수출보조, 국경보호 30 프로 일률적 감축방안을 제시한 헬스트림안과 근접함.

- 한편 EC 구성원 전체의 입장조정측면에 있어서도 영국, 화란, 덴마크등 그룹은 기왕에 큰폭의 가격인하를 주장해 오고있고, 스페인, 이태리, 희랍, 폴류갈등 그룹은 가격인하에 대한 보상으로 EC 지역 개발기금 지원증액을 요구하는 중립적 자세인바, 가격인하 반대입장을 견지해 온 독.불, 룩셈부르크, 아일랜드 그룹중 최근 독, 불이 입장전환은 EC 전체의 입장전화 가능성을 증대시켰음

- 미국이 FAST TRACK 시한을 연장했으나 시기적으로 내년 2 월 중간선거를 앞두고 있어 미국측의 큰 영보는 어렵다는 인식과 함께 금년말 이전 협상타결이 마지막기회라는 인식이 지배적임에 비추어 11 월 중순까지 던켈 사무총장의 조정안이

PAGE 2

0226

제시될때 EC 측의 입장조정 노력이 더욱 강화될것 이므로 EC 의 연내 UR 농산물 타결이 불가능하지는 않은 것으로 전망됨.

(대사-국장)

예고:91.12.31. 까지

[illegible] 91 . 12 . 31 .)

쌀 관세화 예외에 따른 Chain Effect 반박논리

o Chain effect 문제는, 예외의 연쇄효과라는 단순한 측면에서만 보는 미시안적(myopic) 시각을 탈피해야 함.

o 그동안 UR협상을 진행해온 것은 무역왜곡 요인에 대한 진단과 각국의 특수한 사정에 대한 인식을 증진시킴으로서 무역확대가 가능한 잉익에 대한 frontier를 maximize 하는 것이 있음. (optimal solution subject to constraint)

- 그 과정에서 이면국가가 다국가에서는 찾아볼 수 없는 특수한 문제를 독특하게 (peculiar)가지고 있는것도 인식이 되이 있음.

o 한국이 그동안 많은 수입제한을 유지해온 것은 사실이나 UR정신에 따라 극히 일부를 제외하고 관세화를 수용함.

- UR에서의 기여도 측면에서 본다면 그 어느나라 보다도 큼

o 쌀등 극히 일부 품목에 대해서는 관세화가 어려우나 Chain effect를 우려하는 것은 논리적으로 타당성이 없음.

- 그 민감도나 중요성면에서 한국의 쌀처럼 중요한 품목이 다른 나라에 있다는 것은 현재까지의 협상 과정에서 크게 부각되이 있지 않다고 봄.

- 따라서 Chain effect는 한국이 유발하는 것이 아니고 한국의 사정을 뻔히 알면서도 한국의 예외를 이유로 Chain effect를 만들고자 하는 다른 나라에게 책임이 있는 것임.

0228

쌀을 관세화하면 한국내 쌀생산기반이 붕괴될 것이라는 논리적 근거는?

o 쌀을 관세화 할 경우 일정수준의 TE가 설정됨.

o TE는
  ① 특정시점에서
  ② 국내가격 ┐ 의 차이를 근거로 설정된 것임.
  ③ 국제가격 ┘

o 그러나 TE의 구성요성인 세요소 (특정시점, 국내가격, 국제가격)가 중장기적으로 큰 변동이 있기 때문에 고정된 TE를 한국의 쌀처럼 중요한 품목에 도입한다는 것은 수용하기 어려움. 그이유는?

  ① 시간이 경과하면서 많은 여건의 변동이 발생하게 되고,
  ② 국내가격이 상승하게 되면, TE는 커져야 하나 이러한 조정기능을 TE로는 기대할 수 없게됨.
  ③ 국제가격 하락시도 TE하에서는 국내 농업에 미치는 부정적인 영향을 배제할 수 없음.

o TE만으로서는 품질 차이에 의한 국내도입량 증가등 예측하기 힘든 불안정성을 해결하기 어렵게 됨.
  - 가격(TE)이라는 변수는 쌀수요를 결정하는 수많은 변수중 단 1개 변수에 불과.

o 그 이외에도,
  - TE화는 완전자유화를 의미한다는 점
  - 국제 쌀시장의 불안정성, 남북대치 상황하에서 한국의 식량안보를 외국에 의존 할 수 없다는 점.
  - 전통적 중요성, 정신. 도덕적 측면에서 수용불가능한 점 등으로 인하여 한국의 입장에서는 쌀에 대한 관세화는 정치적으로도 수용이 불가능한 것임.

0229

원 본

외 무 부

종 별 :

번 호 : GVW-2120 일 시 : 91 1024 1100

수 신 : 장 관(통기,경기원,농림수산부)

발 신 : 주 제네바 대사

제 목 : UR/농산물 (위생 및 검역규제)

1. 표제 위생 및 검역 규제 전문가 회의에 아국전문가의 참석 의사를 10.22(화)갓트 사무국에 통보하였음.

2. 11.6 개최 예정인 동 전문가 회의에는 아국포함 21 개국이 초청되었으며, 위생 및 검역 규제합의 초안이 논의될 예정임.

첨부: UR/농산물 위생 및 검역규제 전문가 회의 소집 통지서 1부. 끝

(GVW(F)-0443)

(대사 박수길-국장)

통상국 구주국 경기원 농수부

PAGE 1

91.10.25 01:56 FN

외신 1과 통제관

0230

GVW(F)-0443 11024 1108

GATT FACSIMILE TRANSMISSION

"GVW-2120 첨부"

Centre William Rappard
Rue de Lausanne 154
CH-1211 Genève 21

Telefax: (022) 731 42 06
Telex: 412324 GATT CH
Telephone: (022) 739 51 11

TOTAL NUMBER OF PAGES 1
(including this preface)

Date: 23 October 1991

From: Arthur Dunkel
Director-General
GATT, Geneva

Signature: [signature]

To:			Fax No:
	ARGENTINA	H.E. Mr. J.A. Lanus	798 72 82
	AUSTRALIA	H.E. Mr. D. Hawes	733 65 86
	AUSTRIA	H.E. Mr. W. Lang	734 45 91
	BRAZIL	H.E. Mr. C.L. Nunes Amorim	733 28 34
	CANADA	H.E. Mr. G.E. Shannon	734 79 19
	CHILE	H.E. Mr. M. Artaza	734 41 94
	COLOMBIA	H.E. Mr. F. Jaramillo	791 07 87
	EEC	H.E. Mr. Tran Van-Thinh	734 22 36
	EGYPT	H.E. Mr. M. Mounir Zahran	731 68 28
	FINLAND	H.E. Mr. A.A. Hynninen	740 02 87
	HUNGARY	Mr. A. Szepesi	738 46 09
	JAPAN	H.E. Mr. H. Ukawa	788 38 11
	KOREA	H.E. Mr. Soo Gil Park	791 05 25
	MALAYSIA	Mr. Supperamanian Manickam	788 09 75
	MEXICO	H.E. Mr. J. Seade	733 14 55
	MOROCCO	H.E. Mr. M. El Ghali Benhima	798 47 02
	NEW ZEALAND	H.E. Mr. A.M. Bisley	734 30 62
	SWITZERLAND	H.E. Mr. W. Rossier	734 56 23
	THAILAND	H.E. Mr. Tej Bunnag	733 36 78
	UNITED STATES	H.E. Mr. R.H. Yerxa	749 48 80
	URUGUAY	H.E. Mr. J.A. Lacarte-Muró	731 56 50

Your delegation has indicated its interest in participating in informal consultations, at the expert level, on the draft sanitary and phytosanitary agreement (MTN.GNG/NG/WGSP/7). Such consultations will be held on Wednesday 6 November beginning at 3 p.m., and continuing the following morning, if necessary. The consultations will take place in Room E of the Centre William Rappard.

Secretary	Counsellor	Minister	Ambassador
		[initials]	

PLEASE NOTIFY US IMMEDIATELY IF YOU DO NOT RECEIVE ALL THE PAGES

** OUR FAX EQUIPMENT IS HITACHI HIFAX 210 (COMPATIBLE WITH GROUPS 2 AND 3) AND IS SET TO RECEIVE AUTOMATICALLY **

0231

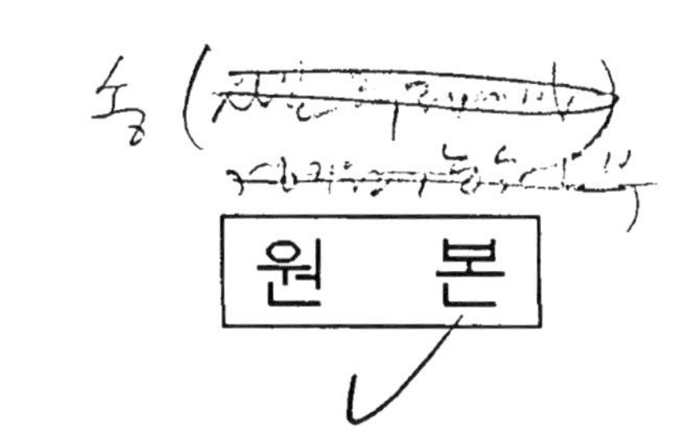

관리번호	91-724

원 본

외 무 부

종 별 :

번 호 : CNW-1443 일 시 : 91 1025 1700

수 신 : 장 관(통기,상공부)

발 신 : 주 카나다 대사

제 목 : UR 협상

대 : WCN-1277

연 : CNW-1412

하상무관은 10.25. 주재국 외무통상부 MIKE GIFFORD 조정관을 오찬에 초청,농산물 문제에 대한 아국 입장지지 요청등 표제건 관련 협의한바 있어 이에 대한 카측 발언요지를 아래 보고함.

1. 최근 독일 및 프랑스의 입장 변화로 미국과 EC 간의 견해차이가 크게 축소되고 있으며, 지금까지 모든 농산물의 TARIFFICATION 계획에 대해 반대 입장을견지해온 스위스도 기존 자세를 전환, 이에 동조할 기미를 보이고 있어 현재로서는 한국, 일본, 카나다만이 예외없는 TARIFFICATION 에 반대 입장을 고수하고있음.

2. 한국이 쌀에 대한 시장 개방문제로 어려움을 겪고 있는것과 마찬가지로 카나다도 낙농 및 가금류의 수입개방문제로 시련에 직면하고 있음. 금일 오전 WILSON 산업과기장관겸 통상장관 주재하에 열린 대책회의에서도 카나다 정부는 국내 정치적인 어려움으로 일단 기존 입장을 견지키로 결론을 내린바 있음.

3. 이러한 관점에서 한국과 카나다는 비슷한 처지에 있으며, 일본을 포함, 공동보조를 취할 방안을 강구할 필요가 있음. 다만, 한국산 쌀에 대해 전면적인 수입불허 방침을 변경, MINIMUM MARKET ACCESS 를 허용하지 않는한 다수국가로부터의 개방 압력에 효과적으로 대응키 어려울 것 같음.

4. 카나다 정부는 UR 타결이 금년말 또는 늦어도 내년초까지 이루어질 것으로 전망하고 있음. DUNKEL 사무총장은 11.10. 경 협상 초안을 제시할 것으로 보이며, 농산물 관련 주요 내용은 모든 품목의 TARIFFICATION(93.1.1. 부터 5 년간최고 30 프로 감축을 원칙으로하고 일부 품목은 보다 장기간 허용) 및 30 프로선의 보조금 감축이 될 것으로 예상됨. 끝

통상국	장관	차관	1차보	2차보	미주국	경제국	외정실	분석관
청와대	안기부	상공부						

PAGE 1 91.10.27 00:38

외신 2과 통제관 CA

0232

(대사-국장)

예고문 : 91.12.31. 까지

PAGE 2

0233

관리번호 91-727

원 본

외 무 부

종 별 :

번 호 : AUW-0882　　　　　　　일 시 : 91 1025 1700

수 신 : 장관(통기)

발 신 : 주 호주 대사

제 목 : UR 협상

대:WAU-0797

1. 대호 본직은 금 10.25 주재국 외무성 HALL 경제차관보대리(FIELD 경제차관보는 UR 협상관련 제네바에 장기출장중임)을 방문(당관 참참사관 배석) UR 농산물협상에 대한 우리의 입장을 설명하고 주재국이 CAIRNS 구룹의 주도국가로서,우리입장에 대한 이해와 아울러 여타 CAIRNES 구룹국가들의 우리입장이해 증진을 위해서도 노력해줄것을 요청함(우리 국회의 쌀 및 기초식품 개방반대결의및 우리정부의 입장을 영문으로 작성 NON-PAPER 형식으로 수교함).

2. 본직은 특히 우리가 종전의 입장에 신축성을 부여하고 있으며, 농업의 비교역적 특성, 개도국 특혜부여, 11 조 2 항(C) 개선, 농업구조조정에 필요한 충분한 이행기간 부여의 필요성을 지적하고 예외없는 관세화 개념에 따른 쌀 및 몇가지 기초식품에 대한 관세화및 MMA 는 도저히 받아들일수 없는 입장을 강조함.

3. 이에대해 HALL 차관보대리는 앞으로 4-5 주가 UR 협상 성.패를 가름하는가장중요한 시기이며 DUNKEL 사무총장의 보고서가 당초보다 늦어져 11 월 중순경(늦어도 11 월말전)에 제시될것으로 보이는바, 금년말까지 각국이 정치적 결단을 하지않을시 명년초부터의 미국대통령 선거전 돌입으로인해 UR 협상은 성공하지 못할것 갑다고 말함.

4. 동차관보는 또한 DUNKEL 사무총장이 협상참가 각국이 받아들일수 있는 타협적인 안을 만들려고 노력은 할것이나, 재량권을 갖고 초안을 마련할것으로 보이며 호주나 한국은 GATT 자유무역체제의 커다란 수혜국가로서 UR 협상의 실패로 인한 GATT 체재의 약화는 양국에 공히 이익이 되지 않을것이라고 말함.

5. 아측입장설명에 대해 한국측의 입장을 이해하지 못하는바는 아니나 어떤부문에 있어서는 의견을 달리하고 있다고 말하고, 쌀등 기초식품의 관세화 예외인정

통상국 장관 차관 1차보 2차보 아주국 외정실 분석관 청와대 안기부

PAGE 1　　　　　　　91.10.25 17:50

외신 2과 통제관 BW

0234

요구문제는 각국이 개별적인 사정을 이유로 특정품목에 대한 예외인정을 요구한다면 TARIFFICATION 자체가 불가능하게 될것이라고 하고 TARRIFFICATION 개념자체는 반드시 시장개방과 연계되지 않는다고 말함(이에 대해 본직은 강한 반론을 제기함)

6. 자신이 알기로는 현재 국제 쌀시장의 거래는 소규모로서 상징적인 쌀시장개방이 한국농업을 황폐화 시킬것으로 보지않으며, 국내보조와 국경보호를 단기간내에 완전히 제거하자는것이 아니라 PHASE OUT 하자는것이며, 각국의 농업무역을 자유화하자는것이라고 말함(본직은 한국 쌀 농업의 특수성을 반복설명함)

7. 연이나 동차관보는 한국측의 우려와 입장은 현 UR 농산물협상의 다른 MEASURE 를 통해 타협, 수용될수 있을것으로 본다고 말하고, 원칙문제의 예외 인정은 중요한 사항임으로 한국측이 다른방법을 통해 한국의 입장 반응을 추구하는것이 좋을것 같다는 개인적인 의견을 표명하면서, 11 조 2(C)항 개정문제에 관하여는 농산물 수입규제는 19 조의 운영으로도 가능할것이라고 말함.

8. 동차관보대리는 본직이 수교한 우리 국회결의및 우리정부의 입장을 세밀히 검토, 관계부서와 필요한 협의를 하겠다고 말하고, 의문사항이 있으면 다시 우리측과 접촉하겠다고 말함. 끝.

(대사 이창범-장관)

예고:91.12.31. 일반.

기 안 용 지

분류기호 문서번호	통기 20644-	(전화: 720 - 2188)	시 행 상 특별취급	
보존기간	영구. 준영구 10. 5. 3. 1.	장 관		
수 신 처 보존기간				
시행일자	1991.10.26.			

보조기관		협조기관	문 서 통 제
국 장	전 결		
심의관			
과 장			
기안책임자	송 봉 헌		발 송 인

경 유 수 신 참 조	건 의	발신명의		
제 목	UR/농산물 협상 회의 정부대표 임명			

91.10.29부터 스위스 제네바에서 개최되는 UR/농산물 협상 회의에 차가할 정부대표를 "정부대표 및 특별사절의 임명과 권한애 관한 법률"에 의거, 아래와 같이 임명할 것을 건의하오니 재가하여 주시기 바랍니다.

- 아 래 -

- 1 -

0236

1. 회 의 명 : UR/농산물 협상 회의

2. 회의기간 및 장소 : 1991.10.29부터, 스위스 제네바

3. 정부대표

o 농림수산부 통상협력 2담당관 김선오

o 농림수산부 국제협력담당관실 행정주사 최대휴

o 주 제네바 대표부 관계관

(자 문)

o 한국농촌경제연구원 부원장 최양부

o 한국농촌경제연구원 연구원 임정빈

4. 출장기간 : 1991.10.27-11.3

5. 소요경비 : 소속부처 소관예산

6. 훈 령 : 별첨 참조. 끝.

0237

농 림 수 산 부

국협20644- 991　　503-7227　　1991. 10. 25.

수신 외무부장관

참조 통상국장

제목 UR농산물그룹회의 참석

1. 당초 10.16-18간 주요국 비공식회의로 UR농산물협상의 기술적쟁점에 관한 토의를 종료할 예정이었으나 아직까지 다수의 쟁점이 합의에 이르지 못하고 있어 던켈총장의 합의초안 제시에 앞서 10.28주간에 기술적 쟁점을 종합적으로 협의하기 위한 주요국 비공식회의가 개최될 예정입니다.

2. 이에 협상동향에 능동적인 대처방안을 마련하고 기술적 의제에 아국입장을 관철시켜 나가기 위하여 금차회의에 다음과 같이 당부대표를 파견코자 하오니 협조하여 주시기 바랍니다.

- 다 음 -

가. 당부대표단

구 분	소 속	직 위	성 명	비 고
대 표	농업협력통상관실	통상협력2담당관	김선오	
	"	행정주사	최대휴	
자 문	한국농촌경제연구원	부원장(장관자문관)	최양부	UR관련 정부고위급 교섭단 수행중 10.30 제네바에 도착, 대표단에 합류
		연 구 원	임정빈	소요경비:농경연부담

0238

국협20644-　　　　503-7227　　　　1991. 10. 25.

나. 출장목적

0 UR농산물협상 주요국 비공식회의 참석

다. 출장기간 및 출장지

0 '91.10.27 - 11.3(8일간), 스위스 제네바

라. 소요경비 : $5,852(농림수산부 부담)

첨부 : 1. 출장일정 및 소요경비내역

2. 금차회의 참가대책 1부.　끝.

농 림 수 산 부

0239

출장일정 및 소요경비내역

가. 출장일정

'91.10.27(일)	12:40	서 울	발(KE 901)
	18:10	파 리	착
	20:45	파 리	발(SR 729)
	21:45	제네바	착
'91.10.28(월) | '91.11.01(금)	협상대책 회의 및 UR농산물그룹회의 참가		
'91.11.02(토)	16:50	제네바	발(BA 729)
	17:25	런 던	착(BA 729)
	19:30	런 던	발(KE 508)
'91.11.03(일)	17:40	서 울	착

나. 소요경비 내역

(1) 국외여비 : $5,852(1113-213)

	김선오 과장	최 대 휴
항 공 료	$ 2,127	$ 2,127
일 비	$ 20 x 8일 = $ 160	$ 16 x 8일 = $ 128
숙 박 비	$ 66 x 6일 = $ 396	$ 59 x 6일 = $ 354
식 비	$ 42 x 7일 = $ 294	$ 38 x 7일 = $ 266
체재비계	$ 850	$ 748
합 계	$ 2,977	$ 2,875

0240

10.28주간 UR농산물협상 그룹회의 참가대책

1. 금차회의 성격과 전망

1) 그동안 추진해온 주요국 비공식회의를 통해서 전체 기술적의제에 대한 대안이 마련되고 대체적인 합의방향과 잔여쟁점이 정리되어 있는 상황

2) 던켈총장은 주요국간 막후접촉(Bilateral and Plurilateral)을 통하여 조속히 타협안을 마련해 줄것을 촉구하면서 부분적인 타협결과를 주요국 비공식회의를 통하여 공식적으로 수렴해가는 형식으로 회의 추진

- 금차회의도 허용대상정책, Special Safeguard Provision, MMA, 수출경쟁등 주요쟁점에 대한 주요국간 협의결과를 최종 정리하려는 의도로 평가

3) 그러나, 기술적 협의과정에서 제기된 주요쟁점은 외형적으로는 기술적인 성격을 띠고 있으나 실질면에서는 보호 및 지원정책의 감축폭등 의무부담 수준과 연계되어 있는 사항들로서 기술적 협의에서는 타결이 어려운 성격임

4) 따라서 금차회의는 주요국 협의결과를 기다리면서 미진한 부분에 대한 최종 타협방안을 모색하고 타협이 어려운 부분에 대하여는 전체적인 타협분위기를 유도하여 11월중순에 제시될 합의초안 작성과 관련 명분을 확보하는데 중점을 둘것으로 전망됨

0241

/

2. 금차회의 참가대책

가. 기술적의제 토의

1) 기술적 의제는 ① 국내보조,시장접근,수출경쟁 부문의 Commitment에 따른 보조 및 보호 수준의 계측과 이행과정에서 제기될 수 있는 순수 기술적인 사항 ② 약속이행의 탄력성 ③ 정치적 의제의 결정방향 제시등 의미를 가지고 있는바 현단계에서의 중점사항은 ②항 및 ③항에 관련됨

2) 그동안 기술적쟁점 협의과정에서 아국을 비롯한 수입국은 농업의 특수성과 이익균형 보장 그리고 실천가능성등을 중점 제기한 결과 Options Paper에는 대안으로 제시되었으나 최근 협상동향은 이러한 수입국의 예외인정 요구가 배제되고 있는 상황임으로 다음과 같은 기본입장하에 대처

가) 기존에 아국이 제기해온 분야별 의제별 아국의 기본입장을 재강조

0 합의초안 작성시 고려해야 할 기본원칙으로

- 농업분야에서의 수출.수입국간, 선진국.개도국간 협상이익의 균형도모, 이러한 관점에서의 공정무역의 실현

- 식량안보등 농업의 특수성을 충분히 고려

- 점진적이고 실천가능한 현실적인 접근방법 선택

- 수출보조등 무역 왜곡적인 조치의 우선적이고도 확실한 원칙합의가 선행되어야 할 것임을 강력히 제기

0242

2

ㅇ 기술적의제에 관하여는 별침 의제별 기존 아국입장하에 대치하되 특히 다음사항에 대하여 중점대처

- 국내보조부문 : 허용대상정책의 기준완화, 구조조정 및 투자지원의 허용, 감축약속 및 이행수단으로 AMS활용
- 시장접근부문 : 식량안보등 NTC품목, GATT 11조2항(C) 운용 품목의 관세화 예외확보, 기초식품의 MMA예외확보, T.Q의 증량목표 설정배제, 안정적인 Special Safeguard Provision 마련
- 수출경쟁부문 : 수출보조의 엄격한 지급규율 마련 및 대폭감축 원칙합의
- 개도국우대 : 선발개도국의 분리취급 배제

나. 농산물협상 합의초안작성에 대비 협상력 강화

1) 합의초안의 명료성 보장 요구

0 기술적 협의과정에서 의제별로 여러가지 대안이 제시된 상태에서 협상참여국이 합의에 이르지 못한 부분이 다수 존재하고 정치적 의제에 대하여는 아직 토의된바 없음을 들어 가급적 참여국가간 충분한 합의점을 모색하여 최종타협안이 도출되어야 함을 제기

- 이와관련, 던켈총장은 비공식협의 과정에서 본인은 협상 당사자가 아님을 누차 강조하면서 협상타결의 책임은 협상참여국에 있음을 주지시킨바 있음
- 협상력을 가지고 있는 특정국가간의 합의 또는 특정인의 일방적인 판단하에 초안이 작성되는 것을 사전견제, 아국등 수입국입장이 균형되게 반영되도록 향후 협상여지 확보에 주력

0243

2) 아국입장 관철을 위한 다각적인 통상교섭활동 전개

0 국회의 "쌀등 기초식량수입 반대결의", 농민단체의 강경입장등 국내의 일관된 여론, 농산물 수입국으로서의 식량안보의 중요성과 농업구조의 취약성을 고려할때 관세화가 갖는 문제점, 연쇄효과 방지방안등을 제시, 예외없는 관세화를 수용할 수 없음을 일관되게 주지시키고 설득력 있는 교섭활동을 다방면으로 전개

0 농산물 수입 선.개도국과의 협력을 구체화하여 수출국에 편향된 합의초안이 작성되지 않도록 계속적인 분위기 전환 시도

다. 협상동향에 관한 정보수집강화

0 각국대표 및 GATT사무국 관계자와의 수시접촉을 통한 협상동향에 관한 정보수집 활동강화

0 협상동향을 아국대책에 연계시켜 신속한 대응방안 마련

〈첨 부〉

1. UR농산물협상 기술적쟁점에 관한 협상대책 중점사항

2. '91하반기 UR농산물협상대책(기술적 의제와 아국입장)

0244

4

〈첨 부〉

UR농산물협상 기술적쟁점에 관한 협상대책 중점사항

분 야 별	협 상 의 제	아국 중점사항
1) 공통분야	0 Products Coverage	0 제조담배, 누에고치 및 생사, 빈성전분은 의장제시안에 추가반영 - 수산물,임산물 포함은 소극적 대응
2) 국내보조	1) 허용대상정책한도 설정	0 한도설정 반대
	2) 허용대상정책 기준	0 직접지불정책중 생산효과, 품목별특징성에 대한 예외기준 확보
	3) 허용대상정책 범위	0 구조개선및 투자보조를 허용대상정책에 포함
	4) 감축약속 및 이행방법	0 AMS활용
	5) 감축대상 국내보조의 계측방법	0 시장가격 지지 : 국경보호효과 배제 0 직접지불 : 재정지출로 계산 0 기타 감축대상정책 : 재정지출로 계산
	6) AMS조정	0 인플레 효과 반영
3) 시장접근	1) 관세화 범위	0 식량안보등 NTC, 11조2항(C) 대상품목의 관세화예외 확보(항구적 예외)
	2) T.E 계산방식	0 국내외 가격차로 계산
	3) Special Safeguard Provision	0 물량과 가격기준 발동조치 설정 - 발동기준, 적용기간, 운용기간등에 있어 안정적인 운용조건 설정
	4) 현행 시장접근	0 T.Q 증량목표 설정 배제

0245

5

분 야 별	협 상 의 제	아국 중점사항
	5) MMA	0 식량안보 대상품목에 대한 MMA예외 확보 0 T.Q증량목표 설정배제 0 T.Q적용관세 : 현행 실행관세
	6) GATT 규정개정	0 식량안보에 관한 GATT규정 신설 0 GATT 11조2항(C)요건 개선
	7) 관세협상	0 R/O방식 채택 0 감축 및 상한설정과 모든품목 양허 배제
4) 수출보조	0 감축대상 수출보조정의	0 법률적으로나 사실적으로 수출에 연관된 지원 - 수출품에 지원되는 Deficiency Payment 포함
	0 감축방법	0 단위당 수출보조 감축 Cease-Fire Commitment 채택
	0 GATT 규정	0 GATT규정의 강화
5) 개도국우대	0 국내보조, 시장접근, 수출보조부문 개도국우대 방안	0 국내보조 : 허용대상정책 확대, 감축폭 및 이행기간 우대 0 시장접근 : T.E감축폭 축소, 이행기간 연장, Special Safeguard 우대 0 개도국분류 : 선발개도국 차별대우 반대
6) 점 검	0 이행계획 및 이행점검	0 협상대상이 아니라 적정여부 점검으로의 성격

0246

6

52481

기 안 용 지

분류기호 서번호	통기 20644-	(전화 : 720 - 2188)	시 행 상 특별취급	
보존기간	영구. 준영구 10. 5. 3. 1.	장 관		
수 신 처 보존기간				
시행일자	1991.10.26.			

보조기관			협조기관		문서통제
국 장	전 결				검열 1991. 10. 2 통제관
심의관					
과 장	대 결				
기안책임자	송 봉 헌				발 송 인

경 유 수 신 참 조	농림수산부장관	발신명의		
제 목	UR/농산물 협상 회의 정부대표 임명 통보			

91.10.29부터 스위스 제네바에서 개최되는 UR/농산물 협상 회의에 참가할 정부대표단이 "정부대표 및 특별사절의 임명과 권한에 관한 법률"에 의거 아래와 같이 임명 되었음을 알려 드립니다.

- 아 래 -

1. 회 의 명 : UR/농산물 협상 회의

- 1 -

0247

2. 회의기간 및 장소 : 91.10.29부터, 스위스 제네바

3. 정부대표

o 농림수산부 통상협력2담당관 김선오

o 농림수산부 국제협력담당관실 행정주사 최대휴

o 주 제네바 대표부 관계관

(자 문)

o 한국 농촌경제연구원 부원장 최양부

o 한국 농촌경제연구원 연구원 임정빈

4. 출장기간 : 91.10.27-11.3

5. 소요경비 : 소속부처 소관예산

6. 출장 결과 보고 : 귀국후 20일이내. 끝.

- 2 -

0248

관리 번호	91-716

	분류번호	보존기간

발 신 전 보

번 호 : WGV-1478 911026 1211 DU 종별 :

수 신 : 주 제네바 대사. 총영사

발 신 : 장 관 (통 기)

1991.12.31. 예고문에 의거 일반문서로 재분류됨

제 목 : UR/농산물 협상

1. 10.29부터 귀지에서 개최되는 표제회의에 아래 본부대표를 파견하니 귀관 관계관과 함께 참석토록 조치바람.

   ㅇ 농림수산부 통상협력 2담당관 김선오

   ㅇ 농림수산부 국제협력담당관실 행정주사 최대휴

   (자 문)

   ㅇ 농촌경제연구원 부원장 최양부(10.30부터 협상 참가)

   ㅇ 농촌경제연구원 연구원 임정빈

2. 금번 회의에는 아래 중점사항과 기존 입장 및 본부대표가 지참하는 쟁점별 세부 입장에 따라 적의 대처바람.

   ㅇ 합의 초안 작성시 고려해야할 사항

   - 기술적 사항 관련 아직 합의에 이르지 못한 부분이 다수 존재하고, 특히 정치적 결정사항에 대하여는 아직 협의를 시작한 바도 없음을 감안할때 가급적 협상 참가국간 합의점을 충분히 모색하여 합의 초안을 도출해야 함.

   - 수출.수입국간, 선진.개도국간 협상 이익의 균형 도모가 필요하며, 특히 식량안보등 농업의 특수성을 충분히 고려하여야 함.

   - 점진적이고 이행 가능한 현실적인 접근방법이 긴요하며, 수출보조등 무역 왜곡적인 조치에 대한 우선적이고도 명확한 감축원칙 합의가 선행되어야 할 것임.

보안 통제	代공

앙 고 재	91년 10월 26일	통상기구과	기안자 성명	과 장	국 장	차 관	장 관
			송봉헌	(서명)	(서명)		(서명)

외신과통제

0249

o 국회의 "쌀등 기초식량 수입 반대 결의", 농민단체의 강경입장, 식량안보의 중요성, 농업구조의 취약성등을 고려할때 예외없는 관세화를 수용할 수 없음을 일관되게 주장하고, 농산물 수입국과의 협력을 강화하여 수출국에 편향된 합의 초안이 작성되지 않도록 노력

o 각국대표, 갓트사무국 관계자와의 접촉 강화를 통해 동향 파악 노력 제고

끝. (통상국장 김 용 규)

0250

원 본

외 무 부

종 별 :

번 호 : GVW-2157　　　　일 시 : 91 1028 1630

수 신 : 장관(통기,경기원,재무부,농림수산부,상공부)

발 신 : 주 제네바 대사

제 목 : UR 농산물(PROUDUCT COVERAGE)

10.23 배포된 표제 협상 대상 품목(PRODUCTCOVERAGE) 수정문서를 별첨 FAX 송부함

참고로 동건 관련 제조 담배, SILK,변성전분등을 협상 대상 품목에 추가해줄것을갓트 사무국에 서면 요청하였는바(10.7), 금번 배포된 수정문서에는 동 아국 요청사항이 반영되어 있음을 첨언함.

첨부: 농산물 협상 대상품목 수정 문서 및 대상품목 추가 요청 선면 제안 각 1부. 끝

(GVW(F)-454)

(대사 박수길-국장)

통상국　2차보　청와대　안기부　경기원　재무부　농수부　상공부

PAGE 1　　　　91.10.29　03:35 DW

외신 1과 통제관

0251

23.10.91

Attached below is a revised list of products which could be considered in relation with paragraph 2 of MTN.GNG/AG/W/1. As noted in Annex 2 of that document, this list has been revised in light of comments and suggestions by participants.

Product Coverage

(a) HS Chapters 1 to 24 less fish and fish products, plus

(b)

HS Code	29.05.43	(manitol)
HS Code	29.05.44	(sorbitol)
HS Heading	33.01	(essential oils)
HS Heading	35.01	(casein, casein glues)
HS Heading	35.02	(albumins,albuminates and their derivatives)
HS Heading	35.03	(gelatin and gelatin derivatives)
HS Heading	35.04	(peptones and their derivatives)
HS Heading	35.05	(dextrins and other modified starches)
HS Code	38.23.60	(sorbitol n.e.p.)
HS Headings	41.01 to 41.03	(hides and skins)
HS Heading	43.01	(raw furskins)
HS Headings	50.01 to 50.06	(silk and silk products)
HS Headings	51.01 to 51.03	(wool and animal hair)
HS Headings	52.01 to 52.03	(raw cotton, waste and cotton carded or combed)
HS Heading	53.01	(raw flax)
HS Heading	53.02	(raw hemp)

(c) Any participant may extend its commitments to include additional products to those listed above, provided that other participants agree.

3-1

0252

1991-10-28 17:38 KOREAN MISSION GENEVA 2 022 791 0525 P.01

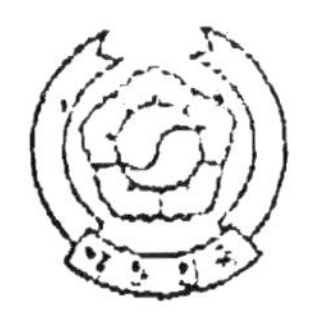

PERMANENT MISSION OF THE REPUBLIC OF KOREA

GENEVA

7 October 1991

Dear Mr. Wolter,

Please find attached a copy of the suggested modification of product coverage by Korea.

Sincerely yours,

CHUN, Joong-In
Agricultural Attaché

Mr. Frank WOLTER
GATT
Centre William Rappard
154, rue de Lausanne
1211 - GENEVE 21

0253

3-2

1991-10-28 17:38 KOREAN MISSION GENEVA 2 022 791 0525 P.02

Suggested Modification of Product Coverage
by Korea

Korea proposes the addition of the following commodities to the product coverage list (MTN.GNG/AG/W/1/Add.2)

HS Headings 2402 to 2403 (manufactured tobacco and manufactured tobacco substitutes)

Headings 5001 to 5006 (Silk-worm cocoons, raw silk, silk yarn, silk waste)

Headings 3505 (Dextrins and other modified starches).

0254

3-1

1991-10-28 17:38 KOREAN MISSION GENEVA 2 022 791 0525 P.03

報 告 畢

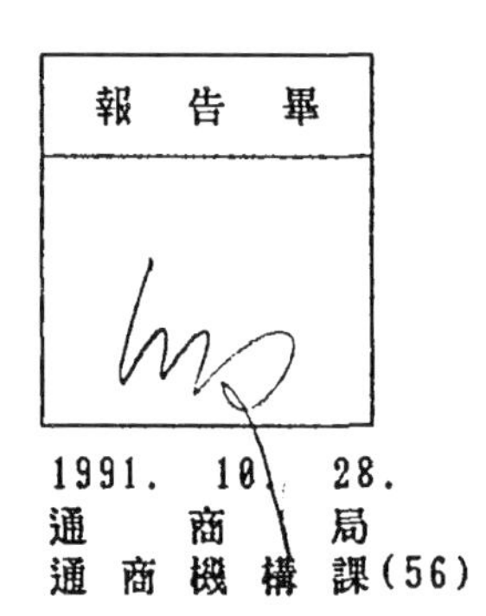

長官報告事項

1991. 10. 28.
通 商 局
通商機構 課(56)

題 目 : UR 協商에 대한 노르딕 立場 表明

1. 10.24(木) Noridic 國家들의 UR 協商에 대한 共同 宣言 發表

   o UR 協商에서 美國, EC間의 農産物 分野 異見 調整이 全體 協商의 關鍵이 되고 있는데에 대해 不滿 表示

   - 美國, EC가 農産物 協商에서 合意하면 모든일이 다 해결될 것처럼 判斷하는 것은 큰 錯誤라고 警告

   o 反덤핑, 補助金 規定이 强化되지 않으면 全體 UR 協商 結果를 受容할 수 없다는 强硬한 立場 表明

   - 最近 美國의 노르웨이産 연어 反덤핑 規制 및 스웨덴 鐵鋼 反덤핑 提訴 等을 考慮 노르딕은 UR 協商에서 反덤핑 濫用 防止 規定 强化를 希望

2. 餘他國 反應

   o 日本, 同 Nordic 共同宣言에 支持 立場 表明

   o 스위스, 오스트리아 및 一部 新興工業國도 同調

3. 我國의 措置事項

   o 주 제네바 代表部, Nordic 國家와 同件에 관해 事前 協議, 共同 立場을 취하기로 合意

4. 對言論 및 國會 關聯事項 : 없 음. 끝.

0255

원 본

외 무 부

종 별 :

번 호 : GVW-2182 일 시 : 91 1029 2030

수 신 : 장 관(통기,경기원,재무부,농림수산부,상공부)

발 신 : 주 제네바 대사

제 목 : UR/농산물 협상(1)

10.29.(화) 개최된 표제 주요국 비공식 회의 요지하기 보고함.

(천농무관, 농림수산부 김선오 과장, 최대휴 참석)

1. 금차회의 일정

- 10.29(화): 협상대상품목, 국내보조중 직접 지불정책

- 10.30(수) : 특별세이프가드

- 10.31(목) : 갓트 11조 2(A), 수출보조 감축 방법

2. 협상 대상품목- 던켈 총장은 연호 수정 문서에 HS 38 09 10품목이 추가된다고하였음.

- 아국포함 대부분의 국가가 동 수정문서 내용에 만족을 표명하였음.

0 SILK(5001-5006) 포함에 대하여 일본은 5004-5006은 공산품이므로 제외시키자고 하였으며, 아국은 동품목이 원료와의 연계성 때문에 포함되야 한다고 하였음.

0 일본은 수산물, 임산물이 포함되야 한다고 주장하였음.

0 미국은 FUR-SKIN 이 포함되야 한다고 주장함.

3. 직접지불 정책

- 소득 보조정책 관련 이씨, 북구, 오지리등은 양적기준(QUANTITAITVE CRITERIA을 설정하는 것은 기술적 어려움이 있어 곤란하다는 입장을 밝힌반면 케언즈 그룹국가는 양적 기준이 엄격히 적용되야 한다고 하였음.(케언즈 그룹은 3년 평균농업 소득의 70 퍼센트를 기준으로 제시)

0 특히 호주는 소득 보조 정책 기준이 농업 소득만이 되어야 한다고 하였고 일본은 농가소득(특히 총수입)이 되어야 한다고 하였음

0 멕시코는 선진국이 현재 상당수준 농업보조를 지급하고 있는데 소득보조까지 인정한다면 개도국과 형평 문제가 있다는 점을 제기하였음.

통상국 1차보 경기원 재무부 농수부 상공부

PAGE 1

91.10.30 10:33 WH

외신 1과 통제관

0256

- 생산요소의 RETIREMENT PROGRAM 과 관련 카나다는 10년 정도의 장기간에 걸친것이어야 한다고 주장하였고 일본은 매년 단위로 시행하고 있는 정책(전작 정책)이포함 되야 한다고 하였음.

- 아국은 구조조정을 위한 부자지원 정책이 허용정책에 포함되야 한다고 하였음.

- 북구는 환경보전 정책의 허용될 필요성을 강조하고 , 재해로 인간 보상에 소득손실까지 포함되야 함을 강조하였음.끝

(대사 박수길-국장)

원 본

외 무 부

종 별 :

번 호 : GVW-2198 일 시 : 91 1030 1900

수 신 : 장 관(통기,경기원,재무부,농림수산부,상공부)

발 신 : 주 제네바 대사

제 목 : UR/농산물 협상(2)

10.30(수) 속개된 표제 주요국 비공식 협의에서는 관세화와 관련되 특별 세이프가드에 대한논의가 있었음.

1. 회의 진행과 관련된 논의

- 일본은 특별 세이프 가드에 대한 논의에 들어가기에 앞서 일본의 관세화에 관한 입장에 대하여 국내외에서 일부 오해가 있는 것같아 이점에 대한 일본의 입장을 분명히 표명하라는 본국의 훈령이 있었다고 하면서 다음요지의 발언을 했음.

0 국내보조 및 수출보조 분야와 시장접근 분야간에 균형이 이루어져야 함

특히 관세화는 시장접근과 관련된 여러대안중의 하나일뿐임

0 예외없는 관세화는 비현실적인 접근방법임. 특히 관세화는 시장접근과 관련된여러 대안중의 하나일뿐임.

0 예외없는 관세화는 비현실적인 접근방법임. 특히 일부 수입국에게 있어 동 접근방법은 국내적으로 이행할 수 없는 (DELIVER)것임.

예외없는 관세화가 추진될 경우 합의에 이르기 지난할 것으로 봄

- 던켈총장은 일본의 발언에 대하여 강한불만을 표시하였음(금일 예상된 특별세이프 가드논의를 취소하고 주요국과 비공식 접촉을 해야하겠다고 하면서 더이상 회의를 계속해야 할지를 여타 국가에 물었음)

특별세이프 가드논의는 예외없는 관세화와 관련 시킨다는 (SPECIAL SG IN THE CONTEXT OFTARIFFICATION WITHOUT EXCEPTIONS) 가정하에서 기술적으로 검토하는 것이라고 하고, 일본의 발언은 이와같은 협상을 추진하는 의장의 신뢰성에 대한 근본적인도전이라고 반박함- 던켈총장의 발언에 대하여 일본은 일본의 종전 입장을 분명히 밝히려는 것일뿐 다른의도는 없으며, 가정하에서 특별 세이프 가드를 논의하는데 대하여 반대하지 않는다고 해명하였음

통상국 경기원 재무부 농수부 상공부

PAGE 1 91.10.31 10:13 WH

외신 1과 통제관

0258

- 미국, 이씨, 호주, 카나다, 오지리, 스위스등 대부분 국가가 협상의 모든 요소에 대하여 논의해 봐야한다는 점에서 특별세이프 가드에 대한 금일논의를 희망하였음.

0 미국은 금일 논의가 물론 가정하에 진행하는 것이지만 실질적인 것이 되어야 한다고 함.

0 알젠틴은 일본이 협상의 주요국으로서 리더십을 요구함

0 아국은 금번회의는 기술적 논의이며 특별 세이프가드는 협상의 중요 요소이기때문에 논의되어야 한다고 하고, 정치적인 문제는 다른 차원에서 논의되어야 한다고하였음.

2. 특별 세이프 가드 논의

- 미국, 이씨, 케언즈그룹등 주요 국가들은 대체로 종전 입장을 되풀이 하였음.

0 미국은 특별 세이프가드(SSG)는 어디까지나 관세화를 전제로 한 것이라 하면서, TE 는 양허되어야 하고, 점차 삭감되어야 하며, 적정 수준으로 설정되어야 한다고하고, SSG 는 이행기간중에만 유지시키며, 가격기준(PB) 및 물량기준(QB)발동을 모두 인정한다는 입장이라고 하였음.

이씨의 접근 방법과 관련, 검토할 용의가 있다(READY TO EXPLORE)고 표명함

0 이씨는 SSG 가 갓트 19조와는 다른 새로운 제도가 되어야 하며 동 제도는 국내가격의 안정화에 목표를 두어야 한다고 하고 그러한 점에서 영구적인 부가금(SURCHAGE) 제도가 적합하고 현재 제시되고 있는 PB 또는 QB와 다른 요소가 감안되어야 한다고 하면서 보정인자를 간접적인 방법으로 주장하였음.

0 호주, 알젠틴등 케언즈 그룹국가는 QB 가원칙적으로, 특별한 경우(보호수준이높거나 민감한 품목) PB 를 인정하되 그경우도 수입증가가 있어야 한다고 하고 관세화를 전제로 하여 이행기간 중에만 인정되어야 한다고 하였음.

- 스위스, 오지리, 북구등은 예외없는 관세화 원칙을 수용하기 위해서는 확실한안전 장치가 마련되야 한다고 전제하고 그러한 점에서 융통성있는 SSG 가 되야 한다고 주장하였음.

0 스위스는 브랏셀 회의때 제시된 입장이 아직 유효하지만 현재의 협상 진행 방향을 인식하고 있으며 (TAKE NOTE OF THE MOVEMENT) 이러한 점에서 내부적으로 예외없는 관세화를 검토중이라고 하고, 항구적인 성격의 융통성 있는 SSG(필요한 경우 수량제한도 한시적 도입)가 인정되야 한다고 주장

0 멕시코는 일부 품목에 대한 관세화 예외가 중요하다고 하였고, 이스라엘은

예외없는 관세에 어려움이 있다고 하였음.

- 아국은 농산물 협상 목표가 보호수준의 점진적삭감이지 철폐가 아니라고 하면서 이러한 점에서 예외없는 관세화 논의가 협상 목표에 부합되는지 의문을 제기하면서, 국내보조, 시장접근, 수출경쟁간에 형평이 유지되어야 한다고 전제하고, 아국은 쌀에 대하여 관세화 할수 없다고 하였음.

0 SSG 와 관련해서는 PB와 QB 가 모두 인정되어야 하고 항국적으로 적용할 수 있어야 하며, 상황에 따라서는 수량제한도 가능하여야 한다고 하였음.끝

(대사 박수길-국장)

PAGE 3

0260

관리 번호 91-1405

원 본

외 무 부

종 별 :

번 호 : GVW-2205 일 시 : 91 1031 1730

수 신 : 장관(통기,경기원,재무부,농림수산부,상공부)

발 신 : 주 제네바 대사

제 목 : UR/농산물 협상(3)

10.31(목) 속개된 표제 주요국 비공식 회의에서는 수출 보조에 대하여 논의하였는바, 요지 하기 보고함.

1. 수출 금지에 관한 갓트 규정(11 조 2(A) 및 20 조 J)

- 미국 및 카나다, 호주, 뉴질랜드, 알젠틴 등 케언즈 그룹 국가는 갓트 11 조 2 를 철폐해야 한다고 하였음.

- 태국은 73 년 식량부족 사태때 수출로 인한 국내 공급 부족 사태를 상기시키면서 동 조항 유지 필요성을 주장하였음.

- 이씨는 개도국의 지불 능력과 정치적 민감성등을 감안해야 한다고 하면서동 문제에 대해서는 융통성 있는 입장을 갖고 있다고 하였음.

- 아국은 농업의 불확실성에 기인한 공급 부족 사태는 정치적으로 매우 어려운 문제를 발생시키므로 이러한 점이 고려되야 한다고 하고, 특히 기초 식량의식량안보 개념은 수출국과 수입국에 모두 중요하므로 동 조항 존폐 여부도 이런 관점에서 판단되어야 한다고 했음.

0 일본은 수입국에게 기초 식량의 식량안보를 위한 적절한 수단이 강구되야한다고 하였음.

2. 수출 보조 삭감 방법

- 던켈 총장은 동문제에 대한 각국의 기존 입장에 변화가 있는지를 묻고, 이에 대하여 미국, 이씨등이 변하지 않았음을 밝히자 더 이상의 논의없이 회의를종결하였음.

3. 향후 작업 계획

- 던켈 총장은 회의를 마치기에 앞서, 대외비로 해달라고 하면서 다음 요지의 향후 작업 계획을 밝힘.

통상국	장관	차관	1차보	2차보	경제국	외정실	분석관	청와대
안기부	경기원	재무부	농수부	상공부				

PAGE 1 91.11.01 07:38

외신 2과 통제관 BD

0261

0 내주중 (11.4 주간) TNC 회의를 소집할 계획이며, 의장으로서 각 협상 그룹의장으로 부터 평가 보고서(ASSESSMENT)를 요구하겠음. 동 평가 보고서의 목적은 현재의 진행상황및 협상 타결에 중요한 쟁점이 무엇인지를 객관적으로 평가하는 것임. 또한 각 그룹간 상호 연계성(INTER-LINKAGE)이 뚜렷해지고 있어 이 문제를 타결해야 함.

0 당초 계획된 의장의 협상 초안(CHAIRMAN'S PAPER)은 유감스럽지만 현 시점에서는 나오지 못하게 되었음.

0 TNC 회의에서는 그 다음 작업 계획(WORKING PROCEDURE)을 제의할 것이며, 다음 농산물 회의 여부도 이때 정해질 것임.

0 우선 11.4 주간 말경 - 11.11 주간 부터는 본격적인 협상이 개시될것이므로 당지에서 협상을 실제로 할 권한이 있는 협상 책임자가 협상체 직접 참여 협상을 종결시키도록 하겠음. 이때는 모든 협상 분야를 동시에 다루어 나갈 것임.

0 자신은 의장으로서 더이상의 융통성이 없고 계속 밀어 부칠수 밖에 없으며, 각국정부는 주고 받기식의 실질 협상을 위한 의지를 가져야 할것임. 끝

(대사 박수길-국장)

예고 91.12.31. 까지

PAGE 2

0262

관리번호	91-187

외 무 부

종 별 :

번 호 : BRW-0812　　　　일 시 : 91 1101 1510

수 신 : 장관(미남,통기)

발 신 : 주 브라질 대사

제 목 : 주재국 농무장관 접촉(자료응신 91-80)

필(1991.12.31.)

대:WBR-0497

1. 본직은 10.30 오후 임참사관을 대통, 브라질 ANTONIO CABRERA 농무장관을 방문하고, 부임인사와 함께 양구간 관심사항을 거론함(장관 보좌관 SA FREIRE박사 배석)

2 본직은 브라질과 한국은 다같이 농업국가로서 양국간 상호 보완적 협력 가능성을 제시하고, 아국은 인구의 20 프로가 농업인구이고 농업생산은 총 GNP 의 10.8 프로 차지하고 있고 농가소득이 50 프로 이상이 쌀 생산에서 나오고 있으며 , 최근 몇년간 UR 농산물 협상관계로 농부들의 시위를 한바있다고 설명하면서, 대호 아국 농업 상황 및 입장을 상세히 설명하고 주재국의 아국 입장 이해와 지지를 요청함.

3. 동 CABRERA 장관은 본직의 설명을 경청하고, 한국이 UR 협상중 특히 쌀수입 자유화에 반대하고있다는 입장을 알고있었으나, 한국에 여사한 사정이 있었는지는 처음 듣는 것으로서 본직의 설명은 유익했다고 말하고, 금번 11.12-13 간 UR 관계로 제네바에 갈 예정인바, 가능한한 아측 입장을 지원하겠다고 함.

또한 동장관은 브라질이 농업발전, 기술개발에 필요한 재정능력이 없는바, 양국간 동 분야에 있어 상호 보완적 KNOW-HOW 교류를 희망하면서 당지 근교에 위치한 EMBRAPA(농업연구소)에 본직을 안내해줄것등도 제의함.

4. 본직은 부임 인사 교환 초두에 동 장관이 88 올림픽전 개인적으로 한국 경제발전상을 살펴본적이 있다고 하면서 기회 있을시 다시 방한하고 싶다는 의견을 피력한데 대해 양국관 관계 장관간 교환 방문을 제의한바, 동장관도 가능한대로 방한 하도록 노력도 해보겠으나, 아국관계 장관의 브라질 방한을 먼저 추진해 보는것도 바람직하다는 의견을 피력하였기 보고하오니 동건 관계 부처와 협의 검토해 주시기를 건의함. 끝

에 의거 재분류(92.6.30.)
직위　성명

미주국　장관　차관　2차보　통상국　분석관　청와대　안기부

PAGE 1　　　　91.11.02　02:56

외신 2과　통제관 FM

0263

(대사 한철수-차관)

예고:92.6.30 일반

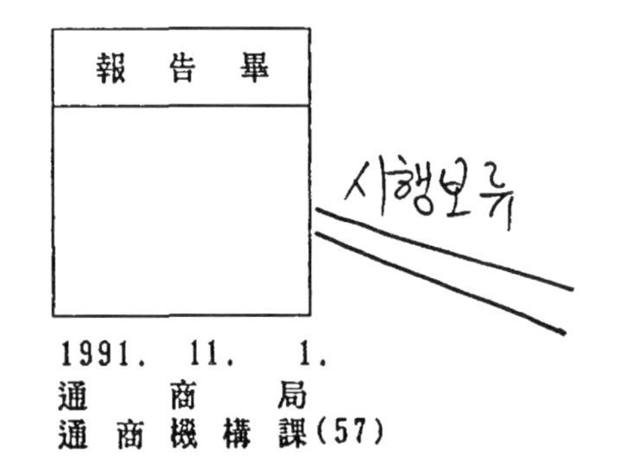

長 官 報 告 事 項

1991. 11. 1.
通 商 局
通 商 機 構 課(57)

題 目 : UR/農産物 協商 (日本 立場 및 던켈 事務總長 反應)

> 10.30(水) 開催된 UR/農産物 協商 主要國 非公式 協議(特別 세이프가드 論議)時, 日本은 例外없는 關稅化는 非現實的인 接近方法으로 國內的으로 履行할 수 없음을 强調 하였으며, 이에 대해 던켈 事務總長은 강한 不滿을 表示 하였는바, 同 發言要旨를 아래 報告 드립니다.

1. 日本 發言要旨

 o 例外없는 關稅化는 非現實的인 接近方法으로 同 接近方法은 國內的으로 履行할 수 없음.

 o 關稅化는 市場接近 關聯 여러 代案中의 한가지 代案에 불과함.

 o 國內補助, 輸出補助 分野와 市場接近 分野間에 均衡이 이루어져야 함.

2. 던켈 갓트 事務總長 發言要旨

 o 特別 세이프가드 論議는 例外없는 關稅化가 이루어진다는 ~~와 關聯시킨다는~~ 假定하에 技術的으로 檢討하는 것임.

 o 日本의 發言은 議長의 信賴性에 대한 根本的인 挑戰임.

 (이에 대해 日本은 假定下에서 特別 세이프가드를 論議하는데 反對하지 않는다고 解明). 끝.

공람	통상기구과	91년 11월 1일	담당	과장	심의관	국장	차관보	차관	장관
			송봉헌	(서명)					

0265

농 림 수 산 부

통일 20650-1017 503-7228 1991. 10. 31.

수신 외무부장관

참조 통상국장

제목 UR 농산물협상 위생및 동식물 검역규제 전문가회의 참석

1. UR 농산물협상 식품위생및 동식물 검역규제 전문가회의가 '91.11.4-11.10간 스위스 제네바에서 개최될 예정입니다.

2. 이번 전문가회의는 그동안 여러차례 작업단회의를 거쳐 합의한 사항과 미해결 쟁점부분에 대한 마무리 회의가 될 것으로 예상됨에 따라 금차회의에 다음과 같이 관련분야 정부대표를 파견코자 하오니 조치하여 주시기 바랍니다.

- 다 음 -

가. 정부대표

소 속	직 급	성 명
농림수산부	농업기좌	박창용(朴昌用) Park, Chang Yong

나. 출장지 : 스위스 제네바

다. 출장기간 : '91.11.4-11.10 (7일간)

라. 목 적 : UR /농산물협상 위생및 검역규제 전문가회의 참석

마. 소요경비 : 2,849$ (지변과목 1113-213)

첨부 : 1. UR 농산물협상 식품위생및 동식물 검역규제 전문가회의 대책(안)1부.
2. 출장일정 및 소요경비내역 1부. 끝.

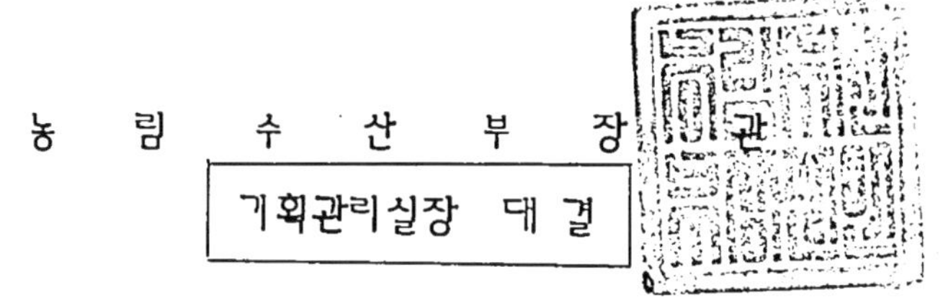
농 림 수 산 부 장 관

기획관리실장 대결

0266

외무부 통상기구과

출장일정 및 소요경비내역

가. 출장일정

ㅇ 11월4일(월) 서울출발(12:40, KE901 파리경유)
제네바도착(21:45. SR729)
5일(화) 대사관 신고(사전대책회의)
6일(수) 회의참석(오후 3:00)
7일(목) " (오전)
8일(금) 회의결과 정리및 보고서 작성
9일(토) 제네바 출발(16:50, KE908 런던경유)
10일(일) 서울도착

나. 소요경비 (국외여비)

항 목	내 역
항 공 료 일 비 숙 박 비 식 비 (소 계)	\$ 2,127 \$ 20 X 7일 = 140 \$ 66 X 5일 = 330 \$ 42 X 6일 = 252 (\$ 722, 항공료 제외)
합 계	\$ 2,849

※ 지변과목 : 1113-213 (국외여비)

0267

UR 농산물협상/ 위생및 검역규제전문가회의 대책 (안)

1. 금차회의 성격과 전망

가. 금차회의는 위생및 검역규제작업단 회의결과에 따라 브랏셀 회의에 상정된 합의 초안(MTN GNG/WGSP/7, '90.11.20)을 토대로 협의가 진행될 예정임.

나. 상기 합의초안의 1) 국제기준보다 엄격한 조치인정문제, 2) 식품첨가제 사용및 잔류물질 허용기준의 수입국 승인문제, 3) 적용대상범위, 4) 지방정부의 규정준수 등의 미해결분야등이 중점적으로 논의될 것이 예상됨.

다. 현재 위생및 검역분야의 미합의사항은 정치쟁점화하고 있는 것이 많고, 용이하게 해결할 수 있는 사항이 아니기때문에 완전합의까지는 다소 시간이 소요될 것으로 전망됨.

2. 아국 협상대응방안

가. 의장합의안은 북구, 일본, 아국등 수입국 입장이 상당부분 반영되어 있으나 최종 합의문에 다음사항의 아국입장이 반영되도록 대처

- 국제기준보다 엄격한 위생및 검역규제조치 인정 명문화
- 식품첨가제 사용및 잔류물질 허용기준 승인시 수입국 승인절차 이행후 적용가능
- 지방정부도 중앙정부와 동일하게 합의문안 준수
- 동물복지, 환경보호, 소비자 관심사항(interests and concerns), 소비자선호, 소비자정보, 환경, 윤리및 도덕적 고려등을 적용대상에서 재외

0268

나. 세부사항에 대한 문안조정은 엄격한 해석여지를 배제하고 수입국으로서 농산물 수입으로 인한 국민및 동.식물 건강저해 방지차원에서 위생및 동.식물검역 조치의 자율성 제고에 중점

다. 여타사항및 각국의 새로운 제안등에 대해서는 기존의 아국입장및 금차회의 검토 의견등을 토대로 적의 대처

0269

U R 농산물협상 위생및 검역규제 합의초안 검토 (안)

합 의 문 초 안	당 부 입 장	사 유
DECISION BY CONTRACTING PARTIES ON THE APPLICATION OF SANITARY AND PHYTOSANITARY MEASURES Basic Rights and Obligations 4. Contracting parties have the right to take sanitary and phytosanitary measures necessary for the protection of human, animal or plant life or health [within their territories], [including, when appropriate, measures more stringent than required by international standards, guidelines or recommendations,] provided that such measures are not inconsistent with the provisions of this decision.	0 ( ), ( ) 문안존치	0 4조(기본권리및 의무조항)와 10조(조화)중 4조의 (including, when appropriate --------- or recommendation)가 채택되는 것이 바람직함. 0 위생및 검역규제는 체약국의 영토내에 적용되어운용 0 수출국과 수입국의 권한과 의무사항과의 균형유지와 각국의 기술및 위생수준, 환경여건에 따라 국제기준보다 엄격한 규제조치를 정할 권리를 보유하여 각국이 인간, 동물또는 식물의 생명또는 건강을 보호할 수 있는 권리인정
6. Contracting parties shall ensure that their sanitary and phytosanitary measures do not arbitrarily or unjustifiably discriminate between contracting parties where identical or similar conditions prevail, including between their own territory [or parts thereof] and other contracting parties. Sanitary and phytosanitary measures shall not be applied in a manner which would constitute a disguised restriction on international trade.	0 ( ) 문안존치	0 위생및 검역규제는 체약국의 영토내에 적용되어 운용 0270

합 의 문 초 안	당 부 입 장	사 유
Harmonization 10. Alternative 1: [Contracting parties may introduce or maintain sanitary or phytosanitary measures which result in a higher level of sanitary or phytosanitary protection than would be achieved by measures based on the relevant international standards, guidelines or recommendations, if there is a scientific justification, or as a consequence of the level of protection a contracting party determines to be appropriate in accordance with paragraph 19. Notwithstanding the above, all measures which result in a level of sanitary or phytosanitary protection different from that which would be achieved by measures based on international standards, guidelines or recommendations shall not otherwise be inconsistent with the provisions of this decision.] Alternative 2: [Contracting parties shall not introduce or maintain sanitary or phytosanitary measures which result in a higher level of sanitary or phytosanitary protection than would be achieved by measures based on the relevant international standard, guideline or recommendation, where such exist, without reasonable scientific justification.]	0 Alternative 1채택	0 각국의 위생적, 지리적조건, 식관습이 다르기 때문에 국제기준보다 엄한조치를 채용해야만 하는 규정을 인정 "과학적으로 정당할 경우 국제기준보다 엄격한 조치를 채용할 수 있다"는 Alternative 1이 예외적조치에 대해 엄격한 규율이 필요함을 강하게 주장하는 Alternative 2에 비해 합리적임.
Assessment of Risk and Determination of the Appropriate Level of Sanitary or Phytosanitary Protection 16. In the assessment of risks, contracting parties shall take into account available scientific evidence; relevant processes and production methods; relevant inspection, sampling and testing methods; prevalence of specific diseases or pests; ecological [and environmental] conditions; and quarantine or other treatment.	0 ( )문안삭제	0 환경조건은 위생및 검역규제서 위험평가에 있어 필수적 고려요소는 아님.

0271

합 의 문 초 안	당 부 입 장	사 유
18. Alternative 1: [Contracting parties shall, in the determination of the appropriate level of sanitary or phytosanitary protection, take into account the desirability of maximizing trade opportunities while ensuring the legitimate and necessary protection of human, animal or plant life or health.] Alternative 2: [In cases of dispute settlement, the impact on the production or sales of an exporting contracting party because of the adoption of sanitary or phytosanitary measures more stringent than necessary according to verifiable scientific evidence, or relevant economic considerations, or an acceptable level of risk, should also be taken into account.]	0 Alternative 1 채택	0 위생및 검역규제조치는 인간및 동식물보호에 그 본래의 목적이 있는 것으로 무역촉진을 강조할 필요가 없으나 Alternative 2 는 분쟁해결절차시 검토여부가 결정될 사항이므로 Alternative 1채택
21. Without prejudice to paragraph 9, when establishing or maintaining sanitary or phytosanitary measures to achieve the appropriate level of sanitary or phytosanitary protection, contracting parties shall ensure that such measures are the least restrictive to trade, taking into account technical and economic feasibility [, and other economic considerations and genuine consumer concerns].	0 ( )"문안삭제	0 소비자 관심사항등은 순수한 위생및 검역규제대상에서 제외

0272

3

합 의 문 초 안	당 부 입 장	사 유
Control, Inspection and Approval Procedures 29. Alternative 1: [ ] - no provisions necessary. Alternative 2: [Contracting parties shall ensure that systems for approval of the use of food additives or tolerances for contaminants in food, feedstuffs, or beverages: (a) are based on sound scientific principles; (b) are operated in a manner that is transparent (as provided in Annex B) and non-discriminatory (as provided in Annex C); and (c) result in timely approval decisions (as provided in Annex C). Notwithstanding any other provision of this decision, a contracting party operating such a system may prohibit or restrict access to its domestic markets for imported products, based on the absence of an approval required by the importing contracting party.] Alternative 3: [Contracting parties shall ensure that systems for approval of the use of food additives or tolerances for contaminants in food, feedstuffs, or beverages: (a) are based on sound scientific principles; (b) are operated in a manner that is transparent (as provided in Annex B) and non-discriminatory (as provided in Annex C); and (c) result in timely approval decisions (as provided in Annex C). Notwithstanding any other provision of this decision, a contracting party operating such a system may prohibit or restrict access to its domestic markets for imported products, based on the absence of an approval required by the importing contracting party. However, a contracting party shall not impose such prohibition or restriction based solely on the absence of an approval if: (a) there is an applicable international standard adopted after [the entry into force of this decision]; (b) the product conforms to the applicable international standard; and (c) at least nine months have elapsed since: (i) the relevant international standard was adopted; (ii) the data considered in developing the standard were provided to the contracting parties by the Committee on Sanitary and Phytosanitary Measures; and (iii) a complete application for the required approval has been submitted.]	Alternative 2 채택	0 많은국가들이 식품위생법에 의거 각국정부가 안전하다고 인정한 것의 목록에 등록되어 있지 않은 식품첨가에 사용허가, 오염물질의 허용설정이 없는 경우 수입을 금지하고 있으며 잠정수입에 반대하고 있음. 0 Codex Alimentarius Commission 에서 제시한 각종기준및 규격은 각국의 식생활습관, 환경의 차이등을 고려하지 않고 있으므로 각국에서의 조정이 필요함. 0 또한 Codex Alimentarius Commission 에서는 각국의 기준설정 권한및 수입산물의 재검사 권한을 인정함. 0 식품첨가제 사용, 오염물질의 허용치 설정등 인간위생에 특히 중요한 사항은 체약국의 정당한 국내등록 절차 준수가 필수적임. 0 Alternative 3,4는 수입국 허가미취득 시에도 잠정수입해야 하는 규정임. 0273

4

합 의 문 초 안	당 부 입 장	사 유
Alternative 4: [A contracting party operating any procedure for approval of food additives or tolerances for contaminants in food, feedstuffs or beverages, may not prohibit or restrict the access of imported products to its markets because its approval procedure has not been completed, unless it operates that procedure in a manner consistent with the disciplines outlined in this agreement. However, when a relevant international standard exists, the importing contracting party shall not prohibit or restrict access for products that conform to that standard for longer than 4 months after receiving an application for approval, unless during that time the importing contracting party introduces a standard that differs from the applicable international standard in accordance with paragraph 10.]		
Consultations and Dispute Settlement [Note: Depending on the form of this agreement, it may be necessary to make specific provisions with respect to dispute settlement. If the agreement takes the form of a Decision by CONTRACTING PARTIES, the following provisions would be appropriate. 36. This decision shall be subject to the provisions of Articles XXII and XXIII and the dispute settlement procedures applicable to those articles as adopted by the CONTRACTING PARTIES.	ㅇ ( )내의 36조,37조 존치	
37. In a dispute under this decision involving scientific or technical issues, a panel should seek advice from experts chosen by the panel in consultation with the parties to the dispute. To this end, the panel may, when it deems it appropriate, establish an advisory technical experts group, or consult the relevant international organizations, at the request of either party to the dispute or on its own initiative.]	ㅇ 셋째줄- "to the dispute" 뒤에 "and require the relevant internatioal organizations to recommend technical experts" 삽입	ㅇ 위생및 검역규제에 대한 PANEL 은 기술적인 분야를 다루기 때문에 이들분야에 대한 전문가의 자문이 필요하고 기술전문가를 IPPC,OIE, Codex Alimentarius Commission 등의 국제기구에서 추천을 받아 과학적이고 공평한 판결에 도움을 줌. 0274

합 의 문 초 안	당 부 입 장	사 유
Administration		
42. The Committee shall develop a procedure to monitor the process of international harmonization and the use of international standards, guidelines or recommendations. [For this purpose, the Committee should, in conjunction with the relevant international organizations, establish a list of international standards, guidelines or recommendations relating to sanitary or phytosanitary measures which the Committee determines to have a major trade impact. The list should include an indication by contracting parties of those international standards, guidelines or recommendations which they apply as conditions for import or on the basis of which imported products conforming to these standards can enjoy access to their markets. For those cases in which a contracting party does not apply an international standard, guideline or recommendation as a condition for import, the contracting party should provide an indication of the reason thereof, and, in particular, if it considers that the standard is not stringent enough to provide the appropriate level of sanitary or phytosanitary protection.]	0 전문삭제	0 12조의 내용(위생및 검역규제위원회는 국제간 조화의 진전상황의 감시절차개발)과 중복 0 위생및 검역규제는 고도의 기술적 사항이며 위생및 검역규제위원회 관련 국제기구의 기능과 중복우려가 있고 또한 국제기준 위반시 국제기구의 분쟁해결절차 이용이 가능함.
44. [If a contracting party revises its position, following its indication of the use of a standard, guideline or recommendation as a condition for import, it should provide an explanation for its change and so inform the GATT as well as the relevant international organizations, unless such notification and explanation is given according to the procedures of Annex B.]	0 전문삭제	0 Annex B (위생및 검역규정의 명료성)의 내용과 중복
45. The Committee may, on the basis of an initiative from one of the contracting parties, through appropriate channels invite the relevant international organizations or their subsidiary bodies to examine specific matters with respect to a particular standard, guideline or recommendation, [including the basis of explanations for non-use given according to paragraph 44 above].	0 ( )문안삭제	0 44조 사유와 동일

0275

6

합의문 초안	낭부입장	사유
Implementation 46. [Contracting parties shall ensure that governmental authorities within their territories comply with the relevant provisions of this decision.] [Contracting parties shall ensure the observance of the provisions of this decision by the regional and local governments and authorities within its territory in accordance with Article XXIV:12 of the General Agreement.] Contracting parties shall also take such reasonable measures as may be available to them to ensure that non-governmental entities within their territories, as well as regional bodies in which relevant entities within their territories are members, comply with the relevant provisions of this decision. In addition, contracting parties shall not take measures which have the effect of, directly or indirectly, requiring or encouraging such regional or non-governmental entities to act in a manner inconsistent with the provisions of this decision.	0 ( ), ( ) 문안존치	0 위생및 검역규제에 있어 1국가내에 2중적인 규제기준의 유지가 불합리함으로 지방정부도 합의문을 준수해야함. 0 중앙정부와 아울러 지방정부도 동일하게 합의문 이행 의무가 부여되어야 함.
Final Provisions 47. Nothing in this decision shall affect the rights of parties to the Agreement on Technical Barriers to Trade with respect to measures not within the scope of this decision. 48. [With respect to existing mandatory legislation inconsistent with this decision, this decision shall enter into force on [plus 2 years]. With respect to all other sanitary or phytosanitary measures, this decision shall enter into force on [plus 6 months]. Developing contracting parties may delay application of this decision until [plus 2 years] with respect to their sanitary or phytosanitary measures affecting importation or imported products.] 49. [The provisions of the decision shall be reviewed and revised as appropriate 5 years after its entry into force.]	0 전문을 "With respect to all sanitary and phytosanitary measures, this decision shall enter into force on plus 2~5 years, 0 ( )문안존치	0 본합의문과 일치및 불일치규정 구분이 어렵고, 현행 국제기준설정이 매우 미흡한 수준이므로 국제기준 일치및 불일치 국내기준확인, 국제기준설정에 필요한 기간등을 고려, 장기간의 유예기간이 있어야 함. 0 개도국에 대한 유예기간은 34조 내용에 따라 위생및 검역규제 위원회에서 검토, 결정되어야 함. 0 개도국에의 유예기간부여는 예민한 분야이기 때문에 아측 입장 유보조치 0 이의없음.

0276

합 의 문 초 안	당 부 입 장	사 유
ANNEX A Definitions* For the purposes of this decision, the following definitions shall apply: 1. Sanitary or phytosanitary measure - Any measure applied:		
NOTE: Sanitary or phytosanitary measures include all relevant laws, decrees, regulations, requirements and procedures including, inter alia, and product criteria; processing and production methods; testing, inspection, certification and approval procedures; quarantine treatments including relevant requirements associated with the transport of animals or plants; provisions on relevant statistical methods, sampling procedures and methods of risk assessment; packaging and labelling requirements directly related to food safety; [measures for the protection of animal welfare and of the environment, as well as of consumer interests and concerns]. Requirements concerning quality, composition, grading, [consumer preferences, consumer information, animal welfare, the environment or ethical and moral considerations] are not included in the definition of sanitary or phytosanitary measures.	0 9-11열 : ( )문안 삭제 0 12-13열 : ( )문안존치	0 본 합의문에는 인간, 동식물의 생명과 건강에 직접적으로 관련된 규정, 요구, 절차만을 포함해야 함. 0 동물복지보호, 환경보호, 소비자기호, 도덕적 고려등과 관련된 조치는 순수한 위생및 검역규제대상에서 제외되어야 할 것임.
4. Risk assessment - The evaluation of the likelihood of establishment or spread of pests or diseases [within the territory of the importing contracting party and the relevant potential biological and economic consequences,] [and the relevant potential biological, environmental and economic consequences,] or the evaluation of the potential adverse effects on human or animal health arising from additives, contaminants, toxins or disease-causing organisms in foods, feedstuffs and beverages.	0 12-4열 : ( ) 존치 0 4-5열 : ( ) 삭제	0 위험평가시에는 환경적인 고려보다는 체약국 영토내의 생물학적, 경제적인 영향이 고려되어야 할 것임.

0277

8

기 안 용 지

분류기호 문서번호	통기 20644-	(전화: 720 - 2188)	시 행 상 특별취급	
보존기간	영구. 준영구 10. 5. 3. 1.	장 관		
수 신 처 보존기간				
시행일자	1991.10.31.			

보조기관			협조기관		문서통제
	국 장	전 결			
	심의관				
	과 장				
기안책임자		송 봉 헌			발 송 인

경 유 수 신 참 조	건 의	발신명의		
제 목	정부대표 임명			

91.11.6-7간 스위스 제네바에서 개최되는 UR/농산물 협상 위생 및 동.식물 검역 규제 전문가 회의에 참가할 정부대표를 "정부대표 및 특별사절의 임명과 권한에 관한 법률"에 의거 아래와 같이 임명할 것을 건의하오니 재가하여 주시기 바랍니다.

- 아 래 -

- 1 -

0278

1. 회 의 명 : UR/농산물 협상 위생 및 동.식물 검역 규제

전문가 회의

2. 회의기간 및 장소 : 91.11.6-7, 스위스 제네바

3. 정부대표 :

o 농림수산부 통상협력1과 농업기좌 박창용

o 주 제네바 대표부 관계관

4. 출장기간 : 91.11.4-10

5. 소요예산 : 소속부처 소관예산

6. 훈 령 : 별첨 참조. 끝.

- 2 -

0279

53298

기 안 용 지

분류기호 문서번호	통기 20644-	(전화: 720 - 2188)	시 행 상 특별취급	
보존기간	영구. 준영구 10. 5. 3. 1.	장	관	
수 신 처 보존기간				
시행일자	1991.10.31.			

보조기관	국 장	전 결	협조기관		문서통제
	심의관				검열 1991. 11. 01 통제관
	과 장				
기안책임자		송 봉 헌			발 송 인

경 유 수 신 참 조	농림수산부장관	발신명의		
제 목	정부대표 임명 통보			

91.11.6-7간 스위스 제네바에서 개최되는 UR/농산물 협상 위생 및 동.식물 검역 규제 전문가 회의에 참가할 정부대표가 "정부대표 및 특별사절의 임명과 권한에 관한 법률"에 의거 아래와 같이 임명 되었음을 알려 드립니다.

- 아 래 -

- 1 -

0280

1. 회 의 명 : UR/농산물 협상 위생 및 동.식물 검역 규제

전문가 회의

2. 회의기간 및 장소 : 91.11.6-7, 스위스 제네바

3. 정부대표 :

o 농림수산부 통상협력1과 농업기좌 박창용

o 주 제네바 대표부 관계관

4. 출장기간 : 91.11.4-10

5. 소요예산 : 소속부처 소관예산

6. 출장 결과 보고 : 귀국후 20일이내. 끝.

	분류번호	보존기간

발 신 전 보

번 호 : WGV-1517 911101 1423 BE 종별 :

수 신 : 주 제네바 대사. 총영사

발 신 : 장 관 (통 기)

제 목 : UR/농산물 협상 (위생.검역)

1. 11.6-7간 귀지에서 개최되는 표제 협상 위생 및 동.식물 검역 규제 전문가 회의에 아래 본부대표를 파견하니 귀관 관계관과 함께 참석토록 조치바람.

o 농수산부 통상협력1과 농업기좌 박창용

2. 금번 회의에는 기존 입장 및 본부대표가 지참하는 쟁점별 세부자료에 따라 적의 대처바람. 끝. (통상국장 김 용 규)

보 안 통 제	

앙 고 재	91년 11월 1일	통상기구과	기안자 성 명		과 장		국 장		차 관	장 관
			송봉헌				전결			

외신과통제

0282

정리보존문서목록					
기록물종류	일반공문서철	등록번호	2019080089	등록일자	2019-08-13
분류번호	764.51	국가코드		보존기간	영구
명 칭	UR(우루과이라운드) / 농산물 협상 그룹 회의, 1991. 전7권				
생 산 과	통상기구과	생산년도	1991~1991	담당그룹	다자통상
권 차 명	V.6 11월				
내용목차	* 2.26. TNC, Dunkel 사무총장 제안서 채택 4.25. TNC, 농산물 그룹 의장에 Dunkel 선임 6.12. Dunkel 현황 보고서 배포 6.24. Dunkel 대안(optional paper) 제시 8.2. Dunkel 대안(6.24.) 부록 배포 11.21. Dunkel working paper 제시 - 11.25. Dunkel 작업문 초안 관련 농림부 장관 서한 발송 12.13. Dunkel 의장 농산물 협상 협정 초안 배포 - 12.17. 민감품목 관세화 예외 인정 수정 제안 사무총장앞 서면 제출				

0001

관리 번호	91-748

원본

외 무 부

종 별 :

번 호 : JAW-6179 일 시 : 91 1101 1557

수 신 : 장관(통기)

발 신 : 주 일 대사(일경)

제 목 : UR/농산물 협상

최근 던켈 GATT 사무총장의 합의 초안 제시가 가까워짐에 따라 주재국 내에서도 쌀시장 개방 여부를 둘러싼 논의 및 움직임이 활발해 지고 있는 바, 주요 동향을 언론 보도를 중심으로 종합보고함.

1. 일본의 양보 또는 유연한 대응을 시사하는 것으로 해석 가능한 발언

가. 미야자와 차기 수상 지명 예정자의 발언(10.31 요미우리 신문과의 인터뷰)

0 던켈 사무총장 합의 초안의 내용에 따라 일본의 대응은 달라질것임.

0 현재 일 국회가 쌀시장 개방 반대 결의를 한바 있으며, 일정부도 이러한 방침에 따라 완전 관세화를 반대하는 방향에서 대응하고 있으나, GATT 의 라운드협상이라고 하는 것은 각국이 같은 정도의 양보를 하여 타결되는 것인만큼, 자국만이 어떠한 희생도 지불하지 않겠다고 하는 것은 다자간 라운드 협상에서는 있을수 없음.

나. 외무성 간부원 발언(10.31)

0 신임수상, 외상, 농림수산상등이 충분히 협의한후에 일본의 입장을 명백히 밝혀야할것임.

0 일본은 아무것도 안해도 괜찮다든지, 또는 현재 그다지 교섭의 진전이 없으므로 일본도 아무것도 안해도 된다는 식의 생각은 곤란함.

현재 정부내에서도 여러가지 생각하고 있는바가 있으며, 외무성으로서도 양보가 불가피할 경우 어떻게 대응할 것인가를 검토중임.

이와는 별도로 한 외무성 관계자는 10.30 일본이 쌀시장 개방을 계속 거부할 경우 미국의 통상법 301 조 가 발동될것으로 전망

다. 한편, 최근 "히야미"일본 경제 동우회 대표간사등 재계인사들에 의하 쌀시장 개방 불가피 발언이 증가하고 있음.

2. 일본의 개방 불가입장을 재차 표명한 움직임 및 발언

통상국	장관	차관	1차보	2차보	아주국	경제국	외정실	분석관
청와대	안기부							

PAGE 1

91.11.01 17:42

외신 2과 통제관 CD

0002

가."시오쿠"농림수산 심의관(차관급)의 던켈 사무총장 면담(10.31)

0 "시와쿠" 농림수산 심의관 은 10.31 던켈 사무총장을 면담코 , 쌀을 포함한 농산물의 완전 관세화안이 합의초안으로서 정식으로 제시될 경우 일본 정부로서는 이를 수용할수 없으며, 이는 미야자와 수상의 신정권 성립후에도 변함이 없다고 언급

0 일정부의 우루과이 라운드 교섭 담당자가 일정부의 거부 방침을 명백히 통고한 것은 처음으로서 동 심의관은 제네바로 출발전 신정권 관계자와도 협의한것으로 알려지고 있음.

나. 농림수산성 간부의 발언(10.31)

0 농림수산성의 간부는 외무성 관계자에 의한 미 통상법 301 조 발동 전망(상기 1 항 나)에 대하여 , 현재 미통상법 301 조등 일방적 보복조치를 금지하는 방향에서 협상이 진전되고 있는데도 불구하고, 그러한 전망을 하는 것은 부적절하다고 하면서 외무성측을 비난

3. 당관관찰

가. 현재 일 정부는 던켈 사무총자으의 합의 초안이 최대한 일본측에 유리한 것이 되도록 하는데 1 차적 목표를 두고서 정부 및 자민당, 사회당 관계자들이 지난 9 월부터 계속하여 던켈 사무총장을 접촉중임.

나. 그러나, 국내적으로는 쌀시장의 관세화 반대가 관철되지 않았을 경우에대비한 대응 방안의 검토도 동시에 진행시키고 있는 것으로 보이며, 이과정에서 상대적으로 국제사회와의 관계 및 대외 통상관계를 중시하는 외무성 및 통산성과 국내 농민에 대한 영향을 중시하는 농림수산성간에 견해 차이가 존재하는 것으로 관측됨.

다. 한편,11 월 중순경 실제로 완전 관세화를 내용으로 하는 합의초안이 제시되었을 경우, 일측으로서는 최소한 지금까지 일관되게 주장해완 반대 입장을 일거에 변경하기는 어려우며, 또한 신내각이 11 월 5 일 발족되어 합의초안 제시까지는 입장을 새로이 정립할 충분한 시간이 없다는 점에서도 일단 반대 입장을 견지해 나가되, 미국, EC 등 주요 국가의 반응 및 기타 정황을 보아가면서 입장 변경 여부를 검토해 나갈 것으로 전망됨. 끝

(대사 오재희-국장)

예고:91.12.31 일반

원 본

관리 번호	91-756

외 무 부

종 별 :

번 호 : GVW-2245 일 시 : 91 1104 1920

수 신 : 장관(통기,경기원,재무부,농림수산부,상공부)

발 신 : 주 제네바대사

제 목 : UR/농산물 협상(런던 4극 회의)

1. 11.1(금) 런던에서 개최된 4 극(미, 이씨, 일, 호주) 회의관련 당지 일본대표부 관계관에게 탐문한 내용을 하기 보고함.(천농무관 통화)

- 참석자

0 미국: 크라우더 농무성차관

0 일본: 엔도대사, 시와쿠심의관, 아즈마 농림성부장

0 이씨: 라그라스 농업총국장

0 호주: 피터필드차관, 캐넌협상대표

- 협의내용

0 각국이 기존 입장을 반복하여 큰 진전이 없었음.

0 차기 회의에 대한 합의도 없었음.

2. 한편 당지 체류중인 최혁 심의관이 이사가이 일본 공사와 면담시 확인한바 동일한 내용이며, 여타 대표부와도 계속 접촉 확인토록 노력하겠음.

3. 각국 대표단이 CAPITAL 에서 참석하고 바로 본국으로 귀임한바, 각국 수도에서 동 회의 내용을 파악토록 노력할 필요가 있다고 봄

4. MADIGHN 미농무장관과 MCSHIRY 집행위원이 11.8(금) 회동 예정이며, 미-EC 정상회담이 11.9(토) 개최 예정임(UR 과는 상관없이 예정되어 있던것임)을 참조 바람.
끝

(대사 박수길-국장)

예고:91.12.31. 까지

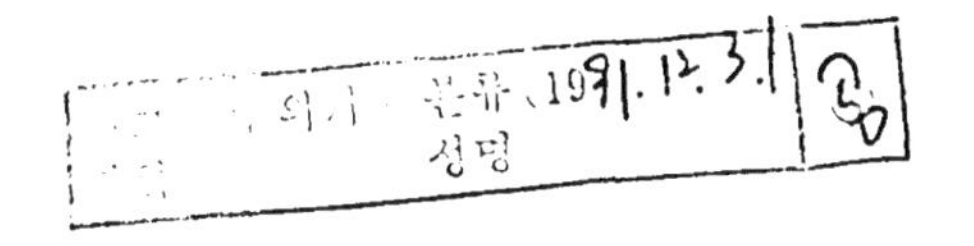

통상국 장관 차관 2차보 분석관 청와대 안기부 경기원 재무부
농수부 상공부

PAGE 1 91.11.05 05:41

외신 2과 통제관 CE

0004

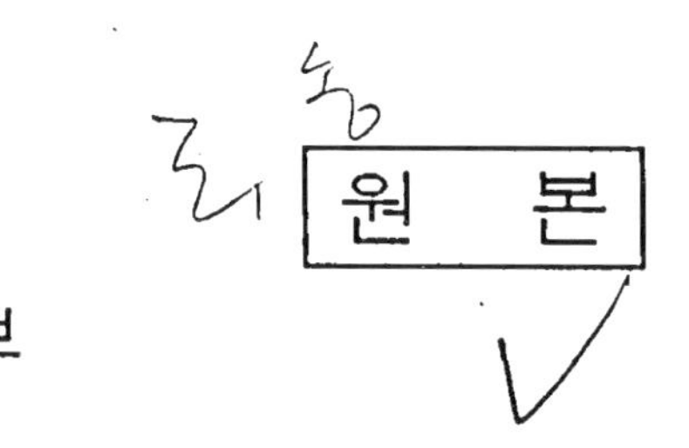

외 무 부

종 별 :

번 호 : AUW-0922 일 시 : 91 1105 1600

수 신 : 장 관(통기,아동)

발 신 : 주 호주대사

제 목 : UR 농산물협상에 관한 외무장관 발언

1.주재국 EVANS 외무장관은 11.4 자신과 호주고위 외교관인 BRUCE GRANT가 공동집필한 책자 'AUSTRALIA'S FOREIGN RELATIONS:IN THE WORLD OF THE1990S' 출판기념회 연설을 통해 현재의 UR협상이 실패할경우 호주는 미국과 같은 나라들과 쌍무무역협상을 갖는것을 배제하지 않을 것이라고 말함.

2.EVANS 장관은 UR 협상의 결과를 예측하는것은 시기상조이지만 UR 협상의 대안은 의심할 여지없이 역내국가 뿐만 아니라 전 세계적으로 다수의 국가와 쌍무 무역관계를 맺는것이며, UR 협상의 실패는 무역문제를 일방적인 조치와 차별적인 양자협상및 내부 지향적인 지역협정을 통해 해결하는 결과를 초래할 것이라고 말함.

3.EVANS 장관의 여사한 발언에 대해 이룹 언론에서는 동발언이 북미 FTA를 염두에 둔 발언인 것으로 보고 있는 바, EVANS 외무장관 저서는 추후 송부 예정임.끝.(대사 이창범-국장)

통상국 2차보 미주국 청와대 안기부

PAGE 1 91.11.05 15:14 WH

외신 1과 통제관

0005

관리 번호	91-760

	분류번호	보존기간

발 신 전 보

번 호 : WUS-5041 911105 1426 ED 종별 : 지급

수 신 : 주 수신처 참조 대사. 총영사 (사본 : 주 제네바 대사) WJA -5022 WEC -0697 WAU -0861 WGV -1535

발 신 : 장 관 (통 기)

제 목 : UR/농산물 협상 (런던 4극회의)

1. 주제네바 대표부가 탐문한 바에 의하면 11.1. 런던에서 개최된 UR/농산물 협상 관련 4극 회의에는 아래 주요국 대표들이 참석, 농산물 협상에 대한 논의를 함.
   - o 미 국 : Crowder 농무부 차관보
   - o 일 본 : Endo 대사, '시와쿠' 외무성 심의관, '아즈마' 농림성 부장
   - o E C : '라그라스' 농업총국장
   - o 호 주 : '피더필드' 차관, '캐넌' 협상대표
2. 상기관련, 귀주재국 관련부서를 접촉, 런던 4극회의에서의 논의 결과(쌀 문제 관련 일본의 입장 변화 여부 포함)를 가급적 상세 파악 보고바람.
3. 또한, 11.8 Madigan 미 농무장관과 MacSharry EC 농업담당집행위원이 더블린에서 회동 예정인바, 동 회담 결과도 파악, 수시 보고바람. 끝.

(통상국장 김 용 규)

수신처 : 주 미, 일, EC, 호주 대사

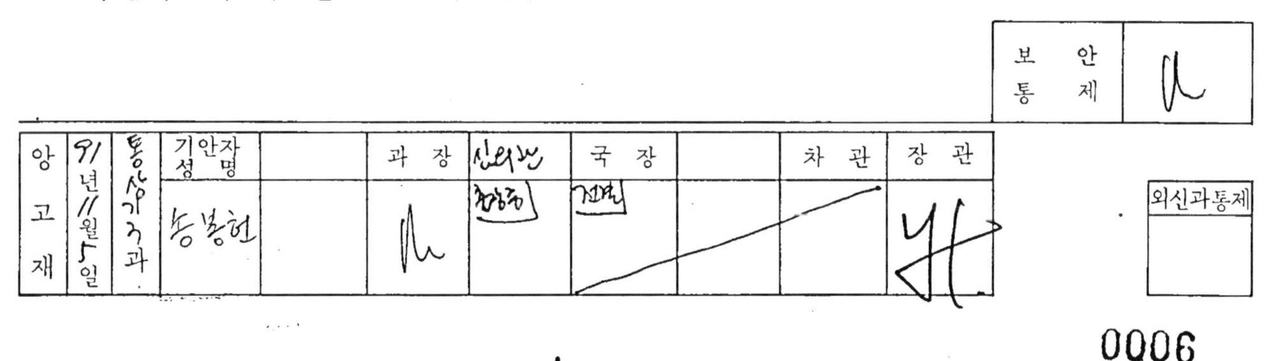
보안 통제	

앙 고 재	91년 11월 5일	통상기구과	기안자 성명		과 장		국 장		차 관	장 관

외신과통제

0006

관리 번호	91-761

분류번호	보존기간

발 신 전 보

번 호 : WGV-1537 911105 1547 ED 종별 :

WJA -5024

수 신 : 주 일, 제네바 대사. 총영사

발 신 : 장 관 (통 기)

제 목 : UR/농산물 협상

연 : WGV-1535, WJA-5022

1. 막바지에 접어 들고 있는 UR/농산물 협상은 타결 방안 모색을 위해 연호 런던 4극 회담등을 위시하여 주요국간 비공식 협의를 더욱 활발히 전개할 것으로 예상되며, 일본의 경우 동 협의 직접 참여와 아울러 자국이 참여치 않는 미.EC간 협의등 주요국간 막후 절충 내용도 비교적 상세히 인지하고 있을 것으로 관측됨.

~~2. 또한, 농산물 협상(특히, 쌀)에 대한 일본 입장의 변화 여부는 아국 입장에도 상당한 영향을 미칠 것으로 판단됨.~~

2. 상기 감안, UR 협상 최종 타결시까지 귀주재국(귀지) 외무성등 관련부서(일본 대표부 관계관) 접촉을 강화, 농산물 협상 동향과 일본 입장을 은밀히 탐문, 수시 보고바람. 끝. (통상국장 김 용 규)

일반문서로 재분류(1991.12.31.)

보안 통제	

앙 고 재	91년 11월 5일	통상기구과	기안자 성명		과 장	심의관	국 장	차 관	장 관
			송봉헌				전결		

외신과통제

0007

관리 번호	91-762

원 본

외 무 부

종 별 :

번 호 : GVW-2252 일 시 : 91 1105 1810

수 신 : 장관(통기,경기원,농림수산부,재무부,상공부,청와대,외교안보,경제수석)

발 신 : 주 제네바 대사 사본:주미 및 EC,호주대사(본부중계필)

제 목 : UR/농산물 협상(런던 4극 회의)

연: GVW-2245

본직이 표제회의에 참가한 당지 호주대사와 접촉, 확인한바, 동 대사는 문제를 해결하려는 긍정적 분위기였으며, 다만 일본의 입장에는 변화가 없었다고 평가한바, 동 대사 언급 요지 아래 보고함.

1. 관련 국간 현존하는 차이점을 줄이기 위한 방향으로 움직이고 있음

2. 극복해야 할 많은 문제점이 있는 것은 사실이나, MIJOR PLAYER 들은 DEALING 을 할 결의가 되어 있음.

3. 어느 국가는 분명히 다른 나라들과 전혀 보조가 맞지않았음.(COMPLATELYOUT OF TUNE WITH OTHERS)(일본의 예외없는 관세화 반대입장을 의미하는 것으로 감지)

4. 상세 내용을 밝힐수 없으나 분위기는 전향적으로 움직여야 한다는 견해로서 기본적으로 긍정적인 것이었음. 끝

(대사 박수길-차관)

예고:91.12.31. 까지

통상국	장관	차관	1차보	2차보	외정실	분석관	청와대	청와대
안기부	경기원	재무부	농수부	상공부				

PAGE 1

91.11.06 06:17

외신 2과 통제관 CA

0008

관리번호	91-766

원 본

외 무 부

종 별 :

번 호 : GVW-2264 일 시 : 91 1106 1900

수 신 : 장관(통기,경기원,재무부,농림수산부,상공부,청와대외교안보,경제수석)

발 신 : 주 제네바 대사 사본:주미,주일,주 EC,주호주대사(중계필)

제 목 : UR/일본 엔도대사 면담

1. 본직은 금 11.6(수) 오후 런던 4극회의 참가후 당지를 방문한 일본의 엔도대사를 당관으로 초치 약 40 분간 면담한바, 동인 언급 요지 아래 보고함.(김대사 동석)

가. 런던 회의시 일본측은 쌀에 대한 관세화 불가 입장을 분명히 하였으며, 쌀 이외의 품목에 대해서는 협상 용의가 있음을 밝힘

나. 쌀에 대한 관세화를 일본 정부가 수용할 수 없는 이유는 의회에 의해서 수락되지 않을 것이 분명하므로 따라서 정부가 수용, 이를 DELIVER 할수 없는 형편이 되기 때문임. 이러한 입장에는 미야자와 정권도 변함이 없음.

다. 관세화 문제, 보조금 문제등 여러 농업협상 분야를 협의하였으나, 숫자에 관한 논의는 없었음.

라. 일본의 쌀에 대한 관세화 예외 주장에 대해서는 EC 로서는 쌀에 대해서는 사실 별 관심이 없으나, 원칙의 문제로서 연쇄 파급효과를 더 우려하며 미국으로서는 연쇄효과 이외에도 미정부가 현재 WAIVER 를 받고 있는 품목중 1-2 개를 예외 품목으로 요청하기 위해 이를 선정할 수 없다는 현실적인 정치적 한계와 애로가 있는 것도 사실임.

마. 미.EC. 간에는 협상의 진전을 위한 진지한 노력을 계속하고 있는 것으로 알며, 아직도 극복해야 할 상당한 문제점들이 있는 것은 사실이나 실제로 진전을 보이고 있는 분야도 있음(EC 가 더 적극적이나 분야별로 조건을 내세우고 있다는 언급이 간단히 지나가는 말로 있었음). 그러나 일본은 쌀문제로 말미암아 더욱 고립되어 가고 있는것이 사실임.

바. 협상이 최종적으로 결렬 되는 경우 일본이 협상을 BLOCK 했다는 국제적 비난을 받을 가능성을 우려하지 않을수 없으나 일본 정부로서는 다른 선택의 대안이

통상국	장관	차관	1차보	2차보	경제국	외정실	분석관	청와대
청와대	안기부	경기원	재무부	농수부	상공부	중계		

PAGE 1

91.11.07 07:33

외신 2과 통제관 BS

0009

없음(한국도 쌀에 대한 입장이 비슷한 것으로 아는 만큼 한국도 비슷한 입장에 있을 것이라는 언급이 있었음)

2. 엔도 대사는 명 11.7. 일단 귀국하였다가 내주중 다시 제네바로 올 예정이라함. 끝

(대사 박수길-국장)

예고:91.12.31. 까지

원 본

관리번호	91-193

외 무 부

종 별 : 지 급

번 호 : HOW-0444 일 시 : 91 1106 1300

수 신 : 장 관(통기,구일)

발 신 : 주 화란 대사

제 목 : 미국.EC 정상회담 - 1 차 배포 -

대: WHO-

1. 부시 미국 대통령은 로마 나토 정상회담 참석후, EC 와의 정례협의를 위한 미.EC 간 정상회담차 11.8-9 양일간 주재국을 방문하며 (베이커 국무장관 수행), 동 방문기간중 11.8. 저녁 BEATRIX 주재국 여왕을 면담하고 11.9. 오전 주재국 LUBBERS 수상, VAN DEN BROEK 외무장관 및 DELORS EC 집행위원장등과 회담 예정에 있음.

2. 금번 미.EC 간 정상회담에서는 국제 및 지역정세, 세계경제, 미.EC 간 사항등이 종합적으로 논의될 것이나, 특히 주요 의제의 하나인 UR 협상 문제와 관련, EC 측은 시장접근, 농업, 서비스, 지적소요권, 분쟁해결, 보조금등의 전반적 분야에 있어 미국과의 이견 해소 내지 타협을 통한 UR 협상의 진전을 기대하고 있으며, 특히 미국측의 일방적인 무역제재조치(301호) 배제를 통한 보다 강력한 GATT 체제를 희망하고 있음.

3. 상기 결과 및 관련사항 추후 보고 위계임.끝.

(대사 최상섭-국장)

예고:91.12.31.일반

통상국	장관	차관	2차보	구주국	외정실	분석관	청와대	안기부

PAGE 1

91.11.07 08:34

외신 2과 통제관 BS

0011

관리 번호	91-195

원 본

외 무 부

종 별 : 지 급

번 호 : HOW-0444

일 시 : 91 1106 1300

수 신 : 장 관 (통기,구일)

발 신 : 주 화 란 대사

제 목 : 미국 .EC 정상회담 - 재배부 -

대:WHO-0396

1. 부시 미국 대통령 (부부)는 로마 나토 정상회담 참석후, EC 와의 정례 협의를 위한 미.EC 간 정상회담차 11.8-9 양일간 주재국을 방문하며 (베이커 국무장관 수행), 동 방문기간중 11.8. 저녁 BEATRIX 주재국 여왕을 면담하고 11.9. 오전 주재국 LUBBERS 수상, VAN DEN BROEK 외무장관 및 DELORS EC 집행위원장등과 회담 예정에 있음.

2. 금번 미.EC 간 정상회담에서는 국제 및 지역정세, 세계 경제, 미.EC 간 사항등이 종합적으로 논의될 것이나, 특히 주요의제의 하나인 UR 협상 문제와 관련, EC 측은 시장접근, 농업, 서비스, 지적소요권, 분쟁해결, 보조금등의 전반적 분야에 있어 미국과의 이견 해소 내지 타협을 통한 UR 협상의진전을 기대하고 있으며, 특히 미국측의 일방적인 무역제재조치(301호) 배제를통한 보다 강력한 GATT 체제를 희망하고 있음.

3. 상기 결과 및 관련사항 추후 보고 위계임.끝.

(대사 최상섭-국장)

예고:91.12.31.일반

통상국 장관 차관 2차보 구주국 외정실 분석관 청와대 안기부

PAGE 1

91.11.07 13:24

외신 2과 통제관 BS

0012

관리번호 91-771

원 본

외 무 부

종 별 :

번 호 : AUW-0937

일 시 : 91 1107 1600

수 신 : 장관(통기)

발 신 : 주 호주 대사

제 목 : UR/농산물협상(런던 4국회의)

대:WAU-0861

1. 대호 주재국 외무부 관계관에 의하면 동 4 국회의는 농산물문제에 관한 이견을 좁히는데 목적이 있었으며 관련 상세내용에 관해서는 동회의 참가국들이 회의내용에 관해 대외보안에 유의(CAREFUL)하기로 하였음으로 주재국으로서는 회의 논의결과를 밝히기가 어렵다는 반응을 보임.

2. 주재국측은 NATO 정상회담 의제에 UR 문제가 포함되어 있으며 부쉬대통령이 헤이그에서 DELOR EC 집행위원장과 만나기로 되어있어 부쉬대통령의 금번 유럽방문을 통해 UR 농산물 협상에 커다란 진전이 있을것으로 기대하고 있다고 함. 끝.

(대사 이창범-국장)

예고:91.12.31. 까지.

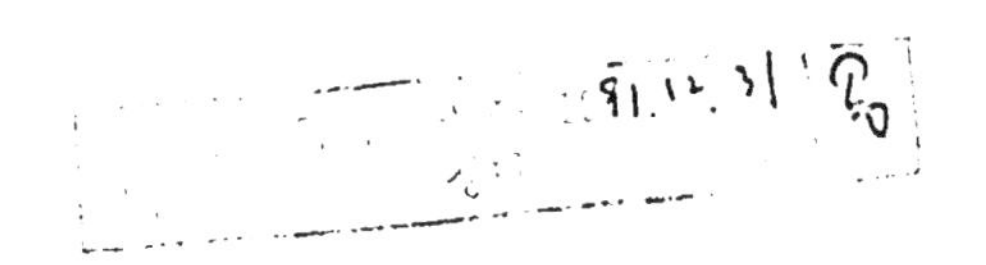

통상국	장관	차관	1차보	2차보	아주국	외정실	분석관	청와대
안기부								

PAGE 1

91.11.07 14:32

외신 2과 통제관 CD

0013

관리 번호	91-773

원 본

외 무 부

종 별 :

번 호 : USW-5490 일 시 : 91 1107 0920

수 신 : 장 관(통기,통이,경기원,농림수산부,상공부,재무부

발 신 : 주미 대사 사본:주제네바, EC 대사

제 목 : UR/ 농산물 협상

예고문에 의거 재분류(1991.12.31)

대:WUS-5041

1. 대호 지시에 의거, 당관 구본영 공사가 당지 일본 대사관 히라바야시 공사와 접촉, 대호 4 국 회담에서의 일본의 입장 변화를 타진한데 대해 히라바야시공사는 일본은 신정부가 들어서서 정책을 구상해 낼 때까지는 기존 입장을 유지할 수 밖에 없는 실정이므로 4 국 회의에서도 기존 입장을 되풀이할 수 밖에 없었으며, 결과적으로 동 협의에서 특별한 타개책을 찾지 못하였고 미국은 회의 결과에 대해 불만을 표하고 있는 것으로 안다고 언급하였음.

2. 또한 당관 이영래 농무관은 11.6 미농무부 해외농업처 RICHARD B. SCHROETER 처장보를 면담, 동건 협의한 결과를 요지 아래 보고함.

. 동 회의는 UR 과 관련하여 수시로 개최되는 각급 회의의 일환으로 개최된차관급 LEVEL 의 회의로서 UR/ 농산물 협상의 일반적인 사항과 기술적인 사항 전반에 관하여 4 개국 전체 및 양자(주로 미국과 EC)간 협의를 병행하여 진행되었으며, 기본적으로 상호 견해차를 좁히는데 주력하였으며, 뚜렸한 합의르 이룬 것은 없다함.

. 주로 논의된 사항은 수출 보조 분야에서는 감축대상과 범위, 국내 보조분야에서는 CAP 개혁에 따른 보상 방안, 그리고 시장접근 분야에선 관세화 및 SAFEGUARD 와 CORRECTIVE FACTOR 및 REBALANCING 등 문제였다고 하며

. 최대의 쟁점인 수출 및 국내보조 감축문제에 관하여는 아직 구체적인 감축율을 논의할 단계에는 드어가지 못하였으며, 현재로서는 AMS 문제를 협의하는 단계에 있다함.

. 한편 SCHROETER 처장보는 UR 협상의 성공 전망은 아직도 반반으로 본다고언급하였음.

3. 동 처장보는 오는 11.8 MADIGAN 미농무장관과 MACSHARRY EC 농업담당

통상국	장관	차관	1차보	2차보	통상국	외정실	분석관	청와대
경기원	경기원	재무부	농수부	상공부	중계			

PAGE 1 91.11.08 02:02

외신 2과 통제관 FI

0014

집행위원간의 아일랜드(더블린)회의에서는 UR/ 농산물 협상과 관련한 전반적 사항에 관하여 정치적 해결방안을 모색하고 OILSEED, 쇠고기 HORMONE 문제등 양자간 현안과제도 논의할 예정이라고 함.

4. 한편, 당지 UR 협상 관계자들은 일본이 국내적인 어려움은 있으나 국제적인 여론을 감안하여 MINIMUM MARKET ACCESS 를 수용할 것으로 보고 있으며, MIYAZAWA 신임 수상이 DUNKEL 사무총장의 TEXT 제출후 다른 나라의 반응을 보아 양보 여부를 결정 할 것이라고 전망하고 있음.

5. 상기 농상회의와 11.9 BUSH 미대통령과 DELORS EC 대통령간의 화란(헤그)회담 결과는 추후 파악되는대로 보고 예정임.(미-EC 정상회담에는 BAKER 국무장관, CARLA HILLS 대표와 MADIGAN 농무장관이 수행할 예정이라함.)

(대사 현홍주 - 국장)

91. 12. 31 까지

관리번호 91-774

원 본

외 무 부

종 별 : 지 급

번 호 : ECW-0905 일 시 : 91 1107 2030

수 신 : 장 관 (통기,경기원,재무부,농림수산부,상공부)

발 신 : 주 EC 대사 사본: 주 미,제네바대사-중계필

제 목 : 갓트/UR 협상

대: WEC-0694, 0697

대호관련 아래 보고함

1. 미.EC 농업장관 회담

가. 11.8. 더블린에서 개최예정이던 표제회담이 금 11.7. 오후 당지 EC 집행위에서 개최되었음 (EC 관계관에 의하면 보좌관들의 배석없이 MAC SHARRY 집행위원과 MADIGAN 농무장관간 약 3 시간 가량 단독면담 형식으로 진행되었음)

나. 상기회담 내용에관한 공식발표는 상금 없었으나 (회담후 예정되었던 기자회견 취소) 당관이 파악한 내용은 아래와같음

0 회담의 주의제로 대외발표한 미.EC 간 주요현안인 EC 내의 대두 (OILSEEDS) 유통체제개편 문제에관한 협의도 있었으나, 이번 회담에서는 UR 협상의 중요한 돌파구 마련을위한 미.EC 간 이견조정에 대부분의 시간을 할애한 것으로 보임

0 구체적인 합의도달 여부 또는 그 내용에 관해서는 아무런 정보가 입수되지 않고 있으며, 동회담이후 MAC SHARRY 위원의 보좌관 (KELEY) 은 11.9. 개최될미.EC 정상회담 결과를 기다리라고만 언급함

2. 미, EC, 일, 호주간 4 국회의

가. 11.1. 런던에서 개최된 표제회의에서는 UR 농산물협상 쟁점사항중 관세화와 관련된 SPECIAL SAFEGUARD 문제와 수출보조금 감축방법을 기술적인 내용과 정치적 결단이 필요한 내용이 협의되었으나 구체적인 결론을 얻지 못하고, 각국의 기본입장을 다시 개진하는데 그쳤음

나. 동 회의에서 미, EC, 호주등이 일본에대해 쌀의 관세화 예외인정을 받아드릴수 없다는 입장을 재확인 하였다는 일부 언론보도와 관련, 당지주재 일본대표부측은 동내용에 관해 들은바 없으며 이의 사실여부를 현재 본국에 조회중이라고 말함. 끝

통상국 장관 차관 1차보 2차보 외정실 분석관 청와대 안기부
경기원 재무부 농수부 상공부 중계

PAGE 1 91.11.08 05:29

외신 2과 통제관 FI

0016

(대사 권동만-국장)
예고: 91.12.31. 까지

관리 번호	91-777

	분류번호	보존기간

발 신 전 보

번 호 : WUS-5098 911107 1535 ED 종별 :

수 신 : 주 미 대사. 총영사

발 신 : 장 관 (통 기)

제 목 : 미국의 UR 협상 대책

1. 본부의 UR 협상 대책 수립과 관련하여 참고코자 하니 아래 사항에 대한 귀관 평가를 보고 바람.

가. UR 협상 성패가 93년 귀주재국 대통령 선거 issue로서 차지할 수 있는 비중

나. UR 협상 결과가 미국의 기대 수준에 못미칠 경우에도 내년 2월까지 조기 타결을 시도할 것으로 보이는지 여부 (Hills USTR은 최근 "schedule 때문에 substance를 등한시하지는 않겠다"는 요지 언급한 바 있음)

2. Hills USTR 방한과 관련하여 참고코자 하니 최근 동인의 UR 관련 중요 발언과 한.미 관계 연설문 또는 발언 원문을 가급적 충분히 취합, FAX편 지급 송부바랍.

끝. (통상국장 김 용 규)

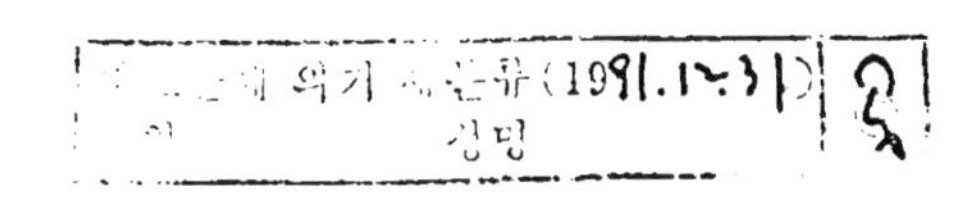
일반문서로 재분류(1991.12.31.)

보 안 통 제	

앙 고 재	91년 11월 7일	통상기구과	기안자 성 명		과 장	심의관	국 장		차 관	장 관
			송봉헌				전결			

외신과통제

0018

관리 번호	91-778

분류번호	보존기간

발 신 전 보

번 호 : WUS-5099 911107 1536 ED 종별 :

수 신 : 주 미 대사. 총영사

발 신 : 장 관 (통 기)

제 목 : 서울 APEC 각료회의

1. 11.8-9간 헤이그에서 개최되는 미.EC 정상회담에 Hills USTR도 참석하는지 파악 보고바람.

2. 또한 W. Lavorel USTR UR 협상 coordinator의 서울 APEC 각료회의에 참석 여부도 파악 보고바람. 끝. (통상국장 김 용 규)

예고:91.12.31. 일반

앙 고 재	91년 11월 7일	통상기구과	기안자 성명		과 장	심의관	국 장		차 관	장 관
			송봉헌				전결			

보 안 통 제

외신과통제

0019

외 무 부 원 본

종 별 :

번 호 : GVW-2275 일 시 : 91 1107 1850

수 신 : 장 관(통기,경기원,농림수산부,상공부,보사부)

발 신 : 주 제네바 대사

제 목 : UR/농산물(위생 및 검역 규제)

11.6-7 기간중 개최된 표제 위생 및 검역 규제전문가 회의에서는 동 합의 초안(WGSP/7)중쟁점으로 남아있는 괄호 내용 중심으로논의되었는바 요지 하기 보고함.(천농무관,농림수산부 박창용 농업기좌, 김농무관보 참석)

1. 국제기준보다 엄격한 국내 기준 인정

- 알젠틴은 케언즈 그룹을 대표하여 PARA 4 의둘째 괄호 부분을 삭제하고 PARA 10의 둘째대안을 없애는 대신 첫째 대안을 예외적인경우에만 위험 평가에 기초하여 적용할 수 있도록하는 타협안을 제시

0 이에 대하여, 칠레, 콜롬비아, 브라질등남미국가들이 지지

- 미국,이씨, 북구, 오지리, 카나다등은 PARA 4 와PARA 10간에는 중복되는 점이있으므로 PARA4의 괄호 부분은 삭제토록 할 용의가 있으나PARA 10 의 둘째 대안은 수용할 수 없으며첫째 대안을 현 문안대로 존치 시켜야 한다고 주장

- 아국 및 일본은 각국의 생태적, 환경적차이점을 인정해야 하며, 각국이 적정수준의 인간및 동식 보호를 위한 조치를 할 권한이 인정되야한다는 점에서 동 문안이 PARA 4 에 들어가야한다고 주장하였으며, PARA 10과 관련해서는첫째 대안이 수용 가능하다고 하였음.

2. 위험도 평가시 고려사항(PARA 18)

- 미국 및 북구는 PARA 18 에 제시된 두가지대안을 모두 수용할 수 없다는 기존입장을밝히고, 이씨가 제시한 타협안에 대해서는 검토할용의가 있다고 하였음.

- 알젠틴, 콜롬비아등 케언즈그룹 국가는 교역기회의 확대 개념이 들어 있는 첫째 대안을지지

3. 식품 첨가재, 잔류 물질 허용 기준등에 관한수입국 승인 제도(PARA 29)

- 의장은 기존 합의 초안에 제시된 4가지 대안을조정하여 별첨 타협안을 제시

통상국 2차보 청와대 보사부 경기원 농수부 상공부

PAGE 1 91.11.08 05:43 FO

외신 1과 통제관

0020

하였으며, 이씨는추가로 새로운 대안을 제시하였음

- 알젠틴, 뉴질랜드, 헝가리등 케언즈 그룹 국가와오지리는 규정 자체를 두지않는 첫째 대안을지지하면서 네번째 대안과 이씨의 제안을 검토할용의가 있음을 밝혔음

- 아국, 미국, 일본은 국제기준을 검토없이 바로국내에 적용토록 하는 것은 곤란하다는 점과현재의 POSITIVE SYSTEM 때문에 둘째 대안이타당하다고 주장하였음. 아국은 협상을촉진시킨다는 차원에서 의장이 제시한 타협안을검토할 용의가 있음을 표명

4. 협의 및 분쟁해소 관련 사항

- 의장은 PARA 39 는 기술적인 이유에서 들어간것이며,분쟁해결 그룹 초안에 들어 있으므로,생략 가능하다는 의견을 제시하였고, 이에대해북구는 COVERNOTE 로 옮기는 것이 좋겠다는의견을 제시

- 일본은 분쟁해결의 법률 형태에 관해 입장유보 의사를 표명하였음.

- 이씨는 PARA 37은 단순히 기술적 측면에서들어간 것이 아니고, 위생 및 동식물검역 규제의특수성을 반영하는 것이나 다소 애매한 점이있다고 발언

- PANEL 에서의 전문지식 이용과 관련하여,이씨는 당사국 합의 필요성을 주장하였고, 북구,호주등은 당사국 합의시 일방적으로 방해될 수있다는 점에서 이씨 입자에반대

5. 지방 정부의 합의문 의무 준수 문제(PARA 46)

- 의장은 참가국간의 종전 입장 변경 여부를확인하였으나, 입장이 변경된 국가는없었음.

6. 합의문 시행시기(PARA 48)

- 의장과 북구, 이씨, 알젠틴은 본 합의문이DECISION 형태 일 경우 이행 조항이불필요 하기때문에, 첫째문장, 두번째 문장은 없앨 수있다고 하였음.

- 미국은 개도국에 대한 이행 싯점 연기가곤란하다는 입장을 밝혔고, 콜롬비아,멕시코등은 현문안 대도 둘것을 주장

7. 적용 대상 범위(ANNEX A)

- EC 는 환경보호, 소비자 관심사항, 동물 복지의중요성을 강조하고, 동 분야가 GREY AREA 로 남지말아야 한다고 하였으며 이에대해 스위스, 오지리등이관심을 표명하였음.

- 미국,호주, 캐나다,오지리,북구,일본, 칠레,브라질등은 이들 분야가 동식물,

인간에 직접적영향을 주지 않으며, SPS 대상으로 적합하지않고 WORKABLE 하지 않다는점에서 EC 의입장에 반대

8. 기타

- 멕시코는 PARA 16(위험평가의 고려 요소) 관련생태적 환경적 요소를 고려 대상에서 제외할것을 제의 .

- 차기 회의는 여타 분야의 협상 진전 상황에 따라추후 결정될 예정임.

첨부: 의장 수정 제안 및 이씨 수정 제안 각 1부

(GVW(F)-0490).끝

(대사 박수길-국장)

EC 제안

6 November 1991 (rev.2)

GVW(万)-0490 11107 1850

"GVW-2275 관련,

Text amendments

1. Par. 10 - Alternative 1

a/ [Contracting parties may........................ determines to be appropriate without prejudice to paragraph 19

b/ Rest unchanged]

2. Par. 18 - Alternative 1

a/ [Contracting parties shall when determining the appropriate level of sanitary and phytosanitary protection, take into account the objective of minimizing negative trade effects.]

b/ Delete Alternative 2

3. Paragraph 29 - Alternative 1 [-]

a/ no provisions necessary

b/ Alternative 5

[A contracting party operating a system of approval for the use of food additives or tolerances for contaminants in food, feedstuffs or beverages shall ensure that such system is operated in a manner consistent with the provisions of this decision. If there is need for a provisional approval, the importing contracting party shall, where a relevant international standard exists, use that standard as a basis for permitting access.

4. Par. 42

a/ First sentence unchanged

b/ Second sentence : [For this purpose, the Committee should in conjunction with the relevant international organisations, establish a list of recognised international standards .... to have a major trade impact. Rest unchanged.]

5. Par. 44

a/ First sentence unchanged

b/ Add a second sentence :

"Should a number of contracting parties take such action, the Committee shall examine the situation without delay"

0023

6. Annex A - Definition 1

For the purposes of this decision, it shall be understood that sanitary and phytosanitary measures include all relevant laws, decrees, regulations, requirements and procedures including, *inter alia*, end product criteria ; processing and production methods; testing, inspection, certification and approval procedures; quarantine treatments including relevant requirements associated with the transport of animals or plants; provisions on relevant statistical methods, sampling procedures and methods of risk assessment, packaging and labelling requirements directly related to food safety; [measures for the protection of animal welfare and of the environment, as well as of consumer interests and concerns]. Requirements concerning quality, composition, grading, [consumer preferences, consumer information, animal welfare, the environment or ethical and moral considerations] are not included in the definition of sanitary or phytosanitary measures.

In this respect, the following definitions shall apply :

Sanitary and phytosanitary measure - Any measure applied :

- to protect animal or plant life or health within the territory of a contracting party from risks arising from the establishment or spread of pests, diseases, disease-carrying organisms or disease-causing organisms;

- to protect human or animal life or health within the territory of a contracting party from risks arising from additives, contaminants, toxins or disease-causing organisms, in foods, beverages or feedstuffs;

- to protect human life or health within the territory of a contracting party from risks arising from diseases carried by animals, plants or products thereof or from the establishment or spread of pests;

- to prevent or limit other damage within the territory of a contracting party arising from the establishment or spread of pests; or-

[- to protect the welfare of animals.]

7. Annex A - Definition 4

Risk Assessment - The evaluation, at varying levels of sanitary and phytosanitary protection, of the potential economic, biological [and environmental] consequences of the establishment or spread of pests or diseases or the effect on human, animal or plant life or health arising from additives, contaminants, toxins or disease-causing organisms in foods, feedstuffs and beverages.

0024

91. 11. 6
chairman's proposal

29. A contracting party operating a system of approval for the use of food additives or tolerances for contaminants in food, feedstuffs or beverages shall ensure that such system is operated in a manner consistent with the provisions of this decision. The contracting party operating such a system of approval may prohibit or restrict access to its domestic markets for products based on the absence of an approval required by the importing contracting party. However, in such circumstances and where a relevant international standard exists, the importing contracting party should, after preliminary determination, use the international standard as the basis for permitting access until a final determination on approval has been made.

Administration

40. A Committee on Sanitary and Phytosanitary Measures shall be established to provide a regular forum for consultations. It shall carry out the functions necessary to implement the provisions of this decision and the furtherance of its objectives, in particular with respect to harmonization. To this end, the Committee shall encourage the use of international standards, guidelines or recommendations by all contracting parties and, **in this regard, shall sponsor technical consultation and study with the objective of increasing coordination and integration between international and national systems and approaches for approving the use of food additives or for establishing tolerances for contaminants in foods, beverages and feedstuffs.** It shall also encourage and facilitate ad hoc consultations or negotiations among its members on specific sanitary or phytosanitary issues. The Committee shall reach its decisions by consensus.

ANNEX C

1. Contracting parties shall ensure, with respect to any procedure to check and ensure the fulfilment of sanitary or phytosanitary measures, that:

(a) such procedures are undertaken and **applied in a manner no less favourable for imported products than for like domestic products,** and completed without undue delay, **and, in the case of approvals for the use of food additives or for the establishment of tolerances for contaminants in food, beverages or feedstuffs, within two years after the receipt of a completed application.** ~~and in no less favourable manner for imported products than for like domestic products~~

0025

관리번호	91-1182

원본

외 무 부

종 별 :

번 호 : GVW-2290 일 시 : 91 1108 1900

수 신 : 장관(통기,경기원,재무부,농림수산부,상공부)

발 신 : 주 제네바 대사

제 목 : 던켈 총장의 TNC 보고에 대한 협상 분야별 분석 평가(3-농산물)

연: GVW-1514

표제 농산물 분야 관련 당관 분석 평가를 하기 보고함.

1. 정치적 결단이 필요한 핵심적 문제(KEY ISSUES)로서 관세화, 직접 지불 정책(GREEN BOX), 삭감 대상 수출 보조, 삭감폭 및 삭감기간등 4 가지가 제시된바 이 분야에 대한 컨센서스 형성에 협상 노력이 집중될 전망

0 특히 관세화 문제는 시장접근 협상 분야와 관련시켜 언급, 협상의 시발점으로 삼고 있어 관세화 문제를 먼저 다룰 가능성을 시사

0 상기 4 대 과제는 주로 미국과 이씨간 입장 차이가 큰 분야로서 미국과 이씨간의 막후 타결 노력에 크게 기대하고 있다고 보임. 미국과 이씨간에 이문제에 대한 타협이 이루어질 경우에는 나머지 문제는 비교적 신속하게 처리되어 협상 PACKAGE 를 마련할수 있을 것으로 보임.

2. 예외 없는 관세화에 대한 언급이 없으며, 관세화에 대한 컨센서스가 형성되었다는 직접적인 표현을 사용하지 않음.

0 미국, 이씨, 케언즈 그룹간에 예외를 두지 않는다는 점에서 의견 접근이 되었지만, 방법론에서 이견이 있으며, 협상이 잘 진척되지 않는 상황에서 일부 국가에 의한 강한 반대가 있다는 현실을 그대로 반영한 것으로 보임.

0 관세화 대상 품목 범위를 결정적인(CRUCIAL)문제라고 하여, 앞으로 예외 인정 여부와 관련 예외를 주장하는 나라에 대하여 종용, 압력이 가해질 것으로 전망됨.

3. 식량안보 등 NTC 문제는 허용 정책을 통해 반영하는 것이 가장 효율적이라고 하여, 시장접근 분야보다는 주로 국내보조 분야에서 해결책을 찾도록 하고 있음.

0 시장접근 분야에서 NTC 문제를 반영할 여지는 줄어든 것으로 관측됨.

4. 관세 상당액의 양허와 할당 관세에 의한 최저 시장접근 허용을 관세화의요소로

통상국	장관	차관	1차보	2차보	경제국	외정실	분석관	청와대
안기부	경기원	재무부	농수부	상공부				

PAGE 1

91.11.09 07:50

외신 2과 통제관 BD

0026

제기함에 따라 관세화한 품목의 경우 관세를 모두 양허하고 일정 수준의 최저 시장 접근을 허용토록할 것으로 보임.

0 다만 최저 시장 접근의 조건, 허용 수준, 년차적 증가 여부등은 협상의 대상으로 남겨둔 상태

5. 각국의 특수한 문제는 관세화의 틀속에서 관세 상당액 삭감 약속에 융통성을 부여하는 선에서 해결책을 모색하는 방안을 제시

0 삭감 약속 이행을 상당기간 늦추는 방안을 제시. 끝

(대사 박수길-국장)

예고 91.12.31. 까지

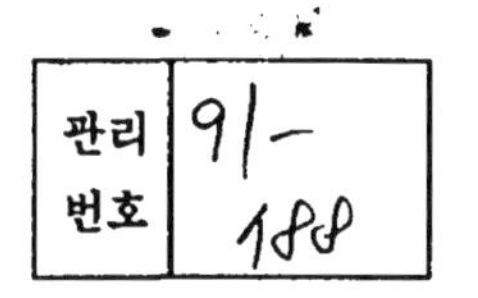

원 본

외 무 부

종 별 : 지 급

번 호 : JAW-6367 일 시 : 91 1109 1108

수 신 : 장관(통기)

발 신 : 주 일 대사(일경)

제 목 : 농산물 협상

1. 당관 김하중 참사관은 11.8(금) 오후 주재국 외무성 국제기관 1 과(우루과이 라운드 담당과) 기타지마 과장과 만나 표제 관련 의견 교환한바, 동인 발언요지는 아래와 같음.

가. 일본입장

1) 11.7. TNC 에서의 덩켈 사무총장 발언중 예외없는 관세화라는 표현이 포함되지 않기는 하였지만, 미국, 케인즈 그룹 및 EC 등이 예외없는 관세화를 강력히 지지하고 있는 상황에는 변함이 없으며, 일본으로서는 여전히 어려운 상황에 처해 있음.

2) 대안의 하나로서 미니멈 억세스를 생각할 수 있기는 하지만, 현재는 동문제를 꺼낼 수도 없는 형편이며, 또한 제기된다 하더라도 지금까지 공개적으로 완전 관세화를 강력 주장해 온 미국이나 EC 가 이를 받아들이기 어려울 것으로 생각함.

3) 따라서 일본으로서는 다른 대안이 없는 상황이기 때문에 끝까지 반대해볼 수 밖에 없다고 생각함.

나. 전망

1) 11.9. 로 예정된 부쉬 대통령과 드롤 EC 위원장과의 회동을 앞두고, 현재 헤이그에서 미국과 EC 실무자들간에 협의가 진행중인 것으로 알고 있으며, 동협의에서 미국과 EC 가 견해의 폭을 줄일수 있는 가능성이 높다고 생각함.

2) 현재 대부분의 국가들이 금번에 반드시 우루과이 라운드를 성공시켜야 한다는 생각을 갖고 있기 때문에 금년내에 우루과이 라운드 협상이 타결될 가능성이 있다고 생각되며, 일본으로서는 앞으로 2 개월이 매우 힘든 시기가 될 것으로 예상됨.

3) 다만 오늘 국회에서 있는 미야자와 수상의 소신 표명 연설중 농산물 문제 관련 "각국이 나름대로 곤란한 문제를 안고 있으나, 일본의 쌀문제에 대해서는 지금까지의 방침 위에서 상호 협력에 의한 해결을 향해서 최대한의 노력을 경주해 나갈

통상국 장관 차관 1차보 2차보 아주국 경제국 외정실 분석관
청와대 안기부

PAGE 1 91.11.09 12:18

외신 2과 통제관 BD

0028

예정"이라고 발언하였으나, 이는 전의 카이후 수상의 발언과 비교해 볼 때 식량 자급의 당위성과 식량 관리법 개정 부분이 빠져 있는바, 이것은 미야자와 내각과 카이후 내각의 쌀문제에 관한 입장의 차이라고 생각함.

2. 당관 평가

가. 최근 미야자와 수상이 쌀시장 개방 문제 언급시 반드시 "지금까지의 방침의 토대위에서 "라는 전제를 달고 있고, "엔도오"외무성 UR 담당 대사등 일정부 관계자들이 한결같이 쌀시장 개방 반대 방침의 변경 가능성을 부인하고 있음을 볼때, 일본으로서는 최후의 순간에 양보가 불가피 해 질지는 모르더라도 일단쌀의 관세화에 끝까지 반대해 나갈 의향인 것으로 보임.

나. 이러한 점에서, 최근 미야자와 수상이 기자회견시 등의 기회에 언급한 "미국과 EC 의 양보에 상응한 일본의 양보"라는 표현은 현재로서는 일본이 GATT체제에서 받은 수혜 및 미, EC 의 양보 기대를 고려할때 일본도 어느정도 양보를 하여야 할 것이라는 당위론을 의미하는 것으로서, 현재 "양보"의 구체적 내용에 관하여 일 정부, 정계내에서 의견이 통일된 구체적 복안은 아직 없는 것으로 관측됨.

다. 한편, 일본이 수상의 발언을 통하여 "미, EC 에 상응한 양보"라는 공약을 한 이상, 공식적으로 쌀시장 개방 반대를 계속해 나가면서도, 동시에 양보가 불가피한 시점에 대비한 구체적 양보안을 검토해 나가지 않을 수 없는바, 일본으로서는 최악의 경우 미.EC 가 완전히 농업 보호책의 근본 삭감에 동의한 경우에는 쌀을 포함한 농산물의 예외없는 관세화도 수용할 수 밖에 없으며, 또한 수용할 자세인 것으로 관측됨. 이와관련하여, 미야자와 수상이 "식량자급의 당위성" 및 "식량관리법 개정 곤난"이라는 직접적인 반대 이유를 언급하지 않고 있는 것도, 이와같이 양보가 불가피해질 경우에 대비하여 미리부터 양보가 좀더 용이하도록 만들어 주는 토대를 조성키 위한 것으로 보임.

라. 그러나, 혹시 예외없는 관세화안의 수용이 불가피한 경우에는 당분간 쌀수입이 거의 불가능할 정도의 고율의 관세, 관세 감축 기간의 장기화 및 국내 쌀농가에 대한 소득 보조등 직접적 가격 지지 이외의 간접적 보상책에 대한 양해등을 확보하려 할 것으로 보임.끝.

(대사 오재희-국장)

예고:91.12.31.

원 본

외 무 부

종 별 :

번 호 : GVW-2297 일 시 : 91 1111 1200

수 신 : 장관(통기,경기원,재무부,농림수산부,상공부)

발 신 : 주제네바대사

제 목 : UR/농산물 협상

11.13(수) 개최 예정 표제 주요국 비공식 회의 소집통지서를 별첨 송부함.

첨부: UR/농산물 주요국 비공식 회의 소집 통지서

(GVW(F)-0498).끝

(대사 박수길-국장) DW

통상국	장관	차관	2차보	청와대	안기부	경기원	재무부	농수부
상공부								

PAGE 1

91.11.12 05:43

외신 1과 통제관

0030

Centre William Rappard
Rue de Lausanne 154
CH-1211 Genève 21

Telefax: (022) 731 42 06
Telex: 412324 GATT CH
Telephone: (022) 739 51 11

GVW(F)-0498

1111 1200

TOTAL NUMBER OF PAGES 1 (including this preface)

11GVW-2297 첨부

Date: 8 November 1991

Secretary	Counsellor	Minister
Signature:		

From: Arthur Dunkel
Director-General
GATT, Geneva

To:

		Fax No:
ARGENTINA	H.E. Mr. J.A. Lanus	798 72 82
AUSTRALIA	H.E. Mr. D. Hawes	733 65 86
AUSTRIA	H.E. Mr. W. Lang	734 45 91
BANGLADESH	H.E. Mr. M.R. Osmany	738 46 16
BRAZIL	H.E. Mr. C.L. Nunes Amorim	733 28 34
CANADA	H.E. Mr. G.E. Shannon	734 79 19
CHILE	H.E. Mr. M. Artaza	734 41 94
COLOMBIA	H.E. Mr. F. Jaramillo	791 07 87
COSTA RICA	H.E. Mr. R. Barzuna	733 28 69
CUBA	H.E. Mr. J.A. Pérez Novoa	758 23 77
EEC	H.E. Mr. Tran Van-Thinh	734 22 36
EGYPT	H.E. Mr. M. Mounir Zahran	731 68 28
FINLAND	H.E. Mr. A.A. Hynninen	740 02 87
HUNGARY	Mr. A. Szepesi	738 46 09
INDIA	H.E. Mr. B.K. Zutshi	738 45 48
INDONESIA	H.E. Mr. H.S. Kartadjoemena	793 83 09
ISRAEL	Mr. A. Perry	798 49 50
JAMAICA	H.E. Mr. L.M.H. Barnett	738 44 20
JAPAN	H.E. Mr. H. Ukawa	788 38 11
KOREA	H.E. Mr. Soo Gil Park	791 05 25
MALAYSIA	Mr. Supperamanian Manickam	788 09 75
MEXICO	H.E. Mr. J. Seade	733 14 55
MOROCCO	H.E. Mr. M. El Ghali Benhima	798 47 02
NEW ZEALAND	H.E. Mr. A.M. Bisley	734 30 62
NICARAGUA	H.E. Mr. J. Alaniz Pinell	736 60 12
NIGERIA	H.E. Mr. E.A. Azikiwe	734 10 53
PAKISTAN	H.E. Mr. A. Kamal	734 80 85
PERU	Mr. J. Muñoz	731 11 68
PHILIPPINES	H.E. Mrs. N.L. Escaler	731 68 88
POLAND	Mr. J. Kaczurba	798 11 75
SWITZERLAND	H.E. Mr. W. Rossier	734 56 23
THAILAND	H.E. Mr. Tej Bunnag	733 36 78
TURKEY	H.E. Mr. G. Aktan	734 52 09
UNITED STATES	H.E. Mr. R.H. Yerxa	749 48 80
URUGUAY	H.E. Mr. J.A. Lacarte-Muró	731 56 50
ZIMBABWE	H.E. Dr. A.T. Mugomba	738 49 54

You are invited to an informal consultation on agriculture to be held at 10 a.m. on Wednesday 13 November in Room E of the Centre William Rappard. Attendance is restricted to two persons per delegation.

PLEASE NOTIFY US IMMEDIATELY IF YOU DO NOT RECEIVE ALL THE PAGES

** OUR FAX EQUIPMENT IS HITACHI HIFAX 210 (COMPATIBLE WITH GROUPS 2 AND 3) AND IS SET TO RECEIVE AUTOMATICALLY **

0031

농 림 수 산 부

우 427-760 / 주소 경기 과천 중앙동 1번지 / 전화 (02)503-7227 / 전송 503-7249

문서번호 국협 20644-1064

시행일자 1991. 11. 14. (년)

(경유)

수신 외무부장관

참조 통상국장

선결			지시		
접수	일자 기간	1991. 11. 15 :	결재·공람		
	번호	38147			
처리과					
담당자					

제목 UR농산물협상 회의 참석

1. '91. 11. 13부터 개최예정인 UR농산물그룹 주요국 비공식회의 참석 및 UR관련 정부 실무대표단 활동계획과 관련 당부대표를 다음과 같이 파견코자 하오니 협조하여 주시기 바랍니다.

가. 당부대표

○ 농림수산부 농업협력통상관실 농업협력통상관 조 일 호

나. 출장기간

○ 현재 : '91. 11. 9~14까지 FAO총회참석 (이태리 로마)

○ UR농산물 협상참가를 위한 출장기간 조정

- '91. 11. 9 ~ 12 : FAO 총회참석

- '91. 11. 13 ~ 24 : UR농산물협상 참석

다. 출장목적

○ UR농산물 그룹 회의참석 및 공식. 비공식 활동 추진

라. 소요경비 : 농림수산부 부담 ($ 2, 452)

첨부 금차회의 참가대책 1부.

농 림 수 산 부 장 관

0032

출장일정 및 소요경비 내역

가. 출장일정

11. 9 서울발, 런던착

10 런던발, 로마착

12 로마발 제네바착

13

UR농산물 그룹회의 참석

22

23 제네바발 (런던경유)

24 서울착

나. 소요경비 내역 : $ 2,452 (1113 - 213)

구 분	기지급액	정 산 액	금차지급액
항공료	$ 2,300	$ 3,377	$ 1,077
일 비	$ 25 × 1인 = $ 25	$ 25 × 1인 = $ 25	
	$ 25 × 5인 = $ 125	$ 25 × 15인 = $ 375	
	계 $ 150	$ 400	$ 250
숙박비	$ 100 × 1인 = $ 100	$ 100 × 1인 = $ 100	
	$ 79 × 4인 = $ 316	$ 79 × 13인 = $ 1,027	
	계 $ 416	$ 1,127	$ 711
식 비	$ 53 × 1인 = $ 53	$ 53 × 1인 = $ 53	
	$ 46 × 5인 - $ 230	$ 46 × 14인 = $ 644	
	계 $ 283	$ 697	$ 414
체제비계	$ 849	$ 2,224	$ 1,375
합 계	$ 3,149	$ 5,601	$ 2,452

0033

금차회의 참가대책

1. 협상 진전상황 평가

1) '91.11.7, TNC회의시 던켈총장의 협상진전상황 평가에서 제시한 협상타결의 주요과제는 그동안 주요국 비공식회의의 논의과정에서 참여국간 의견이 크게 달라 현시점에서 타협의 가능성은 예측할 수 없으며, 제기되어 있는 쟁점분야를 모두 포괄하고 있지 않고 있슴

2) 11.4주간의 미.EC간 타협결과도 각국의 평가가 상이한바 구체적인 합의내용이 가시화 되지 아니한 상황이고, 각국의 기존 정치적 입장에 대한 변화가 없는 시점에서 금차회의에서도 정치적 타결의 토대를 마련하기는 어려운 상황임

2. 금차회의 아국입장

1) 던켈총장이 제시한 주요쟁점에 대한 아국입장은 '91.1.9 대외협력위원회에서 결정한 아국 협상대책과 기존 기술적쟁점 협의과정에서 밝힌 아국입장으로 최종 정리된 상태

2) 현시점에서 추가적인 대안은 고려할 수 없으며, 특히 관세화와 관련 이행의 신축성 부여 대안도 수용불가한 입장이므로 금차회의에서도 기존입장하에 대처하되, 특히 다음사항에 대하여는 이해 당사국과의 협력을 통하여 관철 가능하도록 계속 강경대응 필요

0034

i) 허용대상정책의 확대 및 기준완화

ii) 관세화에 대한 신축성 부여 대안과 관련, 본질적인 문제점을 지적하고 예외인정이 협상결과에 명시되도록 대응

- 최소시장접근 허용량의 점진적 확대원칙 배제

- 일괄적인 TE 및 관세 감축원칙 설정배제

iii) 수출보조의 엄격한 규제방안과 확실한 감축방법 채택의 선행

3) 금차회의 결과와 11.18주간 협상전망을 토대로 추가적으로 검토해야 할 대책과제는 11.1 UR대책실무위원회의 결정사항에 따라 대처

0035

원 본

외 무 부

종 별 :

번 호 : AUW-0952 일 시 : 91 1111 1500

수 신 : 장 관(통기)

발 신 : 주 호주대사

제 목 : UR 농산물 협상

1.주재국 언론보도에 의하면 지난주말 부쉬미대통령과 DELORS EC집행위원장 및 LUBBERS 화란수상(EC 의장국 대표)은 농산물 보조금문제에 관해 협의를 가졌는바, 부쉬대통령은 동문제에 관해 미국과 EC간의 의견차이를 좁혔지만 어떠한 돌파구를 마련하지는 못하였다고 말하였으며, DELORS 위원장은 금번 협의를 통해 농산물 문제에 관한합의에 도달할수있다는 가능성에 대해 처음으로 낙관적인 견해를 갖을수 있게 되었다고 말했다 함.

2.한편 PETER FIELD 주재국 외무부 경제차관보는 최근 미국, EC 및 관련 몇개국간에 농산물무역 FRAMEWORK에 관해 좋은 대화가 있었으며 동 대화를 통해 관련 당사자간의 의견차이를 상당히(SIGNIFICANT)좁혔다고 말하고, BORDERPROTECTION 문제와 관련, EC는 모든종류의 국경보호는 관세로 전환되어야 한다는데 대해 미국 및 CAIRNS구룹의 입장에 접근하고 있다고 말함.

3. 그러나 EC는 이러한 조치는 포괄적이여야 한다고 주장하고 있어 쌀문제에 대한 일본과 한국의 강경한 태도를 완화시키는 문제가 야기되고 있다고 하면서, 최근 신임 일본총리가 금년내에 UR 협상을 성공적으로 종료할수 있도록 하겠다고 약속(COMMIT)한 것은 UR농산물협상에 대한 조심스러운 낙관을 갖게 한다고 말함.

4. 또한 지난 목요일 EC 농업위원장과 미농무장관과의 회담, 그리고 미 USTR 대표와 EC무역위원장 및 화란 무역장관간의 회담등 최근의 일련의 회담은 UR 협상의 성공 적타결을 위한 좋은 분위기를 조성하고 있다고 말함.끝.(대사 이창범-국장)

통상국 장관 차관 2차보 외정실 분석관 청와대 안기부

PAGE 1 91.11.11 15:43 WH

외신 1과 통제관

0036

관리 번호	91-791

외 무 부

종 별 :

번 호 : ITW-1625 일 시 : 91 1112 1200

수 신 : 대통령각하(사본:외무부장관, 총리행정조정실장,농림수산부차관)

발 신 : 수석대표(농림수산부장관)

제 목 : 제 26차 FAO 총회 참석보고

1. 소직은 11.11(월) 총회 본회의에 참석, FAO 사무총장및 이사회 독립의장의 기조연설을 청취하였는 바, FAO 사무총장은 본연설을 통해

0 최근 빈곤및 외채문제로 개도국의 식량사정이 악화되고 있는데 대해 우려를 표명하고 개도국의 농업개발을 위한 기술협력및 재정지원의 중요성을 강조하였으며

0 FAO 가 사상최초로 차입금을 사용하게 되는등 재정상의 위협을 받고 있음을 환기시키고 분담금의 조기 납부노력을 촉구하는 한편

0 새로운 국제질서하에서 동구권 농업에 대한 자본, 기술지원및 식량원조의 중요성을 강조하고 선진국의 농업보조 감축을 위한 UR 협상의 조기 타결 노력이 필요함을 역설하였읍니다.

2. 이어서 신규회원국 가입승인을 위한 비밀부표가 실시되었는 바 SOUTH AFRICA 는 역내회원국들의 강력한 반대를 인식, 사전에 가입신청을 철회함으로써 사실상 차기총회이후에나 동가입문제를 재론할수 있게 되었으며, 발틱 3 국(ESTONIA, LATVIA, LITHUANIA)및 PUERTO RICO 는 부표결과 각기 정회원국(전체 160 개국)및 준회원국으로의 가입이 결정되었읍니다.

3. 한편 GERGATZ 헝가리 농무장관은 소직을 찾아와서 면담하였는 바 동인은자국의 축산부문 발전을 위해 아국의 기술이전등 협조를 요청하였으며 이에 대해 소직은 91.11.25-26. 헝가리 부다페스트에서 양국간 경제협력방안 모색을 위한 회의가 개최될 예정이므로 동회의를 통해 농업분야에서의 협력방안도 논의될 수 있을 것이라고 답변하였읍니다.

4. 또한 일본수석대표인 농림수산위원회 의장 MATSUMOTO(전 농림수산성사무차관)도 소직과의 면담에서 최근 미국, EC 간의 접견을 우려하면서, 그간의 UR 협상 진행과정중 우리정부가 보여준 공동대처 노력에 대해 감사의 뜻을

청와대	장관	차관	1차보	2차보	국기국	분석관	총리실	농수부

예고문에 의거 일반문서로 재분류(1991.12.31)

PAGE 1 91.11.13 05:51

외신 2과 통제관 FM

0037

표명하는동시, 동협상에서 일본정부의 입장에 전혀 변화가 없음을 강조하고 앞으로도 양국간 긴밀한 협조가 계속 되기를 희망하였읍니다.

5. 이어 소직은 FILHO 브라질 농무장관, OLSSON 스웨덴 농업장관및 PIOT 스위스 연방농업청장과 면담하고 UR 협상에 대한 우리의 입장을 설명하는 한편 아국에 대한 이해와 협조를 당부하였읍니다.

0 이에 대해 브라질 농무장관은 자국의 경우 농산물 수출이 중요하기 때문에 UR 에 대한 기대가 큰것이 사실이나 한국농업의 어려움을 이해하고 있으며 브라질은 UR 농산물 협상에 있어 중간적인 입장을 취하고 있다고 하였으며

0 스웨덴 농상은 지난해 브랏셀 각료회의 농산물그룹의장이었던 헬스트농상이 지나친 자유주의자로 급격한 개혁을 추진하였기 때문에 동중재안이 협상에서 채택되지 못하였음을 지적하고, UR 협상이 결국에는 타결될 것으로 보고는 있으나, 농산물은 공산품과 다르기때문에 결코 무리한 타결을 추진할수는 없을 것이라고 언급하였고

0 스위스 연방농업청장은 EC 가 미국의 양보를 계속요하고 있으며 11.9. 헤이그 정상회담에서도 별다른 진전이 없었던 것으로 평가혹 있다는 의견을 피력하고, 스위스는 종국적으로 EC 에 가입해야 하기때문에 장기적으로 볼때 EC 와의 조화를 도모해야 할것이나, 원칙적으로 관세화(STARIFFICATION)을 받되 "예외없는 관세화"는 수용키 어려운 실정(NTC 9 개 품목제시)이며 내년 가을에는 향후 EC 가입에 대비한 국민투표가 있을 예정이라고 하였읍니다.

6. 아울러 소직은 국제농업개발기금(IFAD) 총재를 방문, 아국인 취업기회 확대등 상호협조 강화노력을 촉구하였는 바 동인은 아국의 기금증액 출연및 세미나 개최지원실적등에 대해 감사의 뜻을 표시하고, 아국의 성공적인 개발경험을 다른나라에 전수할 수 있도록 동기구와의 공동 PROJECT 에 참여해 줄 것을 요청하였으며 IFAD 에 결원이 생길 경우 유능한 아국인 전문가에 대한 취업을 우선적으로 고려할 것과 사업수행시 필요한 자재를 아국산으로 구입, 충당하는등 아국에 대해 적극 협조할 것임을 약속하는 한편 아국이 현재의 제 3 그룹에서 제 2 그룹으로 격상되어 5 백만불 수준의 기금을 출연할 수 있게되기를 희망하고 있다고 언급하고 특히 내년에 개최되는 여성정상회담(92.2.26. 브랏셀)에 아국이 적극 참여해 줄것을 요청하였읍니다.

7. 한편 FAO 사무총장은 소직을 비롯한 주요국 수석대표를 초청, 오찬을 베풀면서 최근 FAO 활동강화의 필요성이 과거 어느때 보다도 증대되고 있으며 따라서 회원국의

보다 적극적인 지원노력이 절실하다고 언급하였읍니다.

8. 북한은 수석대표 이학철(농업위원회 부위원장)등 5 명이 금번 총회에 참석하고 있는 바 동인과는 대표단 등록시 만나 상회인사를 교환하고 금년도 쌀농사등에 대해 부드러운 분위기에서 대화를 나누었읍니다. 끝

(농림수산부장관)

예고:91.12.31. 까지

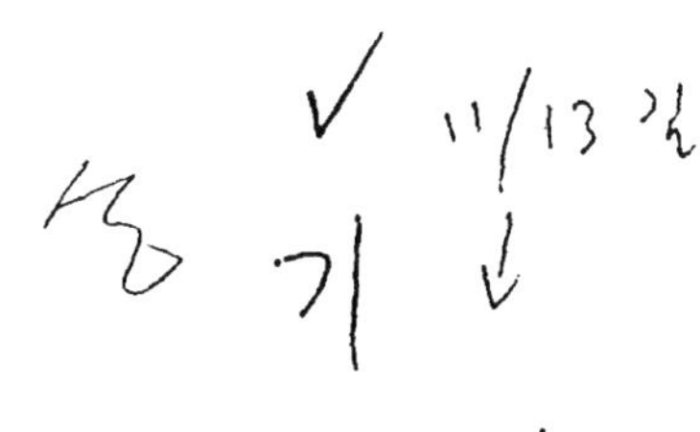

관리 번호	91-1??

외 무 부

종 별 : 지 급

번 호 : ITW-1631 일 시 : 91 1112 2335

수 신 : 대통령각하(사본:외무부장관,총리행정조정실장, 농림수산부차관)

발 신 : 수석대표(농림수산부장관)

제 목 : 제 26차 FAO 총회 참석보고

1. 11.12(화) 09:30 부터 시작된 3 차 본회의에서는 아국을 포함하여 화란,이태리, 미국, 브라질, 호주, 중국등 25 개국 수석대표의 기조연설이 있었읍니다.

2. 미국의 경우 농무성장관(EDWARD MADIGAN)이 수석대표로서 기조연설을 하였는바 UR 협상이 성공적 타결이 선진국과 개도국모두에게 도움이 될것이라 지적하고 최근 동협상의 진행상황을 조심스럽지만 낙관적인 것으로 평가하고 있다고 하면서 농산물의 국제교역을 촉진시킬수 있도록 국제상품규격위원회(CODEX ALIMENTARIUS)의 활동이 강화되어져야 한다고 촉구하고 FAO 에 대한 분담금 납부의무의 조속한 이행을 위해 자국정부가 기울이고 있는 노력에 대해 언급하면서 미국은 앞으로도 세계농업문제의 해결을 위해 계속 지원을 아끼지 않을 것이라고하였읍니다.

3. 아울러 동인은 기조연설후 FAO 내 ETHIOPIA ROOM 에서 특별기자회견을 가졌는바(12:30-1300) 동기자회견은 약 30 명의 서방기자가 참석한 가운데 진행되었으며 동인의 주요회견내용은 아래와 같았읍니다.

0 UR 협상에 있어 미국과 EC 간의 이견이 좁혀진것은 사실이나 아직 구체적으로 합의된 사항은 없음.

0 UR 협상진행상황과 관련, 조심스럽지만 낙관적이라는 표현을 사용한것은 최근 10여일 전부터 실질적의미에서의 의견접근이 이루어지고 있다고 평가하고 있기 때문임.

0 지난 4 월이래 미국은 UR 협상에 있어 신축적인 입장을 견지하고 있은 EC이사회의 경직된 지침에 의해 협상에 임하고 있으므로 만일 협상이 실패한다면이는 미국보다도 EC 에게 더 큰 책임이 있다고 하여야 할것임.

0 대소련 식량원조회담을 위해 현재 미국대표단이 모스크바에 체류중임.

4. 한편, 동기자회견에 참석한 아국대표 UR 협상에서 미국이 주장하는 예외없는

청와대	장관	차관	1차보	2차보	국기국	분석관	총리실	농수부

PAGE 1

예고문에 의거 일반(1991.12.31.) 직위 성명

91.11.13 09:31
외신 2과 통제관 CA

0040

관세화는 식량부족 개도국의 소농에게커다란 위협이 되고 있으며 따라서 이러한 미국의 주장은 많은 국가에서 수용하기 어려울 뿐만아니라 그결과 UR 협상의 성공적 타결을 저해시키고 있다고 보는데 쌀을 포함한 기초식량에 대한 미국의 기본입장은 무엇인가라고 질문하였던 바 이에 대해 동인은 예외없는 관세화는개도국에게 도움이 되는 정책이라고 판단하고 있으며 쌀관세화에 가장 경경하게 반대혹 있는 나라로 일본을 들수 있으나 일본은 이미 개도국이 아니고 선진국이라고 답변하였읍니다.

5. 소직은 14:30 부터 속개된 오후회의에서 5 번째로 기조연설을 하였읍니다.

0 세계식량및 농업은 지역간 불균형상태가 심화되고 있는 가운데 동구권의 변혁및 환경보존에 대한 관심증대등과 맞물려 많은 문제점을 안고 있음에도 불구하고 UR 협상으로 인해 일대전화기를 맞고 있는 실정임을 지적하고

0 UR 협상을 통한 농업개혁은 세계식량안보상황을 위협하지 않도록 적절히 추진되어야 할것이며 따라서 점진적인 개방화, 관세화의 예외등이 반드시 인정되어져야 할것임을 강조하고

0 아울러 UR 이후 새롭게 전개될 국제농업질서아래서도 개도국의 건전한 농업발전을 지속적으로 유도하고 환경보존등 세계가 공통으로 당면하고 있는 문제들을 원만히 해결할수 있도록 농업분야에 있어 세계최대기구인 FAO 의 기능과 역활이 시급히 재정립되어져야할것임을 촉구하였읍니다.

6. 한편 금일 기조연설을 한 주요국가들의 수석대표연설내용은 아래와 같읍니다.

0 화란및 호주수석대표는 UR 협상의 성공적 타결이 세계경제의 안정과 발전에 기여할것이라고 언급하면서 개도국 농업발전과 환경보존문제의 중요성을 강조하고 FAO 의 역활증대 노력을 촉구하였으며

0 이태리 수석대표 역시 자유시장경제 원리의 실천의지가 필요함을 지적하고FAO 가 타국제기구와의 연계노력을 더욱 강화해 줄것을 요청하였으며

0 브라질수석대표는 개발도상국의 이익보장을 위해 자유경제체재를 도입하여야 한다고 하면서 아마존지역산림보존을 위한 선진국의 협조를 촉구하였읍니다.

7. 소직은 핀란드 PURA 농림장관과 면담하고 UR 협상에서의 아국의 입장을 설명한뒤 최근 북구국가들의 신축적인 입장표명등에 대하여 문의한바 동장관은 스웨덴은 EC 가입을 추진하고 있어 융통성이 있다고 보나 핀란드나 노르웨이는 입장을 바꾼바가 없으며 아직까지는 결론을 내리지 않고 있다고 하면서 농업인구10 프로 미만이기때문에 정치적 어려움은 한국보다 적다고 할수 있으나 국가운영목표와

근본적인 관계가 있음을 강조하고 이미 제네바에서 한국과 긴밀히 협조하고 있으며 앞으로 새로운 던켈초안이 나올경우에도 양국간 긴밀한 협조체제를 계속 유지해 나갈것을 제의해 왔읍니다. (이하 8 항부터 ITW-1632 로계속됨.)

PAGE 3

0042

관리번호	91-778

외 무 부

종 별 : 지 급

번 호 : ITW-1632 일 시 : 91 1112 2340

수 신 : 대통령각하(사본:외무부장관,총리행정조정실장,농림수산부차관)

발 신 : 수석대표 (농림수산부장관)

제 목 : 제 25차 총회 참석보고(ITW-1631 계속분)

8. 소직은 EC 국가중 영향력이 큰 독일 식품.농림성 KIECHLE 장관과도 만나 UR 협상과 관련된 의견을 교환하였는 바

0 먼저 소직이 한국농업은 평균 1.2HA 의 경지면적을 가진 영세소농이 주축을 이루고 있으며(63 프로가 1HA 미만) 농업소득의 절반이 쌀경작으로부터 얻어지고 있어 쌀시장을 개방할 경우 농업의 붕괴로 이어지기 때문에 UR 협상에서의 "예외없는 관세화"는 받아들일수 없음을 강조하자 동장관은 이번기회를 계기로 한국의 쌀에 대하여 이해를 하게되었다고 하면서 농산물 수출국이 아니면서도 많은 품목을 개방하고 있음로 전체적인 균형을 고려할때 한국의 주장에 상당한 이유가 있다고 동조하고 EC 로서도 모든 품목의 완전개방은 불가능하다고 하면서 예외를 얻는 길이 있을 것으로 본다고 하였읍니다.

0 또한 독일이 신축적인입장을 보인다는 일부보도에 대한 소직의 질문에 대하여는 기본적인 변화는 없다고 하면서

0 만약 UR 협상타결로 인해 농산물 가격하락 현상이 생길경우 농가에 직접적인 소득보상이 있어야 하고 환경보존을 위한 보즈금 지원이 필요할 것이라고 하면서 UR 은 성공적으로 타결되는 것이 바람직하나 너무많이 요구하면 하도도 얻을수 없다는 점을 수출국들이 깊이 인식하여야 할것이라고 하고 농업은 공업과달리 일률적인 원칙을 적용할수 없는 특성을 가족 있기때문에 개략적인 원치(ROOF)만을 정하는 것이 오히려 UR 타결을 위한 하나의 방안이 될수 있을 것이라는 의견을 피력 하였는바 소직도 농산물의 경우에는 단계적인 접근방식을 채택하는 것이 바람직할 것임을 강조 하였읍니다.

9. 또한 케언즈그룹의장인 호주의 CREAN 1차 산업및 에너지성장관을 만나 한국으로서는 예외없는 관세화를 수용할수 없다는 입장을 표명하고 특히 쌀은

청와대	장관	차관	1차보	2차보	국기국	분석관	총리실	농수부

PAGE 1 91.11.13 09:57 0043

외신 2과 통제관 BS

정칙적으로 매우 민감한 품목임을 지적하면서 최근 HILLS 미국무역대표부 대표의 방한시 쌀로 인해 정치적 문제가 야기되었던 사실을 설명하자 동장관은 한국의 쌀 문제에 대해 충분히 이해는 가지만 예외는 인정할수 없다는 기존의 입증을 재삼 강조하면서 쌀이외의 품목 특히 쇠고기에 대하여 상당한 관심이 있다고 하였읍니다.

10. 한편 소직은 MADIGAN 미국 농무장관과도 만나 UR 과 관련한 우리정부의 입장을 설명하고 농산물은 공산품과 달리 개혁이 점진적으로 이루어져여 하며아국으로서는 예외없는 관세화를 받아들일수 없음을 밝히고 특히 쌀은 농업소득의 50 프로, 농민의 80 프로가 관련된 기초식량으로 개방이 불가능하다는 국회와 농민의 입장도 전달하였는 바 이에 대하여 동장관은 미국의 기본입장은 예외없는 관세화임을 강조하였읍니다.

11. 또한 알젠틴 수석대표인 REGYNAGA 농무장관과도 만나 UR 에서의 아국입장을 설명하였는 바 동장관은 아국의 어려움은 잘 알고 있다고 하면서 자국으로서는 수출국의 입장에서 완전개방으로 UR 협상이 타결될것을 희망하고 있다고 하고 특히 아국과는 수산분야에 있어 기존의 개별적인 합작부자 형태보다 전반적인어업협정체결을 희망하고 있다고 하면서 최근 알젠틴은 경제정책의 대전환으로 모든분야가 자유화(DEREGULATION) 하는 방향으로 나아가고 있으므로 필요할 경우 상호방문등을 통하여 적극적인 협력체제를 구축할것을 제의하여 왔읍니다. 이에 대해 소직은 원칙적으로 양국의 협력강화제의에 동의하고 우리로서는 보다 많은 수산업 진출이 바람직함에 비추어 세부기술적인 문제는 수산청으로 하여금 실무검토토록 하겠다고 하였읍니다.

12. 소직이 UR 농산물 협상 진전상황과 관련하여 주요국 농상들과 만나본 결과 수출국들은 비교적 과거보다는 진전이 있다고 평가하고 있은 수입국들은 언론보도내용 만큼의 진전은 없다고 판다하는등 엇갈린 견해가 제시되고 있었읍니다.

그러나 EC 에서의 공동농업정책(CAP)은 개혁 방향으로 가고 있다고 느꼈으며 이와같은 EC 의 움직임이 EFTA 국가에게도 상당한 영향을 미칠 것으로 전망됩니다.

또한 이번 총회를 계기로 회의참가 목적외에 막후에서 주요장관들이 UR 협상과 관련하여 활발한 접촉을 하고 있는 것으로 사료됩니다. 끝

예고:91.12.31. 까지

발 신 전 보

	분류번호	보존기간

번 호 : WGV-1589 911113 1338 BX 종별 :

수 신 : 주 수신처 참조 대사. 총영사 WUS -5194 WJA -5171 WEC -0722

발 신 : 장 관 (통 기)

제 목 : UR 농산물 협상

최근 언론보도에 의하면, 11.9. 미.EC 정상회담에서 양측이 앞으로 협상의 조기 타결을 위해 융통성 있는 입장을 취하겠다고 밝힌것과 관련, 11.12 및 13 양측 농무장관 회담(로마) 및 이의 준비를 위한 고위 실무자 협의등이 개최되어 실질 협상을 진행하고 있으며, 미국이 수출보조에 있어서 5년간 30% 감축(또는 6년간 35% 감축)등 구체적인 양보안을 제시하고 있다고 하는바, 관련 동향을 수시 파악 보고바람. 끝.

(통상국장 김 용 규)

수신처 : 주 제네바, 미, 일본, EC 대사.

보안 통제	

앙 고 재	91년 11월 13일	통기과	기안자 성명		과 장		국 장		차 관	장 관
							전결			

외신과통제

0045

관리번호	91-800

원 본

외 무 부

종 별 :

번 호 : AUW-0960 일 시 : 91 1113 1700

수 신 : 장관(통기)

발 신 : 주 호주 대사

제 목 : UR 농산물협상

대:WAU-0861

1. 금 11.13 당관 장동철 참사관은 주재국 외무.무역부 DEADY 과장(GATT 농산물담당)을 접촉, 런던 4 자회의 내용등에 관해 탐문한바, 동과장에 의하면 4 자회의에서 농산물 관세화 및 보조금 문제에 관한 일반적인 성격의 협의는 있었으나 특정숫자에 관한 논의는 없었으며 쌀문제에 관해 일본의 종래의 입장을 반복하면서 GATT 협정의 국회통과와 식량관계법 개정의 어려움을 설명하므로써 회의는 별다른 진전이 없었다고함.

2. 동과장은 주재국이 파악한바로는 지난주 부쉬 미대통령과 DELORS EC 집행위원장간의 헤이그회의에서 양측은 금년내에 UR 을 성공적으로 타결시킨다는 기본적인 합의에 도달하였으며, 관련장관 회담을 통해 수출보조금 감축율(퍼센트)에 대해서도 의견차이가 좁혀졌으나 동 감축율을 적용할 기준(BASE STANDARD)에 대해서는 이견이 있었던것으로 알고있다고 하면서, 미행정부도 미의회가 납득할만한 내용의 UR 협상결과를 도출하기 위해 고심하고 있다는 인상을 갖고있다고함.

3 또한 현재의 미의회의 분위기로 보유 UR 협상이 실패할시 기존의 수퍼 301조 보다도 더욱 강력한 내용의 통상법이 미의회에서 통과될것이 명백하며, 관련법안이 비록 주로 일본을 겨냥할것으로 보이나 미국을 주시장으로 갖고있는 여타국가에게도 매우 불리한 영향을 줄것을 우려하고 있다고함.

4. 장참사관은 동과장에게 쌀 및 일부 기초식품 개방불가등 UR 농산물협상에 대한 우리의 입장과 국회결의등에 관해 다시 설명하고, 개인적인 관심임을 분명히 전제하면서, 쌀문제에 대한 우리의 입장을 현 UR 농산물 협상의 다른방법을통해 타협, 수용될수 있다고 호주가 이야기해온것에 대한 부연설명을 요청한바, 동과장은 자신의 생각으로는 쌀시장의 MMA 및 관세화 예외인정이 어려운 상황에서, 쌀수입에 대해

통상국 장관 차관 1차보 2차보 아주국 경제국 외정실 분석관 청와대 안기부

PAGE 1 91.11.13 15:56
외신 2과 통제관 BW

0046

극소의 MMA 를 인정하면서 동시에 GATT 19 조 조항과는 별도도 일시적인 성격의 SAFEGUARD 조항을 신설, 운영할수있을것이라고 하면서, 예를들어 일정량의 수입을 허용하여 TE 를 부과한후 국내생산 쌀가격이나 시장가격이 등귀하면 일정수준의 관세를 TE 에 추가로 부과하는 방법을 생각할수 있을것이라 하면서 한국은 또한 개도국의 특혜를 받을수 있을것이라고 하였음을참고 보고함. 끝.

(대사 이창범-국장)

예고:91.12.31. 까지

원 본

외 무 부

종 별 : 지 급

번 호 : GVW-2323 일 시 : 91 1113 1830

수 신 : 장관(통기,경기원,재무부,농림수산부,상공부)

발 신 : 주제네바대사

제 목 : UR/농산물 협상(1)

11.13(수) 개최된 표제 주요국 비공식 회의에서는시장접근 문제가 논의 되었는바요지 하기보고함.(농림수산부 조국장, 오참사관, 천농무관참석)

1. 금차 회의 계획관련 던켈 총장 언급 요지

- 금차 회의는 종전과 같은 형식으로 진행되지만 내용에 있어서는 기술적 성격을벗어나 주고받기식의 정치적 협상이 될 것임

0 진행 방식도 다양화 시킬 예정이며, 구체적으로 일부 관련 국가 대표만을 별도로 소집하여 특정한 문제를 논의토록 할 것임.

0 회의 목표는 협상 기초 문서를 만드는데 있으며 동 문서는 종전의 대안 문서와는 다른 것이지만 최종 합의문서도 아님. 동 기초 문서는 조만간 작성될 것임.

- 금차 논의는 시장접근 분야부터 진행할 것인바,그 이유로 타분야 보다 중요해서라기 보다는 시장접근 협상 전체가 농산물 때문에 잘진척 되지 않기때문에 이를 먼저 타개하기 위해서임.

0 주안점은 농산물 분야 시장접근 문제를 어떻게 협상할 것인지를 합의하는데두겠음.

- 참가국의 협조가 없을 경우 즉 DEADLOCK 이 발생될 경우는 보다 고위급(TNC 를암시)으로 동 문제를 넘길 것임.

2. 시장접근 분야 논의 요지

가. 던켈 총장은 시장접근과 관련 1) 삭감 약속방법 2) 기존 시장접근 유지 3) 최저시장 접근 허용순으로 논의하겠다고 하였음

- 삭감 약속 방법 관련 던켈 총장은 관세화하는 품목에 적용되는 TE와 기타 품목의 기존관세에 대하여 삭감 방법을 똑같이 적용할수 있는지를 질문하였음.

나. 미국 및 호주, 뉴질랜드, 알젠틴등 케언즈그룹 국가는 양자 공히 FORMULA

통상국 2차보 경기원 재무부 농수부 상공부

PAGE 1 91.11.14 04:53 DQ

외신 1과 통제관

0048

에의해 예외없이 삭감해야 한다고 강조하였음.

- 케언즈그룹 국가(뉴질랜드등)는 일부 국가의 민감한 품목에 대해서는 삭감폭을하향 조정할수 있지만 최소한의 수준은 삭감되야 한다고 주장하였음.

- 오지리도 케언즈 그룹 국가 주장에 동조하여 TE 및 기존 관세가 모두 공식에 의해 삭감되야 한다고 주장한후, 관세화한 품목의 경우 국내 설득을 위해 일부 민감 품목은 공식보다 다소 하향 조정된 삭감 약속을 할 수 있도록 하고 그대신 다른 품목에 보상할 수 있으면 될 것이라고 하였음.

다. 일본, 스위스, 아국등은 동일한 삭감 방식을 적용하는데 반대 입장을 표명하였음.

- 일본은 관세화는 기존 국경조치의 변화를 의미하므로 기존 관세와는 달리 취급되야한다면서, R/O 방식을 지지하였으며, 일부 민감한 품목은 관세화 하기 어려운 점이 있다고 주장하였음.

- 아국은 현재까지 비관세 조치를 인정한데는 그만한 이유가 남아 있는 만큼 기자유화된 품목의 기존 관세 삭감과는 달리 취급되야한다고 하고, 기초 식량의 경우는관세화가 불가하다는 입장을 밝혔음.

- 스위스는 관세화 하는 것과 TE 를 삭감하는것은 별개라고 하면서 추가적인 삭감 약속은 어려운 문제이므로 융통성이 필요하다고 주장하였음.

- 카나다는 갓트에 합법적인 조치를 관세화 하는 경우와 비합적인 조치를 관세화하는 경우는 달리 취급되야 한다고 주장하면서 갓트 11조 2(C)의 유지개선을 주장하였음. 멕시코도 이와 유사한 내용의 발언을 하였음.

- 미국은 일본, 아국, 카나다, 멕시코의 관세화예외와 관련된 발언에 대해 불만을표명하였음.

라. 던켈 총장은 스위스, 오지리등에게 WEIGHTED AVERAGE 를 받을 수 있다는 것인지를 질문하고 긍정적인 답변을 얻은후, 논의를 종합,대체적인 컨센서스가 형성되고있다고 하였음.

- 던켈 총장은 11.14. 회의를 속개하여 MODALITY OF REDUCTION 과 관련 1) FORMULA 접근방법(선형또는 조화), 2) 삭감 단계별 양허, 3) 기존관세의 양허등 에 대하여논의토록 하고, 기존시장 접근 유지와 최저시장 접근등을 논의할 예정이라고 함.끝

(대사 박수길-국장)

①11.11 이후 UR이 어떻게 돌아가는지 궁금한 것인 ②잘 watch, 검토 하여 장관보고토록 바람

PAGE 2

0049

원 본

외 무 부

종 별 :

번 호 : GVW-2333 일 시 : 91 1114 1830

수 신 : 장관(통기,경기원,재무부,농림수산부,상공부)

발 신 : 주제네바대사

제 목 : UR/농산물 협상(2)

11.14(목) 속개된 표제 주요국 비공식 회의에서는기존 시장접근(CMA)의 유지, 최저시장 접근(MMA)의 허용, 국내보조 분야의 한계보조 개념(DEMINIMIS)인정 여부등이논의되었음.

1. 위생 및 검역규제(SPS) 진전상황 보고

- 던켈 총장은 시장접근 분야 논의에 앞서 11.6-7기간중 개최된 위생 및 검역규제 전문가 회의결과를 하기 요지로 보고하였음.

0 과학적 근거에 의한 SPS, 보다 엄격한 국내조치 허용, 위험 평가제도, 동등성원칙,질병자유지역 개념, 개도국에 대한 기술지원등에 컨센서스가 형성되는등 합의초안에 대한 광범위한 합의가 있었음.

0 동물보호, 소비자 관심사항, 환경보전 분야 적용 문제는 대부분 국가가 부정적임.

0 국내 승인절차,지방정부 적용 문제, 개도국에이행시기를 지연시켜 주는 문제등은 쟁점으로 남아있음.

- 동 분야는 현재 견해차가 남아 있는 부분이 많지않으며 타협이 가능한 것으로본다고 하였음.

2. 기존 시장 접근(CMA) 의 유지

- 던켈총장은 CMA 유지 방법에 대한 각국의견해를 물었음.

- 미국은 TQ가 가장 적합하며 TQ 는 년차적으로증가되야 한다고 주장하였음.

- 호주, 뉴질랜드등 케언즈그룹은 필요한 경우(TE가 매우 높은 경우) TQ 에 의해CMA 를 유지시키되 점차 확대시켜야 하며 이행기간후에는 없어져야 한다고 주장하였음.

0 카나다는 양허품목을 관세화 하는 경우와 비양허품목을 관세화하는 경우 양자의

통상국 2차보 외정실 분석관 청와대 안기부 경기원 재무부 농수부
상공부

PAGE 1 91.11.15 07:40 BX

외신 1과 통제관 0050

균형이 유지되야한다고 하면서 비양허 품목을 관세화 하는 경우 TQ 내 적용 관세에 상한 설정이 필요하다고주장함.

- 이씨는 모든 품목에 TQ 를 정하는 것이 현실적으로 불합리 하다고 하면서 TE가MORERESTRICTIVE 한 경우에만 TQ 를 정하도록 하는것이 적정하다고 주장하면서 획일적인 TQ적용에 반대하였음.

0 스위스 및 북구도 이씨와 유사한 발언을 하였음.특히 스위스는 TQ 의 분배와 관련 기술적 어려움을 제기하면서 품목별로 다른 방법을 적용할 수있게 하자고 하였음.

- 일본은 대부분이 수입되고 있는 품목에대해서는 수급 사정이 수시로 변동되는점을 감안할때 숫자를 정해서 약속하는 것은 이행하기 어렵다고 하면서, 국영무역의대상이 되는 품목에 대해서 TQ 를 적용하기 곤란하다고하였음.

- 아국은 TQ 의 설정 및 배분상 여러가지 기술적문제가 있다고 하면서 CMA 유지에 반대하는 것은 아니지만 품목간 대체성, 기술적인 문제등때문에 모든 품목에 획일적으로 적용하는데 반대하며, TQ 의 년차적 증가도 수용할 수 없다고하였음.

3. 최저 시장접근(MMA) 의 허용

- 던켈 총장은 MMA와 관련 허용조건,설정방법, 품목세분화, 년차적 증가등에 대하여 질문하였음

- 미국,호주, 뉴질랜드등은 소비량 대비 수입량이없거나 미미한 경우(미국은 3퍼센트, 케언즈그룹은5 퍼센트 제시) MMA 를 설정해야 하고 년차적으로증가 시켜야 하며, 관세항목별로 설정되야 한다고 주장하였음.

0 호주는 MMA 가 수입량의 상한이 아니며, CMA와는 다른 개념으로서 추가적 시장접근 기회제공(ADDITIONAL ACCESW)이라고 강조함

- 이씨는 MMA 조건에 대하여 미국과 같이 소비량의 3퍼센트를 주장하고 통계적 문제점을 지적하면서 주요품목에 대하여 TQ 를 통해 MMA 를허용토록 하자고 하였음.

- 일본은 11조 2(C)에 의한 MMA 는 생산량기준으로 제공할 것이라고 하고 이경우MMA 의 년차적 확대는 불가하다고 주장하였음. NEW MMA에 대해서는 적당한 소비량 통 계가 조사되지않으므로 추계 방식을 적용할 수 밖에 없을것이라고 하면서 품목간 대 채성을 감안해야 할것이라고 하였음.

- 북구 및 스위스는 MMA 가 설정되야 한다면 융통성이 필요하다고 하면서 품목군별 접근을 지지하였고, MMA 의 년차적 증가에 반대하였음

- 아국은 소비량 통계의 신뢰도에 문제점이있음을 지적한후, 관세화를 하게 되면시장이개방되는 것이고 또한 년차적으로 TE 가 삭감된다는 점에서 시장접근 기회가확대되는것이기 때문에 관세화 대상 품목에 대한 MMA허용에 반대입장을 밝혔으며, MMA 를 허용할 경우는 품목군별로 정하여야 한다고하였음.

- 던켈 총장은 W/89/ADD.1 의 시장접근 분야관련 표현을 'NEW MINIMUM OR IMPORVED MARKETACCERS'라고 수정할 필요가 있다고 하였음. 또한시장접근 분야에 대한 협상초안은 동 문서에제시된 방향에 따라 구성될 것이라고 하면서 각국의 협조가 없을 경 우는 의장으로서 다른 대안이 없다고 하였음

4. 국내보조

- 던켈총장은 국내 보조분야에서는 대체로 다음과같은 내용이 될것이라고 함.

0 삭감 대상 정책과 허용정책으로분류하고,허용정책은 점검과 검토(MONITOR ANDREVIEW)의 대상으로 함.

0 삭감대상 정책은 AMS 또는 AMS 에 상응한 방법으로 삭감 약속함

0 시장가격 지지정책, 허용정책이외의 직접 지불정책, 기타 정책등이 삭감 대상정책이 됨.

0 시장가격지지 정책은 고정외부 참조 가격 기준으로 계산하며, 국내가격과 보조대상 물량을 기준으로함

- 또한 동 총장은 앞으로 컨센서스가 형성되야 할 부분에 대해서는 의장의 책임으로 질문을만들어 던지겠다고 하면서, 금일 논의를 위해 W/89/ADD.1 에 제시되어 있는 한계보조 개념(DEMINIMIS)을 제기하였음

- 이에 대하여 미국, 케언즈그룹, 이씨,일본,아국등 대다수 국가가 동 개념의 필요성을 지지하였음

0 일본은 시장가격지지가 DE MINIMIS 에 포함되지않아야 한다고 하였고, 미국,호주,이씨등은 DEMINIMIS 개념이 그 수준까지 새로운 보조를 도입하거나 증액해도 된다는 것이 아니라는 점을 강조하였음.

0 모로코, 파키스탄등 개도국은 개도국 우대와는 별개의 개념임을 주장하였음.끝

(대사 박수길-국장)

PAGE 3

0052

관리 번호	91-803

원 본

외 무 부

종 별 :

번 호 : USW-5618　　　　　일 시 : 91 1113 1937

수 신 : 장관(통기, 통이, 미일, 경기원, 농수산부, 상공부, 외교안보, 경제수석)

발 신 : 주 미 대사　사본: 주 제네바, EC 대사(본부 중계필)

제 목 : 미.EC 정상회담

대: WUS-5041

연: USW-5490, 5522

당지 주요 언론보도, 주재국 인사접촉및 법률회사의 분석등을 종합한 BUSH 대통령과 DELORS EC 집행위원장간의 11.9 헤이그 정상회담 결과에 대한 평가를 하기 보고함.(명 11.14. SUZAN EARLY 미 USTR 대표보와 접촉 여추 상세 추보 예정임)

1. 헤이그 미-EC 정상회담의 전반적 성과

- 동 정상회담의 전반적인 성과에 대하여 UR 성공의 중요한 돌파구를 마련했다는 긍정적 평가와 상호 의견을 좁히는 데에는 성공했으나 돌파구를 마련하지못했다는 회의적 평가가 양립되고 있음.

- 회의적 평가는 동 정상회담 공동선언문(별첨)에 포함된 내용이 '양측이 보다 신축성 있는 태도를 보였다'든가, 회담이 '건설적이고 확실한 진전을 보였다'는 정도의 막연한 내용만을 담고 있는데에 착안하고 있는 것으로 보임.

- 반면에 긍정적 평가는 정상간의 회담에서 구체적인 수치나 공식에 대한 합의를 도출해 낸다는 것 자체가 무리한 기대라는 측면에서, 금번 정상회담에서 종래 UR 협상의 최대 장애였던 수출및 국내 농업보조금 분야에서 결정적인 정치적 타결을 이룩하고 다만 구체적인 세부내용의 타결만 남겨둔 셈이므로(동 구체 세부내용은 양측 농무상간 회담에 위임) 금번 정상회담은 UR 의 성패를 가르는 분수령이 될 것으로 보고 있음.

- 또한, 대체로 EC 관리들은 금번 회담을 매우 성공적인 것으로 평가하는 반면(금번 회담으로 GATT 농업개혁이 가능하다고 믿게 되었다는 MACSHARRY EC 농업상의 언급등), 미측 관리들은 금번 회담에서 미측이 종전 입장에서 후퇴했다는일부 언론보도를 의식, 금번 회담 성과및 UR 협상 전망에 관하여

통상국	장관	차관	1차보	2차보	미주국	경제국	통상국	외정실
분석관	청와대	청와대	안기부	경기원	재무부	농수부	상공부	중계

PAGE 1　　　　91.11.14　12:04

외신 2과　통제관 CA

0053

조심스러운 낙관론을 보이고 있는 것으로 보임.(HILLS 대표의 '종전보다는 낙관적' 이라는 발언및 MADIGAN 농무장관의 '조심스러운 낙관론' 표명등)

2. 농업분야 토의내용

- HILLS 대표부의 부인에도 불구하고, 미측은 농업보조금에 대한 종전입장(10 년간에 걸쳐 수출보조 90%, 국내보조 75% 삭감)에서 보다 후퇴한 신축적인 입장을 제시한 것으로 보이며, 특히 종전의 10 년간 감축을 5 년간 감축으로 하되 5 년후에 추가 감축을 재교섭하는다는 방향으로 양측의 의견이 접근된 것으로보임.

. 당관 이영래 농무관이 11.12. 미 농무부 GRUEFF 다자협력 과장을 면담한 자리에서, 동 과장은 미측이 종전 입장에서 목표를 낮출수 있다는 유연한 입장을보였다는 사실은 확인했으나 정확한 수치는 밝히기를 거부하였음.

- 또한 EC 측도 종전입장(수출보조 삭감없이 국내보조만 5 년간 30% 삭감)에서 후퇴하였으며, 특히 수출보조도 삭감대상에 포함시킨다는데 대해서는 양해가 성립된 것으로 보임.

- 다만 삭감율에 있어서는 미측에서 양측의 입장을 절충한 수치를 거론한 것으로 보이나(일부 언론은 처음 5 년간 우선 수출보조 35%, 국내보조 30%를 삭감하는 안이 제시된 것으로 보도), 이에대해서는 아직 합의는 이루어지지 않은 것으로 보임.

. 5 년간 30% 삭감후에 다시 추가 5 년간에도 유사한 비율의 삭감이 가능하다고 가정할때 10 년간 60% 삭감 수준이 되어 사실상 미측 종전입장에도 많이 접근되고 EC 측에도 당장의 국내정치적 부담을 경감시킬수 있다는 측면에서 가능한타협점이 될 수 있으리라는 것이 당지 법률회사의 평가임.

- 상기 외에 보조금 삭감의 기준연도, 보조금의 계산방법(미측은 보조금 지원대상 농산물 수량 기준, EC 는 보조금액 기준 주장)등이 주요 미타결 문제로 남아 있으며, 또한 농산물에 대한 관세율 재조정(REBALLANCING) 허용 여부도 미타결 상태인바, MADIGAN-MACSHARRY 회담의 주요 토의 대상이 될 것으로 보임.

- 직접 소득 보조의 허용 여부는 최근 협상에서 거론되지 않은 것으로 보이나, EC 측은 직접 소득 보조를 GREEN BOX 에 포함시키는 것을 기정 사실로 만들려고 시도하고 있는 것으로 보임.

3. 기타 협상분야

- EC 측은 농업분야에서의 협조적 태도에 대한 대가로 서비스 시장개방 분야에서 미측의 양보를 얻어내려 하고 있는 것으로 보이며, 정상회담 공동선언에서 '서비스

PAGE 2

0054

협정 대상범위는 망라적이어야 하며, 최대한의 자유화와 최소한의 예외를 추구해야 한다'는 언급을 얻어낸 것은 일단 EC 의 승리로 보임.

- 그러나, 당지 관측가들은 상기 합의에도 불구하고 미측은 기초 통신등 분야에서 예외 인정을 추구하지 않을 수 없을 것으로 보고 있으며, 따라서 상기 서비스 부문 공동선언 내용은 비합의의 합의가 아니겠느냐는 평가를 내리고 있음.

4. 향후 전망및 종합 평가

- 사실상 금번 정상회담에서 비공식적으로 의견 접근을 본 것까지 포함한다면, 이제 미-EC 간에 큰 쟁점이나 의견차이는 남아있지 않게 되었으므로, 금번 정상회담은 UR 협상을 본격적으로 가속 추진할 수 있는 계기를 마련한 것으로 사료됨.

- 미-EC 는 미-EC 농무상 회담등을 통하여 의견차를 추가적으로 해소한 후에 이러한 미-EC 간의 접근된 의견을 다자무대(GATT)에서 여타 체약국들에게 제시하게 될 것으로 보임.

첨부: USW(F)-4938(8 매). 끝.

(대사 현홍주-국장)

예고: 91.12.31. 까지

11/13/91 19:49 ☎202 797 0595 EMBASSY OF KOR → WOI 2 001

주 미 대 사 관

번호 : USW(F) - 4938

수신 : 장 관 (통기, 통이, 미일, 경기원, 농수산부, 상공부, 외교안보, 경제수석) 청와대 경제비서, EC대사 (중계필)

발신 : 주미대사

제목 : 첨부 (8매)

Hills Says US Didn't Cave In To EC on Subsidies

By JOHN MAGGS
Journal of Commerce Staff

WASHINGTON — U.S. Trade Representative Carla Hills denied that President Bush backed down in agricultural trade talks with the European Community, saying the United States had suggested a two-stage approach favored by Germany.

While she declined to specify the level of cuts discussed Saturday at a U.S.-EC summit in the Netherlands, Mrs. Hills made it clear that the high-level meeting had broken a stalemate on agriculture that threatened to scuttle the Uruguay Round of global trade talks.

News accounts of the meeting said Mr. Bush agreed to scale back the U.S. proposal on farm trade reform, which called for a 75% cut in domestic subsidies and barriers to imports, and a 90% cut in export subsidies, all over 10 years.

Several reports said the United States had offered a five-year plan to cut domestic subsidies and import barriers by 30% and export subsidies by 35% over five years.

"There was no agreement on numbers," Mrs. Hills said in a phone interview from Seoul, South Korea. She added however, that "we did say, if you can't take it in one bite, what would you think about two bites?"

Another U.S. trade official said the United States would insist on a "continuation clause" in any five-year deal on agriculture, in which "there would be a presumption that there would be further reductions of a similar level."

"There was no caving at all," said Mrs. Hills Tuesday. "We will be flexible, so long as the other party is negotiating in good faith. That doesn't mean we are caving."

When the Uruguay Round negotiations broke down in Brussels last December, the United States and European Community were far apart on agricultural trade reform, with the EC calling for 30% cuts over 10 years.

Since then, the community has begun the politically sensitive job of down-sizing its farm supports, which are depleting the EC treasury. Germany and France recently embraced the concept of farm trade reform.

Mrs. Hills has said that a farm trade reform plan was needed in the round to convince developing countries to accept new rules on services trade, and protection of intellectual property rights.

Other key goals of the Uruguay Round are the reduction of tariffs and subsidies, the elimination of quotas on textiles and stronger international trade rules.

While Mrs. Hills said she was more optimistic than ever about reaching an agreement on agriculture, many issues still divide the United States and Europe.

It's "not going to be easy by any means to solve those problems," another U.S. official said. "There is no agreement yet on numbers, the base year or the number of years, and you can't get an agreement on one until you get agreement on all three," he said.

One thorny issue is the base year used to measure reductions in levels of protection. The EC proposal used 1986 as a base year, which would make future cuts smaller than if the base year were 1991.

EC officials have responded warmly to the five-year plan, which would require cuts of 6% a year, as opposed to 3% a year under their standing proposal.

But the community continues to insist that it be allowed to "re-balance" its tariffs and other farm trade barriers. That would allow it to raise protection for some crops while lowering it for others. The United States remains opposed to re-balancing.

The two sides also are divided over how to measure export subsidy reductions. The United States wants the measurement in the quantity of goods subsidized. The EC favors measuring the level of EC funding.

Mrs. Hills said the United States would oppose an EC demand to change the U.S. Section 301 trade law, which allows unilateral retaliation, unless there are stronger international rules to rely on. "I am not prepared to talk about any change in 301 when we don't have multilateral rules."

Congress, which must approve any Uruguay Round pact, is unwilling to weaken Section 301 and is considering reviving the "Super 301" law, which would allow broader unilateral trade action by the U.S. government.

Mrs. Hills also denied a Washington Post report that the Bush administration had decided that free-trade talks with Mexico would not yield an agreement until after the 1992 U.S. election.

JOC 11/13/91

0056

수신 : 주미대사
발신 : 외무부장관
제목 : USW(F) -

FT 11/13/91

Farm subsidy accord tantalisingly near

EC and US are talking tough for home consumption, writes David Gardner

GATT AGREEMENT on cutting farm subsidies, the problem on which the success of the five-year-old world trade talks under the General Agreement on Tariffs and Trade's Uruguay Round turns, is now tantalisingly near.

This is the feeling of those negotiating on the EC and US sides, even if they are guarding their "bottom lines", and shepherding their home constituencies by talking tough. Mr Ray MacSharry, EC agriculture commissioner, and Mr Ed Madigan, US agriculture secretary, resumed talks in Rome last night.

Their aim was to consolidate and extend progress at last Saturday's EC-US summit in The Hague, the most significant advance on the farm dossier since the Uruguay Round foundered on farm subsidies at the Gatt summit in Brussels last December. Mr MacSharry said after the meeting that progress had been made, and points identified which were of concern to both sides. The EC now feels a Gatt farm deal is really possible, unlocked by President Bush's intervention in last Saturday's talks.

"Bush has clearly taken the decision that he's going for a Gatt agreement," an EC official said. "There are a lot of loose ends, but they are not dangerous; the broad figures are there, and there is very little to be gained on either side from unravelling this."

The narrowing of the gap is appreciable. Last December, the EC offered, only after eight farm council meetings, to cut domestic subsidies by 30 per cent over 10 years, counting from 1986, to get credit for past price support cuts. The US, backed by the Cairns group of 14 farm exporters, wanted a 75 per cent cut in internal support and EC protection against imports, and a 90 per cent cut in export subsidies. The Europeans always called this unrealistic.

Since last December, Brussels has offered the most radical reform of the EC's Common Agricultural Policy (CAP) since its inception 30 years ago, and Mr MacSharry has won grudging acceptance of its broad thrust from the member states. This has given him room to negotiate. Now, two main differences must still be resolved:

- EC-US discussions centre on export subsidies — the US has throughout been mainly concerned with its share of the world market for cereals, and access to the EC for its oilseeds and cereals substitutes. Mr Madigan, prodded by President Bush, on Saturday suggested cuts in export refunds of either 30 per cent over five years, or 35 per cent over six years. The EC side feels this is possible.

The CAP reform proposes a 35 per cent cut in domestic cereals prices over three years, which would cut export restitutions — for the difference between the EC price and world market prices — by significantly more than that. For the EC to deliver within Gatt, it is vital the direct payments it wants to make to farmers as compensation for the cuts are judged not to be a trade distortion, and put in Gatt's "green box". "There seems to be an assumption (on the US side) that our payments will be 'green box'," a Commission official said yesterday.

But for this, two key additional issues must gel. First, the US wants pledges that the volume of exports, and amount of subsidy, will be curbed. "We are now looking at a formula to combine elements of both," a Commission official said. Second, different base years, from which to calculate the cuts to be agreed, are being suggested. There is no longer much difference in terms of cuts the EC will have to make — the "credits" embodied in its original offer for 1986-85 have been almost wiped out by huge rises in the CAP budget. "We'll probably split the difference," a Commission official said.

- The EC wants pledges that its domestic cereals market will not be further eroded by cheap US feedstock substitutes, in exchange for taking up to 2m tonnes of grain a year off the world market. The US has taken the point that further erosion would force more European cereals out into the markets the US wants to recover, and that it is politically impossible for Brussels to persuade the Twelve to give up market share at home and abroad simultaneously, "to pay twice", a French official said.

The US is studying an EC suggestion to freeze cereal substitute imports at about their current level, "but the formulation is not yet bankable," a Brussels official stated. If these issues are agreed, the EC's Dutch presidency seems already to have won the assent of Bonn, Paris, London and Rome. Mr MacSharry will present these proposals informally next Monday.

If a deal is near, Mr Arthur Dunkel, Gatt secretary-general, will include it in his conclusions on the round by the end of this month. On December 9-10, the EC summit at Maastricht is expected to try to win a final all-round accord. On December 11-12, the EC farm council meets. A Gatt ministerial meeting will only be convened if the Round can formally be ended.

0057

NOV.13 '91 20:23 KOREAN EMBASSY WASHINGTON DC 주 미 대 사 관 P.001

보안 통제	

번호 : USW(F) -

수신 : 장 관

발신 : 주미대사

제목 :

U.S., EC End Major Impasse Over Agricultural Subsidies

Compromise Clears Way for New Trade Rules

By Stuart Auerbach
Washington Post Staff Writer

The United States and the European Community have forged a crucial compromise over the issue of agricultural subsidies that opens the way to a major overhaul of worldwide rules governing trade, U.S. and EC officials said yesterday.

Under the compromise, reached Saturday at a summit meeting between President Bush and EC leaders at The Hague in the Netherlands, the EC dropped its outright refusal to reduce subsidies to farmers, while the United States scaled down the level of subsidies it would consider acceptable, the officials said.

The officials stressed that the summit compromise set the framework for an accord but that hard bargaining is still expected over key details.

The farm trade issue has dominated the Uruguay Round of free-trade talks that are designed to modernize the General Agreement on Tariffs and Trade (GATT), the main accord regulating world trade. Major farm-product exporting nations have refused to conclude agreements in other key sectors until Europe agrees to end its farm subsidies.

This has stalled negotiations over such critical trade issues as reductions in tariffs, protections for patented products from piracy and rules to open service industries such as banking, insurance and engineering to international competition.

GATT officials said negotiations intensified this week as a result of the positive signs from the weekend's U.S.-EC meeting. "There is a definite feeling now on our side that there has been quite a bit of movement," although "there still are major differences to be ironed out," said a senior EC official in Washington.

The official also said the agreement Saturday was "balanced" in other areas, including a U.S. pledge to include telecommunications in an agreement on trade in services. U.S. telecommunications companies have complained that such a move would give European rivals access to the American market, while barriers remain in Europe.

At Saturday's summit, officials said EC Commission President Jacques Delors linked a more cooperative European stance on agriculture to U.S. willingness to end barriers against European service industries, such as restrictions on foreign ownership of U.S. airlines and radio and television stations.

U.S. Trade Representative Carla A. Hills said Saturday's high-level session in The Hague was one of the few days of real negotiations on agricultural trade since the Uruguay Round began in 1986.

The U.S.-Europe talks continued in Rome last night at a meeting between Agriculture Secretary Edward R. Madigan and the EC's farm commissioner, Ray MacSharry. "I see signs now of some movement on all sides which makes me cautiously optimistic," Madigan said, according to news agency reports.

Hills declined yesterday to outline the shape of a possible farm agreement, but European and U.S. sources said cuts in subsidies are likely to be smaller than the Bush administration originally demanded and would be spread over five years instead of 10. They said the agreement is likely to include a clause to review the agreement after five years, which could lead to further cuts in the subsidies.

European sources said that it appears to be the kind of package that would be accepted by the farm ministers of the 12 EC nations—included France and Ireland, the major holdouts among the Europeans—when the ministers meet next week.

While the United States and Europe are moving closer on the farm issue, Secretary of State James A. Baker III intensified U.S. pressure on Japan and South Korea to end their bans on imports of rice and other farm products.

In Tokyo Monday, Baker urged Japan to take a leadership role in the GATT talks instead of waiting for other countries to make concessions first. While Japan has not moved officially, its new prime minister, Kiichi Miyazawa, has dropped hints that the Japanese may propose some opening of their rice markets in the GATT talks—especially if Europe appears willing to negotiate away its subsidies.

WP 11/13/91

USW(F) - 4938 - 3
계속

0058

11/13/91 19:51 ☎202 797 0595 EMBASSY OF KO... → W01 2 ☑003

주 미 대 사 관

보안	
통제	

번호 : USW(F) -

수신 : 장 관

발신 : 주미대사

제목 :

US, EC narrow gap in Uruguay Round

By Nancy Dunne in Washington

THE US and EC have narrowed their differences in the Uruguay Round over proposals to open markets to foreign goods, protect intellectual property rights, and negotiate trade rules for services, but have made no breakthrough in the key agriculture talks, Mrs Carla Hills, US trade representative, said yesterday.

From Seoul, Mrs Hills said talks at the weekend between President Bush, Mr Jacques Delors, EC Commission president, and other officials had left her "more optimistic than when I arrived at The Hague" that the round will be completed. On areas other than agriculture, the US and EC are "only a couple of issues apart in each category."

The two sides had not agreed on "numbers", the percentage cut each member will be required to make in its internal supports for farmers, its barriers to foreign farm imports and agricultural export subsidies. "There was no caving at all," she said, referring to reports that President Bush had agreed important concessions. "We are trying to find a position that we think reforms agriculture and will keep the developing nations at the table."

With the Gatt outlook still uncertain, the Bush administration was pushing ahead to its second trade goal: completing a North American Free Trade Agreement linking the US, Canada and Mexico. Mrs Hills denied reports of administration concern that the president's re-election could be jeopardised by fear of losing manufacturing jobs to Mexico.

"The content will drive the deadline. No deadline, not an election, not another deadline, will drive the content." Mr Bush had announced a policy of free trade, not only with Mexico and Canada, but the rest of the hemisphere. "If people don't want to do that, they will be less inclined to vote for him...if they think we are on the right track, they will vote for him."

FT 11/13/91

4938 - K

0059

주 미 대 사 관

보안 통제

번호 : USW(F) -

수신 : 장 관

발신 : 주미대사

제목 :

US, EC Work To Clinch Deal On Farm Subsidies

By BRUCE BARNARD
Journal of Commerce Staff

BRUSSELS, Belgium — The European Community and the United States moved Tuesday to consolidate a fragile breakthrough in a dispute over farm subsidies that could unblock the stalled Uruguay Round of world trade negotiations.

EC officials said the United States now is willing to accept commitments for subsidy cuts of 30% over five years or 35% over six years, followed by a review to consider further reductions up to the end of the century.

Edward Madigan, U.S. agriculture secretary, and Ray MacSharry, the EC farm commissioner, were scheduled to meet in Rome Tuesday night to narrow their differences over farm trade following movement by both sides at an EC-U.S. summit over the weekend.

Claims of a breakthrough at the summit, attended by President Bush and EC Commission President Jacques Delors, were made by EC officials.

They contended the United States had retreated from a position taken previously by Carla Hills, the U.S. trade representative, calling for a 90% cut in subsidies.

Washington's original set of demands called for a 90% cut in farm export subsidies and a 75% cut in domestic support and import barriers by the year 2000.

President Bush insisted at the Hague summit that Washington had not backed down, but said the two sides had made progress on the vexing farm issue.

(Mrs. Hills also denied that President Bush had backed down in the agricultural trade talks with the EC, saying the United States had suggested a two-stage approach favored by Germany. She made it clear that the meeting had broken a stalemate on agriculture. Story, Page 10A.)

Mr. Delors claimed that for the first time he was "reasonably optimistic" about a successful conclusion of the talks.

Louis Mermaz, France's farm minister, said Mr. Madigan expressed a tougher U.S. position on trade sanctions under U.S. law (Section 301) than he had been expecting.

"I have seen press reports that the U.S. has proposed a five- or six-year embargo on using 301 if the (Uruguay) Round is a success, but what he told me was less precise, more cloudy," Mr. Mermaz said.

EC officials said Washington and Brussels still lacked agreement on the base date for calculating reductions in subsidies, how much credit the EC should receive for cuts it already has undertaken and whether the reductions should be expressed in monetary or tonnage terms.

The United States wants cuts in export subsidies to be based on tonnages while the EC favors a cash-tonnage mix.

The EC still is sticking to its demand for a so-called re-balancing factor that would allow it to raise tariffs on some farm products, notably foodstuffs, to compensate for reduced tariffs on other commodities.

The United States strongly opposes re-balancing, which it claims will hit U.S. farm exports, especially soybeans.

While EC officials claim the United States has softened its position, they also concede the community is being more flexible over subsidies by moving to overhaul its $60 billion-a-year Common Agricultural Policy.

Mr. Delors said the impact of CAP reform on world farm trade would be very simple.

"We intend to produce less, import more, export less . . . If we produce less, there will be less pressure on the world market," he said.

The EC Commission, which is negotiating for the community in the Uruguay Round, also is using the likely results of a CAP reform as a unofficial guide to what it can deliver on subsidies.

A proposed 35% cut in EC grain prices over three years and a shift from production to income supports would enable the commission to offer cuts in export subsidies that are much deeper than the 30% it has put on the table.

The merit of a five-year accord is that it would simultaneously allow the benefits of CAP reform to take effect and give the United States another shot at scrapping all export subsidies.

JoC 11/13/91

4938-5

0060

JOINT U.S./EC STATEMENT

GATT/UR

The United States and the European Community are more than ever committed to an ambitious, global and balanced result of the Uruguay Round. Through the strengthening of the multilateral trading system, they aim at creating the conditions for more economic growth for all nations and more particularly for the developing countries as well as for the Central and Eastern European countries thereby enabling them to progress towards market economies and full participation in the world economy. In order to give new momentum to the negotiations they have decided to endeavour to overcome divergencies which still separate them.

We welcome the recent intensification of the negotiations under the leadership of GATT Director General Dunkel, and we are willing to show flexibility to bring this round to a successful conclusion by the end of this year. Accordingly, we have instructed our negotiators to lead by example and work with our other trading partners to fashion an ambitious package on the basis of the following platform:

On Agriculture we have made some progress on a package of measures being discussed. The remaining gap will not be easy to close, but we are both committed to do so. Thus the United States and the EC have made progress in narrowing their differences and instruct their negotiators to continue in Geneva.

The US and the EC share the objective of strengthening the existing rules of the GATT and of adapting them to today's economic realities. We are close to agreement on how this should be accomplished in all areas. On subsidies we have agreed to seek a solution that improves discipline on trade distorting subsidies, while meeting each other's major concerns.

0061

-2-

We also both agreed that it is vital to achieve an effective and more binding system of resolving our trade disputes, one that reduces the dangers of retaliatory actions by effectively channeling our differences into a multilateral, rule-based system.

We strongly feel that liberalization to tariff and non-tariff barriers by all GATT partners would be a major incentive to restore business confidence and stimulate global economic growth. We noted real progress in the bilateral US/EC market access negotiations. We have decided to move boldly to meet one another's key objectives in this area. Specifically, we have instructed our negotiators to develop an agreement substantially reducing peak tariffs, eliminating tariffs in key sectors, and harmonizing them at very low levels in others.

We call on all nations to match the ambitions of th US and EC in market access. Too many countries maintain high tariff structures, and these barriers to world trade can no longer be justified. A trading system in which all participants have binding commitments to maintain low tariff structures will benefit both developing and developed economies alike.

Finally, we reaffirmed the necessity of significant results in the new areas of intellectual property, investment, and services.

On intellectual property, we are in virtual agreement on the elements of a substantial agreement that would contain a high level of protection for copyrights, patents, integrated circuits, trade secrets geographical indications and trademarks.

-3-

. On services, which represents a vital and growing share of the world economy, we agreed on a common objective: a strong framework of rules regarding such matters as effective national treatment and MFN, combined with a substantial package of market access commitments from all participants. We agreed that coverage of a services framework should be universal, including financial services, and should form an integral part of the multilateral trading system. We have agreed in principle to seek maximum liberalization and to minimize derogations. We also discussed certain key services sectors where problems still exist, in the negotiations, and agreed to resolve quickly our differences in these sectors so as to finalize the negotiations.

We instruct our negotiators to move quickly in Geneva to bridge any remaining differences and to work with our trading partners to conclude the ambitious package we all seek. We also agreed that we stand ready to intervene again as and when necessary.

4938-8

종 별 :

번 호 : USW-5630 일 시 : 91 1114 1822

수 신 : 장 관 (통기,통이,미일,경기원,농수산부,외교안보,경제수석)

발 신 : 주 미국 대사 사본: 주 제네바,EC 대사(중계필)

제 목 : 미- EC 정상회담

대: WUS-5041

연: USW-5490, 5522, 5618

당관 장기호 참사관은 11.14. SUSAN EARLY USTR 농업담당 대표보를 면담, 헤이그 미-EC 정상회담의 결과에 대한 미 행정부측의 평가를 문의한바, 이에 대한 EARLY 대표보의 답변내용및 기타 협의 결과를 하기 보고함.(서용현 서기관 동석)

1. 미-EC 정상회담 결과(EARLY 대표보 설명 내용)

- 약 3 시간여 동안 지속된 회담에서, UR 관련 여타 의제에 소요된 약간의 시간을 제외하고는 거의 모든 시간이 농업문제 협의에 투입되었으며, 특히 수출보조금 문제가 가장 집중적으로 토의되었음.

- 보조금 삭감율이 동 회담에서 제시, 협의된 것은 사실이나, 삭감 기준연도등 다른 조건에 대한 합의가 없는 상태에서 단순히 삭감율만 따로 떼어서 논한다는 것 자체가 무의미하므로 삭감율에 대하여 어떤 합의가 있었다고는 말할수 없음.(언론에 보도된 5 년간 30% 삭감이 근거가 있는 것인지 및 미, EC 중 어느측에서 제안한 것인지에 관한 질문에 대하여는 직접 답변을 회피하고, 미, EC 중어느 일방에서 제시한 안이라기 보다는 회의에서 전반적으로 거론, 토의된 내용으로 보아야 할 것이라고만 언급)

- EC 가 주장하는 관세율의 REBALANCING 문제는 미측이 수용할 수 없는 것으로 미결로 남아 있음.

- 직접 소득 보조금에 관하여도 EC 측은 이를 허용 가능한 보조로 취급할 것을 주장하는 반면, 미측은 소득 보조중 순수 소득 보조는 가하나 각 작물의 생산에 영향을 주는 품목별 소득보조는 불가하다는 주장을 견지하고 있어 미해결 상태에 있음.

2. 시장접근(관세화) 관련문제

통상국	장관	차관	1차보	2차보	미주국	구주국	통상국	외정실
분석관	청와대	청와대	안기부	경기원	농수부	중계		

PAGE 1 91.11.15 09:37

외신 2과 통제관 BS

0064

- EARLY 대표보는 관세화등 문제는 헤이그 정상회담 직전에 개최된 실무접촉에서 사전 의견 접근이 있었으므로 정상회담 자체에서는 논의되지 않았다고 설명함.

- 동 대표보는 종래 예외없는 관세화로 불려지던 개념을 두개의 별개 개념으로 분리하여, 모든 품목에 대하여 예외없이 관세화 조치를 취하도록 하는 것은UNIVERSAL TARIFFICATION 으로, 그리고 관세화 조치를 위한 관세 상당치(TARIFF EQUIVALENT) 계산에 있어 국제가격과 국내가격간의 차이 이외의 다른 요소나 조건을 부과치 않은 것은 CLEAN TARIFFICATION 으로 칭하고 있다고 하면서, 상기 실무접촉에서 UNIVERSAL TARIFFICATION 에 대해서는 합의가 도달되었고, CLEAN TARIFFICATION 문제는 정상회담에서 논의되기에는 너무 기술적 문제이므로결국 관세화 문제는 정상회담에서 거론되지 않은 것이라고 설명함.

- 또한 동 실무접촉에서는 최소 시장접근 개념을 인정하되, 동 시장접근율이 점진적으로 높아지는 점증 최소 시장접근(MINIMUM MARKET ACCESS WITH GROWTH)에 의견이 접근되었다함.

- 아측은 두차례에 걸쳐 30%씩 수출및 국내보조를 삭감한다는 언론보도가 사실이라면 이는 미, EC 가 보조금 분야에서 상호 신축적인 태도를 보인 셈인바,미, EC 가 보조금 분야에서는 신축적 태도를 보이면서 시장접근 분야에서는 예외없는 관세화를 계속 주장하고 있으며, 또한 헤이그 정상회담 공동성명에서 서비스 분야 COVERAGE 가 UNIVERSAL 한 것이어야 한다고 하면서 예외의 극소화를 추구하는 것을 아울러 규정하여 사실상 예외인정 가능성을 부여하면서도 농업분야에서는 UNIVERSAL TARIFFICATION 에 대한 예외 인정을 거부하는 것은 각 분야 협상의 균형을 이룩해야 한다는 UR 의 협상정신에 어긋나는 것이 아니냐고 반문한데 대해, EARLY 대표보는 흥미있는 지적이라고 하면서 좀더 검토해 보겠다고 답하였음.

3. 일본의 입장

- UR 농산물 협상에 대한 일본의 입장과 관련, EARLY 대표보는 연호 미야자와 일본수상의 기자회견 내용이 결국 미, EC 가 수출보조금 분야에서 과감한 양보를 한다면 일본도 이에 상응하는 조치를 할 용의가 있으며 일본이 협상의 창구를 열어 놓겠다는 것을 시사하는 것이라고 평하였음.

4. 향후 협상 전망

- EARLY 대표보는 금번 정상회담에 의하며 UR 농산물 협상은 큰 진전을 본것은 분명하나, 아직도 넘어야 할 난제가 다수 남아 있으므로 KATZ USTR 부대표가 최근

언급한 바와 같이 UR 은 EUPHORIA 와 UNBRIDGEABLE DIFFERENCES 의 중간에 위치하고 있는 상태로 보아야 할 것이라고 언급함.

- 동 대표보는 금번 정상회담 결과를 기반으로 하여 DUNKEL 사무총장은 11 월말에 의장 협상안을 제출할 수 있을 것이며, 빠르면 12 월말 까지는 최종 타협에 도달할수 있을 것으로 본다고 전망함.(로마에서의 MADIGAN-MACSHARRY 회담 결과는 아직 접수되지 않았다함). 끝.

(대사 현홍주-국장)

예고: 91.12.31. 까지

PAGE 3

0066

長官報告事項

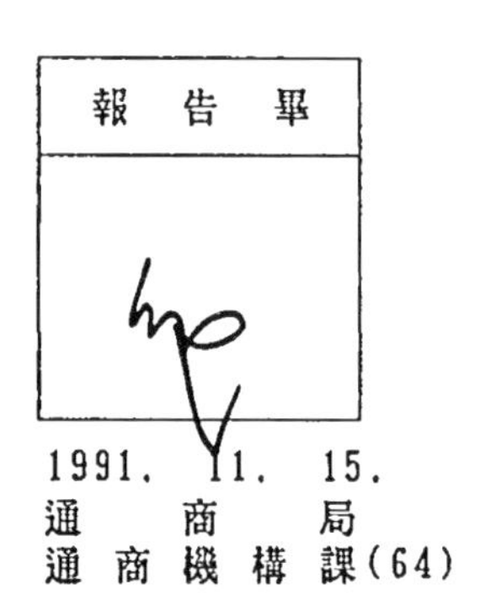

1991. 11. 15.
通 商 局
通商機構課(64)

題 目 : 農産物 協商/最近의 美.EC 協議 動向 (公館 報告 및 外國 言論報道 要約)

> 11.9 美.EC 頂上會談 以後 兩側은 閣僚級, 實務級 協議를 통해 農産物 分野에서 兩側의 意見 接近에 상당한 進展을 이루고 있는 것으로 알려지고 있는바, 關聯 動向을 아래 報告 드립니다.

1. 意見接近 分野
   - o 例外없는 關稅化 (universal tariffication)
   - o 最小 市場接近 幅의 漸進的 擴大
   - o 國內補助 및 輸出補助를 5年동안 30% 減縮 또는 6年동안 35% 減縮
     - 同 減縮期間 終了後 追加 減縮 問題 檢討

2. 異見 分野
   - o 關稅 相當値(TE) 計算時, 國際價格과 國內價格間의 差異 以外의 餘他 要素 反映 與否(clean tariffication)
   - o rebalancing 認定 與否
     - 美國産 飼料(cereals substitutes)의 對EC 輸出物量 凍結 問題 包含
   - o 特別세이프가드 制度 運用 方法
   - o 補助 減縮 算定 基準年度 및 履行 開始 年度
   - o 許容補助로 分類될 수 있는 直接 所得 補助의 條件
   - o 輸出補助 減縮 方法
     - 物量基準 또는 財政支出 基準. 끝.

0067

報 告 畢

長官報告事項

1991. 11. 15.
通 商 局
通商機構課(64)

題 目 : 農産物 協商/最近의 美.EC 協議 動向 (公館 報告 및 外國 言論報道 要約)

11.9 美.EC 頂上會談 以後 兩側은 閣僚級, 實務級 協議를 통해 農産物 分野에서 양측의 의견접근이 상당한 進展을 이루고 있는 것으로 알려지고 있는바, 關聯 動向을 아래 報告 드립니다.

1. 意見接近 分野

o 例外없는 關稅化 (universal tariffication)

o 最小 市場接近 幅의 漸進的 擴大

o 國內補助 및 輸出補助를 5年동안 30% 減縮 또는 6年동안 35% 減縮

- 同 減縮期間 終了後 追加 減縮 ~~與否~~ 문제 檢討

2. 異見 分野

o 관세상당치 (TE) 계산시, 국제가격과 국내가격 간의 차이 이외의 여타 요소 반영여부 (clean tariffication)

o rebalancing 認定 與否

- 美國産 飼料(cereals substitutes)의 對EC 輸出物量 凍結 問題 包含

o 特別세이프가드 制度 運用 方法

o 補助 減縮 算定 基準年度 및 履行 開始 年度

o 許容補助로 分類될 수 있는 直接 所得 補助의 條件

o 輸出補助 減縮 方法

- 物量基準 또는 財政支出 基準 ~~與否~~. 끝.

공람	통상기구과	91년 11월 15일	담 당	과 장	심의관	국 장	차관보	차 관	장 관
			송봉헌	[서명]	[서명]	[서명]			

0068

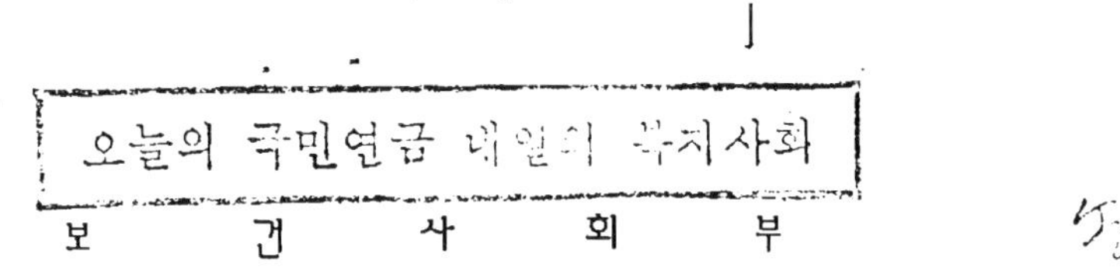

보 건 사 회 부

식유 31150 -15946 504-6206 1991.11.15.

수신 외무부장관

제목 UR협상 위생 및 검역규제관련 자료등의 통보요청

1. 귀부 GVW-2275('91.11.7)호와 관련입니다.

2. 위 대호관련 UR 농산물협상중 위생 및 검역규제작업단에서 논의.진행되고 있는 사항은 우리부 식품의 위생 및 안전성과 밀접히 관련된 것으로 향후 동작업단 관련에 대하여는 우리부에도 통보될 수 있도록 조치하여 주시기 바랍니다. 끝.

보 건 사 회 부 장 관

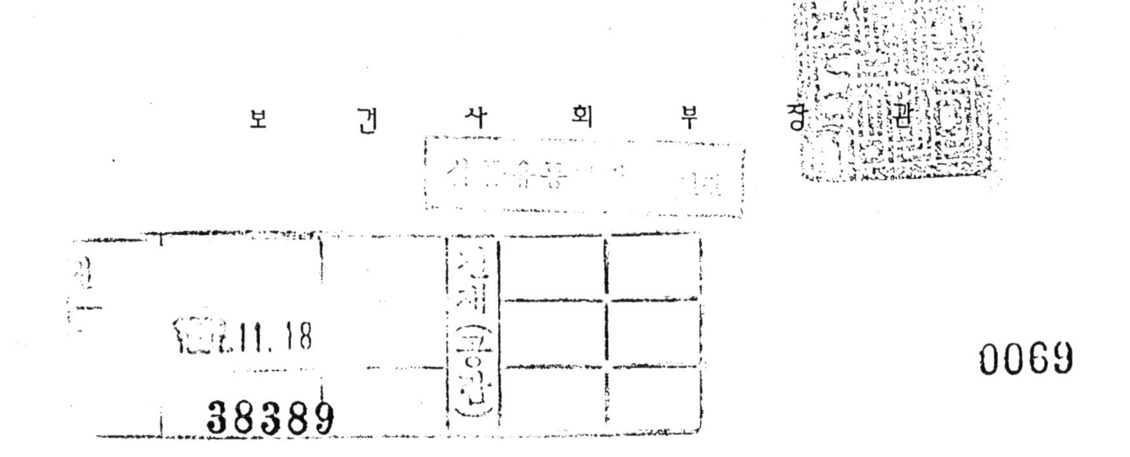

0069

농 림 수 산 부

우 427-760 / 주소 경기 과천시 중앙동 1번지 / 전화 (02)503-7228 / 전송 503-7249

문서번호 통일 20650-1083
시행일자 1991.11.21. (년)
(경유)
수신 수신처 참조
참조

선결			지시		
접수	일자 기간	1991. 11. 22 :	결재·공람		
	번호	39031			
처리과					
담당자					

제목 UR 농산물협상 위생및 검역규제 전문가회의 참석결과 통보

1. 관련 : 통일 20650-1008('91.10.29)및 통일 20650-1017('91.10.31).

2. '91.11.6-11.7간 스위스 제네바에서 개최된 표제회의 참석결과를 별첨과 같이 통보하오니 업무에 참고하시기 바라며,

3. 또한, 소관별로 동 회의결과 내용을 검토한후 추가반영될 사항이 있을경우 '91.11.30까지 검토의견을 통보하여 주시기 바랍니다.

첨부 : 1. GATT.UR 농산물협상그룹 위생및 검역규제 전문가회의 결과보고 1부. 끝.

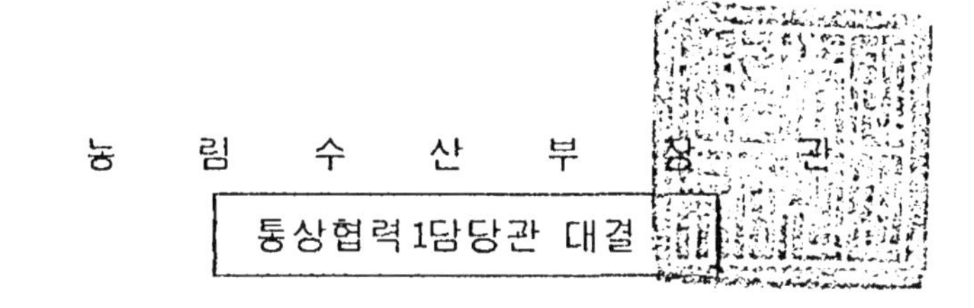
농 림 수 산 부 장 관
통상협력1담당관 대결

수신처 : 외무부(통상국장 참조), 보사부(위생국참조), 농갑12,15, 농을03,08.

0070

GATT/우루과이라운드 농산물협상그룹 위생및 검역규재 전문가회의 결과보고

1991. 11.

통 상 협 력 1 담 당 관 실

0071

UR 농산물협상그룹 위생및 검역규제 전문가회의 결과보고

1. 회의기간 : 1991. 11. 6 - 11. 7.

2. 회의장소 : 스위스 제네바 GATT 본부

3. 회의안건

o 위생및 검역규제 합의문 초안(MTN GNG/WGSP/'90.11.20)중 괄호로 남아있는 주요 쟁점분야 협의

o 의장및 EC의 수정제안 내용검토

o 기 타

4. 참가국가

《 아국대표단 》

o 본부대표 : 농림수산부 통상협력1담당관실 농업기좌 박창용

o 현지대표 : 주제네바 대표부 농무관 천중인
주제네바 대표부 농무관보 김종진

《 상 대 국 》

o 미국등 20개국가 참가

0072

5. 주요 협의내용 및 결과

가. 국제기준보다 엄격한 국내기준 인정 (제4조및 제10조)

o 알젠틴, 칠레, 콜롬비아, 브라질등 남미국가들은 제4조의 둘째 괄호부분 삭제, 제10조의 둘째대안 삭제대신 첫째대안에 예외적인 경우 위험평가에 근거해야 한다는 문안을 추가하는 타협안 제시

o 미국, EC, 오스트리아, 카나다등은 제4조의 둘째 괄호부분 삭제용의가 있으나 제10조의 둘째대안은 수용불가및 첫째대안 존치주장

o 아국, 일본은 각국의 적정수준의 인간및 동.식물보호조치 권한 인정측면에서 제4조가 포함되어야 하며, 제10조와 관련 첫째문안의 수용가능 입장표명

나. 위협도 평가시 고려사항 (제18조)

o 미국및 북구는 제18조에 제시된 두가지 대안모두 수용불가하다는 기존입장을 밝힘.

- EC가 제시한 타협안에 대해서는 검토용의 표명

. 첫째대안 내용중 "교역기회의 최대화에 유의해야 한다"를 "무역에 부정적인 영향을 최소화해야 한다" 로 수정제의

o 알젠틴, 콜롬비아등 케언즈그룹 국가는 교역기회의 확대개념이 들어있는 첫째대안을 지지

0073

다. 식품첨가제, 잔류물질 허용기준등에 관한 수입국 승인제도 (제29조)

o 의장은 기존 합의초안에 제시된 4가지 대안을 조정, 타협안을 제시하였고, EC도 새로운 대안 제시하였음.

o 알젠틴, 뉴질랜드, 헝가리등 케언즈그룹 국가와 오스트리아는 규정자체를 두지않는 첫째대안을 지지하면서 네번째 대안및 EC 제안 검토용의가 있음을 밝혔음.

o 아국, 미국, 일본은 국제기준을 검토없이 바로 국내에 적용하는 것은 국민보건위생상 곤란하다는 입장을 표명, 둘째대안이 타당함을 주장

o 아국은 협상촉진 차원에서 의장이 제시한 타협안을 검토할 용의가 있음을 표명

라. 협의및 분쟁해소 관련사항 (제36조- 제39조)

o 의장은 제39조는 기술적인 이유에서 들어간 것이며, 분쟁해결그룹 초안에 들어 있으므로 생략 가능하다는 의견제시하였고, 북구는 Covernote로 옮기는 것이 좋겠다는 의견제시

o 일본은 분쟁해결의 법률형태에 관해 입장 유보의사를 표명

o EC는 제37조는 위생및 동식물 검역규제의 특수성을 반영한 것이나 다소 애매한 점이 있다고 발언

o Panel에서의 전문지식 이용과 관련, EC는 당사국 합의 필요성을, 북구, 호주등은 당사국 합의시 일방적으로 방해될 수 있다는 점에서 EC 입장에 반대

마. 조화및 국제기준 이용 감시절차(제42조, 제44조, 제45조)

o EC는 제42조, 제44조의 현문안을 일부변경및 추가를 통해 국제간 조화및 국제기준이용 감시절차를 강화해야 한다는 기존입장을 밝혔음.

o 미국, 카나다는 제42조, 제44조가 제12조의 규정과 중복되므로 생략되어야 한다고 주장

0074

바. 자방정부의 합의문 의무준수 문제 (제46조)

o 의장은 참가국의 종전입장 변경여부를 확인하였으나 입장이 변경된 국가는 없었음.

사. 합의문 시행시기 (제48조)

o 의장, 북구, EC, 알젠틴은 본 합의문이 Decision 형태일 경우, UR의 최종 협상완료시 전체 package로 다루어져 이행조항이 불필요하기 때문에 첫번째, 두번째 문장은 없앨수 있다고 하였음.

o 미국은 개도국에 대한 이행시점 연기는 곤란하다는 입장을, 일본은 개도국우대 차원에서의 검토가 필요하다는 입장을 표명

o 콜롬비아, 멕시코등은 현문안대로 둘 것을 주장

아. 적용대상범위 (Annex A)

o EC는 환경보호, 소비자 관심사항, 동물복지의 중요성을 강조하고, 동분야가 grey area로 남지 말아야 한다고 하였으며 스위스가 이에 관심을 표명

o 미국, 호주, 카나다, 북구, 일본, 칠레, 브라질등 대부분의 국가는 이들 분야가 인간에 직접적 영향을 주지 않으며 위생및 검역규제 대상으로 적합하지 않고 실행 가능하지 않다는 점에서 EC 입장에 반대

자. 합의문 내용 재검토 시기 (제49조)

o 의장은 동 내용이 검역및 위생규제위원회 검토사항임을 설명

차. 기 타

o 멕시코는 제16조(위험평가의 고려요소) 관련 생태적, 환경적요소는 고려대상에서 제외할 것을 제의

0075

6. 평 가

o 금차회의는 '91.11.20 GATT사무국에서 작성한 위생및 검역규제의 합의초안중 수출국, 수입국, 개도국, 위생및 검역선진국가의 입장이 첨예하게 대립되었던 미해결쟁점 분야인 괄호내용을 중심으로 논의가 진행되었음.

o 각국의 기본입장을 근본적으로 변경하지는 못하였으나, 일부 쟁점분야에서는 타협의 여지를 볼 수 있었음.

- 제4조, 제10조의 경우 제10조 첫째대안으로, 합의문 이행시기관련 제48조의 문안삭제에 대해서는 대체적인 의견접근을 보였음.
- 제18조, 제29조, 제46조, Annex A등의 분야에서는 타협이 거의 이루어지지 않았음.

7. 전망 및 대책

o 주요쟁점은 각국주장이 타협되는 선에서 결정되거나 또는 쟁점부분을 전면 삭제하거나 마지막 단계에서 정치적으로 해결될 전망임.

o 주요 쟁점분야에 관한 금차회의를 기초로 보다 이론적이고 기술적인 면에서의 아국 입장을 적극 개발해야 함.

o 앞으로 본 합의문이 최종 타결되어 GATT 협정 20조b항의 해석규정으로 이용될 것이므로 본합의문이 아국위생및 검역체계에 미치는 영향을 면밀히 분석, 국내대책수립에 만전을 기해야 할 것임.

o 차기회의는 여타분야의 협상 진전상황에 따라 추후 결정될 것임.

o 금차회의를 근거로 GATT 사무국이 새로운 안을 제시할 경우 아측의견을 GATT 사무국에 제출하거나 추후 회의시 반영되도록 노력

o 위생에 관한 분야, 특히 식품첨가제및 잔류물질 허용기준 문제가 다루어지기 때문에 보사부측의 의견을 반영하는데 노력하겠음.

첨부 : 1. 의장 수정제안및 EC 수정제안 1부.
2. 회의록 1부. 끝.

0076

o 식품첨가제, 잔류물질 허용기준 관련규정 조정안 (제29조)

구 분	내 용
의장제시안	o 제29조 : - 식품첨가제 사용및 잔류물질 허용기준의 수입국의 승인절차는 합의문 규정과 합치되어야 함. - 그러나, 이 경우와 국제기준이 존재할 경우 최종 승인시까지 수입국은 예비결정후 수입허용 근거로 국제기준을 사용해야함. o 제40조 - 검역및 위생규제위원회는 식품첨가제 사용승인및 잔류물질 허용 허용기준 설정을 위해 기술협의지원, 국내및 국제체계의 조정및 통합을 위해 연구 o Annex C (a) 수입산물은 동종의 국내산물보다 불리하지 않은 방식으로 절차가 적용됨. - 식품첨가제 사용및 잔류물질 허용기준 설정은 신청후 2년내에 완료되어야 함.
EC 제시안	o 제29조 : - 다섯번째 대안 : . 식품첨가제 사용및 잔류물질 허용기준 설정제도는 본합의문 규정에 합치되어야 함. . 잠정승인 필요시 수입국은 허용근거로 관련국제기준 존재시 동 기준을 이용해야함.

0077

(별 첨 1)

의 장 제 시 안

29. A contracting party operating a system of approval for the use of food additives or tolerances for contaminants in food, feedstuffs or beverages shall ensure that such system is operated in a manner consistent with the provisions of this decision. The contracting party operating such a system of approval may prohibit or restrict access to its domestic markets for products based on the absence of an approval required by the importing contracting party. However, in such circumstances and where a relevant international standard exists, the importing contracting party should, after preliminary determination, use the international standard as the basis for permitting access until a final determination on approval has been made.

Administration

40. A Committee on Sanitary and Phytosanitary Measures shall be established to provide a regular forum for consultations. It shall carry out the functions necessary to implement the provisions of this decision and the furtherance of its objectives, in particular with respect to harmonization. To this end, the Committee shall encourage the use of international standards, guidelines or recommendations by all contracting parties **and, in this regard, shall sponsor technical consultation and study with the objective of increasing coordination and integration between international and national systems and approaches for approving the use of food additives or for establishing tolerances for contaminants in foods, beverages and feedstuffs.** It shall also encourage and facilitate ad hoc consultations or negotiations among its members on specific sanitary or phytosanitary issues. The Committee shall reach its decisions by consensus.

ANNEX C

1. Contracting parties shall ensure, with respect to any procedure to check and ensure the fulfilment of sanitary or phytosanitary measures, that:

(a) such procedures are undertaken and **applied in a manner no less favourable for imported products than for like domestic products,** and completed without undue delay, **and, in the case of approvals for the use of food additives or for the establishment of tolerances for contaminants in food, beverages or feedstuffs, within two years after the receipt of a completed application.** ~~and in no less favourable manner for imported products than for like domestic products~~

0078

6 November 1991 (rev.2)

EC 제시안

Text amendments

1. Par. 10 - Alternative 1

a/ [Contracting parties may....................... determines to be appropriate without prejudice to paragraph 19

b/ Rest unchanged]

2. Par. 18 - Alternative 1

a/ [Contracting parties shall when determining the appropriate level of sanitary and phytosanitary protection, take into account the objective of minimizing negative trade effects.]

b/ Delete Alternative 2

3. Paragraph 29 - Alternative 1 [-]

a/ no provisions necessary

b/ Alternative 5

[A contracting party operating a system of approval for the use of food additives or tolerances for contaminants in food, feedstuffs or beverages shall ensure that such system is operated in a manner consistent with the provisions of this decision. If there is need for a provisional approval, the importing contracting party shall, where a relevant international standard exists, use that standard as a basis for permitting access.

4. Par. 42

a/ First sentence unchanged

b/ Second sentence : [For this purpose, the Committee should in conjunction with the relevant international organisations, establish a list of recognised international standards .... to have a major trade impact. Rest unchanged.]

5. Par. 44

a/ First sentence unchanged

b/ Add a second sentence :

"Should a number of contracting parties take such action, the Committee shall examine the situation without delay"

0079

6. Annex A - Definition 1

For the purposes of this decision, it shall be understood that sanitary and phytosanitary measures include all relevant laws, decrees, regulations, requirements and procedures including, inter alia, end product criteria ; processing and production methods; testing, inspection, certification and approval procedures; quarantine treatments including relevant requirements associated with the transport of animals or plants; provisions on relevant statistical methods, sampling procedures and methods of risk assessment, packaging and labelling requirements directly related to food safety; [measures for the protection of animal welfare and of the environment, as well as of consumer interests and concerns]. Requirements concerning quality, composition, grading, [consumer preferences, consumer information, animal welfare, the environment or ethical and moral considerations] are not included in the definition of sanitary or phytosanitary measures.

In this respect, the following definitions shall apply :

Sanitary and phytosanitary measure - Any measure applied :

- to protect animal or plant life or health within the territory of a contracting party from risks arising from the establishment or spread of pests, diseases, disease-carrying organisms or disease-causing organisms;

- to protect human or animal life or health within the territory of a contracting party from risks arising from additives, contaminants, toxins or disease-causing organisms, in foods, beverages or feedstuffs;

- to protect human life or health within the territory of a contracting party from risks arising from diseases carried by animals, plants or products thereof or from the establishment or spread of pests;

- to prevent or limit other damage within the territory of a contracting party arising from the establishment or spread of pests; or

[- to protect the welfare of animals.]

7. Annex A - Definition 4

Risk Assessment - The evaluation, at varying levels of sanitary and phytosanitary protection, of the potential economic, biological [and environmental] consequences of the establishment or spread of pests or diseases or the effect on human, animal or plant life or health arising from additives, contaminants, toxins or disease-causing organisms in foods, feedstuffs and beverages.

0080

(별 첨 2)

회 의 록

1. 의장인사말

o 추가 진전사항이 있는지, 즉 bracket 【 】를 제거할 수 있는지 알아보기 위해 회의소집

o 【 】 부분은 상호연관되어 있으며 【 】외의 문제는 제기 안되기를 희망

o 멕시코

- 【 】에 포함되지 않은 제16조의 생태적(ecological) 부분삭제 문제를 제기한바 있음.

o 멕시코의 의견은 【 】 다음에 논의할 것임.

2. 국제기준보다 엄격한 기준인정 (제4조, 제10조)

o 알젠틴

- acceptable risk에 기초하여 적정보호수준 유지와 권리를 보유한다는 점에서 제10조 둘째대안이 적정함.

- 제10조 첫째대안을 제18조에 기초하여 수정제안함.

- 제10조 둘째 【 】내의 문안을 없애고, 대신 제10조 첫째대안을 채택하되, 예외적인 경우(exceptional case) 위협평가(risk assessment)에 기초하도록 규정하는 것이 타협방안임.

0081

o 콜롬비아, 칠레, 브라질, 우루과이

- 제4조의 【 】내의 문안을 삭제하며 제10조 둘째대안을 지지함.
- 알젠틴의 타협안이 적정하다고 봄.

o 멕시코

- 제4조 첫째 【 】내 문안은 존치되어야 하며,
- 제4조 둘째 【 】와 관련, 알젠틴안 지지

o 미 국

- 제10조 첫째대안은 그대로 존치되어야 하며, 제8조와 관련하여 중요함.
- 제19조와 연결시켜 적정보호수준을 각국이 결정할 권한을 가져야 함.

o 북 구

- 현재의 문안이 타협안임.
- 당초입장은 제4조의 둘째 【 】의 문안을 존치시키고 제10조를 모두 없애는 것이었음.
- 제4조 둘째 【 】내의 문안을 존치시키고 제10조를 빼버리는 것이 곤란할 경우 제10조 첫째대안이 그대로 받아들일 수 있을 것임.
- 제4조 둘째 【 】내 문안, 제10조 첫째대안은 아주 어려운 협상결과로 얻어진 것이며 알젠틴의 제안은 받아들일 수 없음.

o 오스트리아

- 알젠틴제안 수용곤란함.

o 한 국

- 각국의 차이를 인정해야 할 것임.
- 특히 수입국이 엄격한 규제권한 가져야 함.
- 북구 발언지지하며, 제10조와 관련해서 첫째대안을 지지함.

0082

o 알젠틴

- 의장의 노력을 돕자는 의도임.

o 카나다

- 제4조 둘째 【 】문안을 삭제하고, 제10조 첫째대안을 존치하고, 제18조를 인정하는 대안이 있을 것임.

o 일본

- 제4조의 권리.의무와 관련 둘째 【 】내 문안은 그대로 두어야 함.
- 제10조 관련 둘째대안은 수용할 수 없으며 첫째대안이 타협적인 것임.

o 스위스

- 제4조 둘째 【 】내 문안은 유지되어야 하며 제10조 첫째문안을 지지함.

o 카나다

- 제10조 첫째문안이 될 경우, 제10조 둘째 【 】내 문안을 삭제하는 방향으로 의견의 일치(consensus)가 있는 것으로 이해함.

o 의장

- 제4조 둘째 【 】는 제10조 둘째대안 때문에 있는 것으로 이해

o EC

- 제4조, 제10조간에는 말의 중복이 있음.
- 제10조는 제8조와 관련된 부분이며, 제4조에 포함되는 것보다 제10조에 넣는 것이 적정함.
- 제10조 첫째대안이 보다 적정함.

o 호주

- 제19조는 제10조와 관련하여 중요한 개념임.

o 북구

- 제10조 첫째대안으로 그대로 합의될 경우 제4조 둘째 【 】내 삭제 수용용의

0083

3. 위협평가시 고려사항 (제18조)

o 호 주

- 제18조 둘째대안은 유지되어야 함.

o 미 국

- 양쪽대안 모두 수용할 수 없다는 것이 기존입장임.
- 첫째대안에 대한 EC 제시안을 타협안으로 하여 논의할 용의있음.

o 북 구

- 양쪽대안 모두 different issues 이기 때문에 수용할 수 없음.
- EC 제시안이 좋은 기초가 될 것임.

o 알 젠 틴

- 첫째 대안의 현문안은 positive wording으로 지지함.

o 콜롬비아

- EC 제안은 서문과 관련됨.
- 둘째대안의 "dispute settlement" 생략되어야 함.

o 카 나 다

- EC 제안수용 가능함.
- 둘째대안의 "dispute settlement" 필요

o 미 국

- 둘째대안에 혼동이 생김. '79년 11월28일 분쟁해결 결정문안(rule)과 달라질 수 있음.

0084

4. 협의및 분쟁해결 (제36조-제39조)

o 의 장

- 기술적인 이유에서 들어간 것이며 제39조는 분쟁해결그룹 초안에 들어 있으므로 생략가능할 것임.

o 북 국

- Covernote 로 빼는것이 좋겠음.

o 일 본

- 법률형태에 관한 입장을 유보하였고, 갓트조항 20조를 구체화한 것이라고 설명하였음.

o E C

- 단순한 규율측면에서 들어간 것이 아니며 제37조에 위생및 검역규제의 특수성이 반영된 것이나, 다소 애매한 점이 있음.

o 북 구

- 국제기구의 도움은 실제성(substance)이 없는 것임.

o Panel의 전문지식 이용관련

- EC는 당사국 합의를 주장
- 북구, 호주등은 당사국 합의시 일방적으로 방해될 수 있다는 점에서 반대입장 표명

0085

5. 조화및 국제기준 이용 감시절차 (제42조, 제44조, 제45조)

o 미 국
- 수용곤란함.

o 카나다
- 제42조, 제44조는 제12조와 중복되므로 삭제해야 함.

o EC
- 제42조, 제44조문안 존치되어야 하며, 매우 중요함.

o 미 국
- EC가 제안한 내용중 recognized list중 recognize의 주체와 개념은 대체 무엇인가?

o EC
- 국제무역에 영향을 많이 주는 품목으로 EC가 인정한 것.

6. 식품첨가제, 잔류물질 허용기준등에 관한 수입국 승인제도 (제29조)

o EC

- 공식입장은 첫째대안임.
- 승인절차를 인정하여 유지할 필요가 있으나 의장제안 둘째문장은 거증책임부담 관련하여 수용곤란하며 공식입장은 아님.

o 카 나 다
- 네째대안을 지지함.
- 의장제안서중 preliminary determination의 의미 불명확

0086

o 북 구

- 네째대안을 지지함.
- 첫째대안도 수용가능함.
- EC 입장 적극 검토용의

o 멕 시 코

- 첫째대안을 지지함.

o 북 구

- 의장제안서중 Annex C의 2년은 너무길며, 6개월이 적정함.

o 호 주

- Annex C(a)중 2년은 너무 김.

o 북 구

- 제29조관련 TBT draft agreement(W/7) 제6조 검토요망됨.

o 일 본

- 둘째대안을 지지함.

o 미 국

- 국제기준을 검토없이 국내적용이 곤란함.
- 둘째대안을 지지함.

o 한 국

- 둘째대안을 지지하며 미국논리에 찬성을 표함.
- 의장 제안내용 검토용의가 있다고 밝힘.

0087

o 뉴질랜드
- 첫째대안을 지지함.

o 알 젠 틴
- 첫째대안 지지하며, 의장안 검토용의 있음.

o 우루과이
- 첫째대안을 지지
- EC 제안 검토용의 있음.

o 헝 가 리
- 첫째대안을 지지

o E C
- provisional approval시 국제기준에 맞으면 수입허용할 것임.
- EC 제안한 다섯번째 대안 참고해주기 바람.

o 오스트리아
- 첫째대안 지지, 네번째, EC의 다섯번째 대안 검토용의

o 북 구
- Codex 기준 바뀌면 승인절차없이 국내 positive list를 update 해야함.
- 국내기준이 없는것은 국내기준 수립시까지 국제기준이 있는 경우는 그것을 적용함.
- 국내기준이 없다는 이유만으로 수입제한하는 것은 부당
- EC 제안중 provisional approval은 불분명함.

o 브 라 질
- 첫째대안 지지함.
- 네째대안, EC 제안 검토용의 있음.

0088

7. 지방정부의 합의문 의무준수 문제 (제46조)

o 의 장
각국입장 변화가 없느냐고 물었음.

o 참 가 국
각국의 기존입장이 변화되지 않았다는 입장표명.

8. 합의문내용 재검토시기 (제49조)

o 의 장
Committee가 검토해야할 사항임.

9. 합의문 이행시기 (제48조)

o 의 장
- Decision일 경우는 이행조항 불필요
- 따라서 첫번째, 두번째 문장은 없앨수 있음.

o 알 젠 틴
- UR의 최종결과 전체(total package)와 함께 처리
- 첫째. 둘째문장 없어져도 될 것임.

o 카 나 다
- 제49조는 중복되었다(redundant)고 할 수 있음.

0089

o 호 주

- 첫째, 둘째문장 필요함.

o 미 국

- 개도국의 이행기간 연장 곤란함.

o 멕시코

- 이행시기 명시가 필요하나 의무조항은 아님.

o 콜롬비아

- 제48조 필요함.

o EC

- 의장제안이 문제없음.
- 제35조에 의거함이 필요

o 일 본

- 개도국우대 차원에서 검토용의

o 북 구

- 첫번째, 두번째 문장제거를 지지함.
- 시간여유를 주는 것이 필요하나 free rider가 없어야 함.

0090

10. 적용대상범위 (Annex A)

o E C

- 간접적으로 장기적으로 건강에 영향을 주는 환경보호, 품질에 관한 것이 아니고 건강에 관한 소비자 관심사, 동물복지가 중요함.

- 과학적 근거, 국제기준 적용등이 있으므로 grey area로 남는것보다 나을 것임.

- 정의와 목적설명 내용(descriptive list)이 상호 보완되도록 해야함.

- EC의 법령에는 도축장에서 도축대상 가축은 도축장 문을 보지 못하게 하고 있음. (동물복지의 예)

o 멕 시 코

- 협상에 도움안됨.

o 호 주

- EC 주장 수용곤란함.
- 도덕적인 문제임.
- 국제적인 의견의 합의(consensus)가 없음.
- 동물복지는 갓트의 다른방식으로 찾아야 할 것임.
- 위험평가와 관련한 ecological, biological한 사항이 검토되어야 함.

o 카나다

- 정확한 규정이 되어야 함.
- 한나라를 빼고는 consensus가 됨.

0091

o 스위스

- EC 제안을 지지함.

o 북 구

- 환경보호등에 관심이 있으나 적용해야할 것을 적용해야함.
- 이미 산림, 식물, 동물등이 cover되고 있음.
- 소비자 관심사항은 상당부분 TBT 협정에서 해결됨.

o 일 본

- 관심은 있으나 특히 국제기준과 관련하여 적용및 실행가능성면에서 회의적임.

o E C

- TBT 협정은 소비자의 quality, descrtiptive manner는 있으나 소비자의 건강관심은 없으며 위생및 동.식물검역규제 조항에서 규정되어야 함.
- 동물복지의 경우 미.멕시코간 분쟁에서 문제된 바 있으므로 다자간협상에 빠져서는 양자문제로 남게됨을 우려

o 브라질, 미국등

- EC 입장에 반대함.

11. 기타 쟁점분야

o 멕시코

- 제16조에서 환경, 생태적 고려요소 배제되어야 함.
- 제한적 발생(low prevalence), 동등성(equivalence), 장기유예기간(longer time frame), 기술지원(technical assistance) 중요함.
- Whole package로 검토되어야 함.

0092

원 본

외 무 부

종 별 :

번 호 : GVW-2351 일 시 : 91 1115 1900

수 신 : 장 관(통기,경기원,농수부,상공부)

발 신 : 주 제네바대사

제 목 : UR/농산물 협상(케언즈 그룹 각료회의)

11.15 SUNS 에 케언즈 그룹 농무장관 회의가 12월초 제네바에서 개최된다는 내용의보도가있어 케언즈 그룹 의장국인 당지 호주 대표부관계관에게 확인한바(천농무관), 회의개최를 검토중에 있으나 농산물 협상 진행이 아직 불확실한 상황이어서 개최 시기등을확정하지 못하고 있다고 함.

2. 한편, 표제 협상 관련 일본 대표부 관계관으로부터 탐문한바에 의하면 4국(미국, 이씨, 일본, 호주) 중심의 농무 차관급 회의가 당지에서 11.18주간 (11.20 전후) 에 개최될 예정이라고 하며, 동결과는 파악되는대로 보고 위계임. 끝

(대사 박수길-국장)

통상국 2차보 경기원 농수부 상공부

PAGE 1

91.11.16 09:40 WH

외신 1과 통제관

0093

원 본

외 무 부

종 별 :

번 호 : JAW-6507 일 시 : 91 1116 1043

수 신 : 장 관(통기)

발 신 : 주 일대사(일경)

제 목 : UR/ 농산물 협상

칼라힐즈 미 USTR 대표는 11.15 와 타나베 미찌오외상,하타 쯔토무 대장상, 다께시다 전수상, 미쯔즈까 전 외상등과 면담한후, 당지 미국대사관에서 기자 회견을 갖었는바, 이중 당지언론에 보도된 표제관련 주요 내용을 다음 보고함.

1.정부 및 정계 요인과의 면담결과

가.힐즈 USTR 대표는 일 정부 및 정계요인들과의 면담시,'일본의 농업에 대한 감정은 이해가 되나, 미국도 섬유 문제에 대해 동일한 감정을 갖고 있으며 일,미, 구라파가농업이나 섬유문제에 적극적으로 대응하지 않을경우, 개도국들이 UR 협상의 자리를떠 나버릴것임. 일본이 농업협상의 결단의 시기를놓치지 않을까 우려하고 있음 '이라고 언급하면서일본의 쌀 시장 개방을 촉구.

나.이에 대해 일측인사들은 쌀 시장 개방 문제는 정치적으로 지극히 어려운 문제라고 하면서 개방불가 입장을 전달.

다. 한편, 힐즈 대표는 외상과의 회담시 UR협상의 연내 합의가 중요하다는점에 의견 일치

2.힐즈 대표의 기자회견 내용(이하 동인 발언내용)

가.농업문제를 해결하지 않는한, UR 의성공은 없음.

나.미. EC 간의 견해차이는 좁혀져 있으며, 금후 제네바에서 시작되는 교섭에서미. EC는 다른나라들 보도 한층 좋은 검토재료를 제시 할수 있을 것으로 봄.

1)미국은 EC 에 대해 10년간 국경조치와 국내보조를 각각 75 삭감 하고, 수출보조금을 10년간 90 삭감하는 안을 제시했으며, EC측은 이에 대해 3개 항목 모두 5년간 30 삭감하는 타협안을 제시해 있는바, 미국측은 EC 타협안을 교섭의틀로서 활용할용의가 있음

2) EC 측이 삭감의 기준연도는 아직 제시하지 않고 있으나 보호삭감 비율 및 기간

통상국 장관 2차보 외정실 분석관 청와대 안기부

PAGE 1 91.11.18 10:17 WH

외신 1과 통제관

0094

문제는 쌍방제안의 중간정도 지점 어딘가에서 수치화 하는것을 포함하여 상당히 유연하게 대처 가능한 문제로서, 현재 합의점을 찾기 위해 의견 조정이 계속 이루어지고 있음. (

다. 미국에 있어서 웨이버 품목은 일본의 쌀과 마찬가지로 곤란한 문제이나, 부시대통령은 용기를 갖고 대처하고 있음. 시장개방이 없으면 21세기의세계가 불안정 해지나다고 인식하고 있는 바, 농업협상은 중류럽, 동구 및 중남미 지역 안정을 도모하는측면에서도 중요함.

라. 일, 미, 유럽 모두 시장 경제원리속에서 번영해왔음. 자국에 있어서 형편이 좋은 분야만을 시장원리를 적용하고, 농업은 별개의 문제라고 하면서 일본이 쌀시장 개방에 응하지 않는 것은 앞뒤가 맞지 않음.

마. 게파르트 의원등이 제안하고 있는 슈퍼 301조 부활법안은 특정국과의 무역 불균형을 문제시하고 있는 점이 문제임.

개인적으로는 무역불균형 문제는 2국간의 아니라, 다국간 관계에서 파악할 문제라고 생각하나, 농업협상등 문제를 해결하지 않으면, 미의회의 논의를 억제할수 없게될 우려가 있음. 끝

(대사 오재희-국장)

PAGE 2

0095

원 본

외 무 부

종 별 :

번 호 : ECW-0953 일 시 : 91 1118 1700

수 신 : 장 관 (통기,경기원,재무부,농수산부,상공부)

발 신 : 주 EC 대사 사본: 주미,제네바대사-직송필

제 목 : 갓트/UR 협상

연: ECW-0948

표제협상 관련 당지 최근동향을 하기 보고함

1. 11.14-15 호주의 CREAN 기초산업및 에너지담당장관은 CAIRNS GROU$ 대표자격으로 당지를방문, ANDRIESSEN 및 MAC SHARRY 집행위원과 각각 면담하고 가진 기자회견에서 최근표제협상에 대한 미.EC 간의 연쇄적인 고위급회담에서 상당한 진전이 있은것은 사실이나 PACKAGE 에 대한 합의를 이루기위해서는 아직도 해결되어야 할 사항들이 많이 남아있다고 전제하고 아래요지로 발언함

0 11.9. 헤이그에서 BUSH 미 대통령은 EC 측에 농업보조금 감축율을 당초 75프로에서 35프로로 하향조정, 합의할 것을 요구하였으나 이에대한 구체적인 합의를 이루지 못함

0 5년간 30프로 (또는 6년간 35프로) 감축과 10년간 75프로 감축은 그 의미상 커다란 차이점이 있으며 보다 중요한것은 보조금 감축규모 뿐 아니라 PACKAGE에 포함될 다른 협상요소들도 감안되어야 한다는것임

0 UR 농산물 협상에서 중요하게 다루어져야 할요소로서는 보조금 이외에도 시장접근및 SAFEGUARD조항을 들수 있으며, 특히 미.EC 간에 SAFEGUARD 와 관련하여 기존 갓 트의 SAFEGUARD체제를 적용할 것인지 또는 EC가 제의한 CORRECTIVE FACTOR 를 인정할 것인지에 대한 합의를 이루지 못한 것으로 알고 있음

0 EC/CAP 개혁안에서 제시하고 있는 직접소득보조방법이 실제적으로 생산과 무관한 결과를 초래할 것인지에 대해 관심이 큼

0 결론적으로 헤이그 정상회담에서 두 주요협상주역간에 근본적인 문제에 대하여견해차이를 많이 해소하고 UR 협상 타결을 위한 긍정적인 계기가 되었으나 양측이 합의에 도달하기 위해서는 아직도 해결해야 할 문제가 많이 있으며 보조금

통상국 2차보 구주국 청와대 안기부 경기원 재무부 농수부 상공부

PAGE 1 91.11.19 02:23 FL

외신 1과 통제관

0096

감축이 중요한 문제이기는 하나 여타 첨예하게 대립을 보이고 있는 협상요소들에 대한 합의도협상성패에 주요한 관건이며, 보조금감축 규모만이 문제였다면 이미 오래전에 합의가 이루어졌을것임

2. 한편, MAC SHARRY 의원은 11.14. 당지의 미상공회의소에서 아래요지로 발언함

0 구주의회와 EC/농업이사회는 이미 CAP개혁원칙을 수락한바 있으며 동 개혁원칙은갓트/농산물협상에서 미국이 요구하고 있는 방향(즉, 가격보조감축) 과 부합되는것이므로 미측이 만족하고 있는 것으로 알고있으나 UR 협상과는 관계없이 CAP의 근본적인 개혁이 필요한것임

0 FAO 총회중 미국 농무장관과의 회담결과와 관련, UR 농산물협상에서 지금까지미.EC간에 이견을 보이고 있던 30여개의 문제점들이현 단계에서는 4-5개 밖에 남아있지 않으며앞으로 양측이 집중적으로 협의하여야 할 사항은보조금 감축기간과 REBALANCING 문제임

0 UR 협상이 연내에 타결될수 있을것으로 낙관하며, 만일 내년 2월까지 협상이 종결되지않으면 UR 협상은 더 이상의 추진이 어려울것이라고 강조함

3. 11.18-19 당지에서 개최되는 EC/농업이사회에서는 CAP 개혁문제를 주요안건으로 토의할 예정이며, 갓트/UR농산물협상 문제도 비공식적으로 논의될예정인바 결과보고 위계임. 끝

(대사 권동만-국장)

원 본

외 무 부

종 별 :

번 호 : GVW-2359 일 시 : 91 1118 1830

수 신 : 장관(통기,경기원,농림수산부)

발 신 : 주제네바대사

제 목 : UR/농산물 협상

11.18(월) 호주의 CANNYON 농산물 협상 대표와 HUSSIN 공사를 오찬에 초대하여표제 협상 관련동향에 대하여 협의한바 요지 하기보고함.(농림수산부 조국장, 천농무관 참석)

1. 협상일정

- 향후 협상 일정은 아직 불투명한 상황이지만 11월말까지 협상 초안이 제시되기는 어렵다고 보고,12월 초가 가장 가능성이 높은 시기이며 12월이 협상타결의 중요시기가 될것으로 전망

0 이와관련 동시기(12월초)에 케언즈그룹 각료회의가 개최될 예정임.

- 금주중 예상되는 4극 차관급 회의등 주요협상에 참여하기 위해 PETER FIELD 대외무역성차관이 11.19(화) 당지에 올 예정임(회의는11.20(수) 개최될 것으로 파악되고 있음)

2. 미.이씨간 협상 동향

- 미.이씨간 양자 접촉을 통해 상당한 진전이있는 것으로 알려지고 있으나 아직견해차가 큰부분이 상당히 남아 있음.

0 특히 삭감폭(숫자)과 관련해서는 기존년도가중요 쟁점으로 남아 있으며, 그결과에 따라 특히수출보조의 경우 삭감폭에 큰 차이가 나게됨.

- 던켈 총장은 협상의 중심을 제네바로 끌어들이려 하고 있으며, 금주중 예상되는 4극고위급 회의도 그와 같은 의도에서 시도되는 것으로봄.

3. 아국 입장 설명

- 농림수산부 조국장은 최근 APEC 회의 개최시쌀등 농산물 시장개방과 관련된 국내동향을 설명하고, 예외없는 관세화는 현실적으로 수용할 수 없는 것임을 강조하였음.

통상국	장관	차관	1차보	2차보	청와대	안기부	경기원	농수부

PAGE 1

91.11.19 08:10 FE

외신 1과 통제관

0098

- 또한 협상 요소간 균형을 강조하면서, 특히 수출보조문제는 수입국의 점진적인시장개방과관련 매우 중요한 사항이므로 이에대한 분명한규율이 필요하다고 하였음.

0 수출보조의 TARGETING 경우는 수입국의 국내시장을 크게 교란하는 점을 지적하면서단위당 수출 보조 삭감등 이를 방지하기 위한방안을 상호 연구해 보자고 하였음.

0 이에 대하여 호주 협상 대표는 단위당 수출 보조삭감을 주장하고 있지만 기술적인 어려움임이 있다고 하면서, NEW MARKET 에 대한 수출보조를 확산하지 못하도록하는 방안, 상계조치, 특별세이프 가드등의 대안을 생각할 수 있을 것이라고하였음.- 협 상 목표관련 케언즈그룹이 융통성을 보여야한다는 아측 지적에 대하여, 삭감폭,특별 세이프가드등에 대해서는 융통성이 있음을 시사하고, 예외없는 관세화의 경우는 원칙의문제라고 하면서, 관세 상당액의 설정,이행방법등에서 융통성을 보일수 있다고하였음. 이에 대하여 조국장은 기초식량에 대해서는 관세화 할수 없다는 분명한 입장을재차 강조하였음.끝(대사 박수길-국장)

PAGE 2

0099

報 告 畢

長官報告事項

1991. 11. 19.
通 商 局
通商機構課(66)

題 目 : UR 協商 動向

最近의 UR 協商 動向에 관한 주 제네바 大使 報告 및 言論 報道 內容을 綜合, 아래 報告 드립니다.

1. 農産物 協商 動向

- o 美.EC間 農産物 分野에서 상당한 進展이 있는 것으로 報道되고 있으나 아직 다수 問題에 異見 尙存
  - 輸出補助金 削減幅, 基準 年度, Safeguard 制度, 直接 所得 支援 및 rebalancing 問題
- o MacSharry 執行委員은 美.EC間에 爭點이 4-5개밖에 남지 않았으며 UR 協商이 年內 妥結될 수 있는 것으로 樂觀한다고 言及
- o 日本 요미우리 新聞은 11.19字 報道를 통해 日本 政府와 自民黨이 쌀의 關稅化 協商에 응하고 國內消費의 5%(50만톤)의 市場開放을 決定 하였다고 報道 (駐日 大使館에서 內容 確認中)

2. 主要 協商 日程

- o 던켈 事務總長의 協商 草案 : 11月末까지 提示되기는 어려우며, 12月初에 提示될 可能性이 높음
- o 4極(美, EC, 日本, 카나다) 次官 會議 : 11.20(水), 제네바 開催 豫定
- o EC 農務長官 會議 : 11.18~19, 브랏셀 開催 豫定
- o 케언즈 閣僚會議 : 12月初 開催 豫想
- o UR/市場接近 協商 : 11.18(月)부터 兩者 및 多者間 協議 集中 進行. 끝.

0100

관리번호	91-811

외 무 부

종 별 :

번 호 : JAW-6575 일 시 : 91 1119 2059

수 신 : 장관(통기,통일,아일,농수산부)

발 신 : 주 일 대사(일경)

제 목 : UR/농산물 협상(일본의 쌀시장 개방문제)

연호, 11.19. 자 "요미우리"신문(조간)은 일정부와 자민당 쌀시장 부분개방 방침을 굳혔다고 보도 하였는바, 동 보도 내용 및 이에 대한 일정부 반응, 향후 일측의 동향에 대한 당관 전망을 다음 보고함.

1. 요미우리 신문 보도 내용요지(11.19. 일자 조간)

가. 일 정부, 자민당은 11.18. 쌀시장 개방 문제에 대하여 관세화의 협의에응하는 동시에, 당분간 쌀 국내 소비량의 5 프로에 상당하는 연간 약 50 만톤을 수입하는 부분 개방 방침을 굳혔으며, 향후 미.EC 간 농업협상 절충 동향을 보아 가면서 최종적으로 판단할 예정

나. 그러나 미.EC 가 일본의 부분개방 선에서 타협에 응할지는 미지수이며, 관세화 협의에 응한다는 방침에 대해서도 관세화는 결국 완전 자유화에 연결되기 어렵지 않다는 우려가 있으므로 국내적으로도 논의를 불러일으킬 것으로 예상

2. 일정부 반응

0 11.19. 각의후 있는 기자회견에서 외상, 관방장관, 농수산상등 관계 각료는 모두 부분개방론을 부인

3. 향후 일측 동향에 대한 전망

가. 일본의 GATT 자유 무역체제하에서 큰 이익을 얻어 왔으며, 일본의 대외관계의 근간은 바로 UR 의 조기 성공적 타결을 강력히 주장하고 있는 미국과의 관계임을 고려할때, 일본은 GATT 우루과이 라운드 협상을 반드시 성공시켜야 할 입장에 있음.

0 또한 금번 UR 협상의 현재까지의 결과는 분쟁처리 절차 분야(일방적 재재조치 금지), 지적소유권 협상, 무역관련 부자(TRIM)분야등 많은 분야에서 일본의 대외교역 신장에 아주 유리한 내용이 되어있음.

나. 일본이 농업분야에서 끝까지 반대하여, UR 이 성공리에 종료되지 못했을 경우,

통상국	장관	차관	1차보	2차보	아주국	경제국	통상국	외정실
분석관	청와대	안기부	농수부					

PAGE 1

91.11.19 23:31

외신 2과 통제관 FM

0101

일본은 UR 실패의 책임자로 비난받음과 동시에 스스로도 얻을 수 있었던 대외무역상의 유리한 여건을 상실하는 결과가 되므로, 이러한 점에서 일본은 농업교섭분야에서 기본적으로 양보하지 않을 수 없는 입장임.

다. 현재 일 정부는 공식적으로 "미.EC 의 양보에 상응한 양보를 하겠다"는 태도를 밝혀놓고 있으나, 이는 우선 (1) 일본의 양보수준은 미.EC 의 양보수준에 맞추어 수출보조금 필요최소한에 머물게 하되, (2) 경우에 따라서는 (예:미. EC 가 수출 보조금의 거의 대부분 삭감에 합의 하는 경우) 예외없는 관세화안도 수용(쌀시장 완전개방)하겠다는 폭넓은 대응용의를 의미하는 것으로 해석 가능함.

라. 일본이 취할수 있는 양보의 내용으로는 부분개방론과 완전관세화안의 수용의 두가지를 상정가능하며, 현재 일본으로서는 쌀시장 개방 불가 입장을 취하고 있으나, 향후 협상 진전 여하에 따라서는 이러한 양보안을 단계적으로 제시해 나갈 것으로 보임.

1) 부분 개방론

가) 최근들어 미야자와 수상이 "미.EC 에 상응한 양보"라는 표현을 쓰는등 일본의 정계(자민당) 및 재계를 중심으로 쌀시장 개방 절대 불가입장은 더 이상 통용되지 않는다는 인식이 어느정도 확산되고 있는 것으로 보이며, 동시에 주재국 언론등에서 부분개방론이 눈에 많이 띄고 있음.

0 정계 실력자로서 부분개방론자로 알려지고 있는 가네마루 전부총리 및 오자와 전 간사장도 11.17. 과 18 일 잇따라 수상의 결단을 촉구하는 발언을 하였음.

나) 이와같은 부분개방론 정도로 타협을 도모하고자 하는 주장의 배경에는 (1) 미.EC 도 수출 보조금에 있어서 일본의 전면 폐지 주장과는 거리가 먼 부분적 삭감 방향에서 타협을 모색하고 있으며, (2) 미국 자신도 14 개 WAIVER 품목을 폐지하겠다고는 하고 있지만, 의회 및 농민들의 반발로 폐지가 그렇게 쉽지는 않을 것이라는 관측이 있는 것으로 보임.

다) 그러나, 칼라 힐스 미 USTR 대표가 11.16. 방일중 가진 기자회견에서 부분개방론 거부 방침을 명백히 밝힌바 있고, 또한 미.EC 가 이미 완전관세화안에는 의견을 같이 하고 있는 점에서 부분 개방론을 관철시키는 것이 현실적으로 쉽지는 않을 것으로 보임.

라) 그러나, 이러한 현실에도 불구하고, 정계 일각에서 부분개방론이 대두되고 있고, 또한 일부 언론에 흘려지고 있는 것은 일측으로서 (1) 상기 "나)"항과 같은

PAGE 2

0102

이유에서 관철의 가능성이 전혀 없는 것은 아니며, (2) 또한 불가피하게 완전관세화안을 수용할 경우를 고려할때 최소한 여론의 충격 완화 효과는 있기 때문인 것으로 보임.

2) 완전관세화안 수용론

1) 언론등을 통해 일 정부. 또는 정계가 완전관세화안의 수용도 고려하고 있다는 사실이 보도된바는 없음.("하야미"정계 동우회 대표간사는 극히 일부의 재계인사들이 완전관세화안 수용을 공식 주장한 정도임)

2) 그러나, 일본에 있어서 GATT 의 중요성을 고려할때 일본으로서는 불가필할 경우 완전관세화안을 수용할수 밖에 없을 것으로 관측됨.

3) 단, 이경우 일측으로서는 대외적으로는 수입금지적 성격이 강한 고율의 관세를 장기간 고정시켜 놓는 방안을 강하게 주장하여 관철시키려 할것으로 보이며, 대내적으로는 농가에 대한 소득 보조등을 통해 피해보상을 강구해 나갈 것으로 보임.

0 최근, 상기 가네마루, 오자와등 정계실력자들이 농가에 대한 피해 보상의 필요성을 언급하고 있으며, 미야자와 내각 발족시 농림관계 의원으로서 쌀 문제에 정통한 "하타 쯔토무"의원이 대장상에 기용된 것도 이러한 농가보상에 대한 진두지휘를 위한 것이라는 관측이 지배적임.끝.

(대사 오재희-국장)

예고:91.12.31. 까지

관리번호 91-817

원 본

외 무 부

종 별 :

번 호 : USW-5706 일 시 : 91 1119 1812

수 신 : 장 관(통기),통이,미일,경기원,농수산부,경제수석) 사본:주미대사

발 신 : 주 미국 대사대리 주제네바,주 EC 대사-중계필

제 목 : UR 농산물 협상

대: WUS-5041

연: USW-5554, 5618, 5630

일반문서로 재분류(1991.12.31.)

당관 이영래 농무관 및 서용현 서기관이 11.19 미 농무부 해외농업처 SCHROETER 처장보와 면담, 표제협상 경과에 대해 협의한 결과를 아래 보고함.

1. MADIGAN-MACSHARRY 회담 결과

. 로마에서의 미-EC 정상회담에서의 미해결 현안들(기준년도, REBALANCING 문제, 직접소득 보조의 GREEN BOX 포함 문제등)의 타결에 진전을 보지 못한 것으로 보임.(SCHROETER 처장보는 동 회담에서 여사한 문제들을 보다 명확히 한 것에 불과하다고 함)

. 수출보조금 감축 규모에 대해서는 우선 5 년간 35%를 감축하자는 미측안과 6 년간 35%를 감축하자는 EC 측안 간에 아직 타협점을 찾지못하였으며, 감축기준년도에 관해서도 86-88 년을 주장하는 미측안과 보다 최근 연도(예:1990 년)를 주장하는 EC 측안이 대립되고 있다함.

. 기타 REBALANCING, 직접소득 보조의 GREEN BOX 포함 문제 및 EC 가 제안한 이른바 PEACE PROPOSAL(향후 농업보조금 감축기간중에는 GATT 제소, 301 조 조치등을 삼가하도록 하자는 안)등 문제에 관하여도 의견 접근을 보지 못하였다 함.

. SCHROETER 처장보는 여사한 현안들은 금 11.19 부터 제네바에서 개최되는 차관급 회의(미측에서는 CROWDER 농무차관 참석)에서 보다 내실있게 다루어 질수 있을 것으로 전망함.

2. 관세화

. 아측은 최근 미-EC 간 후속회담 결과와 관련하여, 미국 및 EC 가 여타 체약국에 강요하려는 것이 아닌가 하는 의혹이 팽배하고 있음을 상기시키고,

통상국	장관	차관	1차보	2차보	미주국	미주국	경제국	통상국
청와대	청와대	안기부	경기원	농수부	중계			

PAGE 1 91.11.20 09:20

외신 2과 통제관 BS

0104

. 특히 미국이 대 EC 협상분야인 농업보조금 분야에서는 신축적 태도를 보이면서 한국의 주 관심분야인 관세화 분야에서는 예외없는 관세화를 고수하고 있는 것은 분야별 협상 결과의 형평 유지라는 UR 협상 원칙에 비추어 보아도 문제가 있으며, 또한 예외없는 관세화가 미-EC 쌍무 협상의 결과로써 제시된다면 이는 강대국간 협상 결과의 강요라는 측면에서 한국과 같은 나라에서 국내 정치적으로 더욱더 민감한 문제를 야기시킬 수도 있음을 지적함.

. SCHROETER 처장보는 미-EC 간 회담은 사실상의합의에 도달한다는 것보다는 상호 의견접근을 모색한 것이라고 전제하면서, 농업보조금 분야에서의 타협은 보조금 삭감의 원칙 자체에 관한 것이 아니라 삭감율등 방법론적인 것이기 때문에 관세화 문제와는 그 성격을 달리하는 것이며, 관세화에 대한 예외인정은 연쇄적인 예외주장을 초래하여 관세화원칙 자체를 무용물로 만들 것이기 때문에 수용할 수 없는 입장이라고 말함.

3. 최소 시장접근

. 동 문제에 관한 미-EC 간 협의 진행상황에 관한 으 내측 질문에 대하여, SCHROETER 처장보는 최초의 시자접근율을 3%로 하고 우선 향후 5 년간 5%로 접근율을 자동적으로 증가 증가시키는 방안에 대해 미.EC 간에 의견이 대체로 접근되었다고 밝힘.

. 이에 대해 아측은 여사한 개념에 의한다면 예컨데 미국의 땅콩이나 유럽의 OILSEED 가 한국의 쌀과 동일한 차원에서 보호될 것인바, 이들 품목이 해당국의 농업에서 차지하는 비중등에 비추어 볼때 이처럼 일율적인 최소시장접근율을 적용하는 것이 과연 형평에 맞는 것인지 반문함.

. SCHROETER 처장보는 어떤 나라고 특정 품목의 특수성을 주장한다면 각국의 각 작물업계가 나름대로의 특수성이 어려운 사장을 주장할 것이므로, 이에 관하여 일정한 객관적 기준을 설정하는 것은 불가피하다고 말함.끝.

(대사대리 김봉규-국장)

예고:91.12.31 까지

관리번호 91-815

원 본

외 무 부

종 별 : 지 급

번 호 : ECW-0969 일 시 : 91 1119 2200

수 신 : 장 관 (통기,경기원,재무부,농수산부,상공부)

발 신 : 주 EC 대사 사본: 주 미,제네바-중계필

제 목 : 갓트/UR 협상

연: ECW-0953

1. 미.EC 간 UR/ 농산물 분야 협상동향에 관해 금 11.19. 당관이 당지 UR 관련 전문가와 접촉, 탐문한바에 의하면 LE GRAS EC 집행위 농업총국장은 11.19.부터 미측대표단과 농산물회담을 갖기 위해 제네바로 출발하였다 하며, 동 회담에서 11.22. 까지 농산물 분야에서의 모든 문제에관해 미.EC 간 최종적인 합의를 도출할 것으로 전망하고 있음

2. 따라서 미.EC 간 금주말까지의 농산물분야 협상타결을 바탕으로 내주초 부터는 UR 의 여타 쟁점사항에 관한 미.EC 간 의견조정이 활발히 이루어지게 될 것으로 보며, 빠르면 11 월중 UR 협상 전반에대한 합의가 이루어질수 있을것으로 동 전문가는 전망함. 끝

(대사 권동만-국장)

예고: 91.12.31. 까지

통상국	장관	차관	1차보	2차보	구주국	경제국	외정실	분석관
청와대	안기부	경기원	재무부	농수부	상공부	중계		

PAGE 1 91.11.20 09:07

외신 2과 통제관 BS

0106

관리 번호 91-819

원 본

외 무 부

종 별 :

번 호 : GVW-2378 일 시 : 91 1120 1500

수 신 : 장 관(통기,경기원,재무부,농림수산부,상공부)

발 신 : 주 제네바대사

제 목 : UR/농산물 협상

11.19(화) 카나다의 GILFORD 농산물협상 대표와 표제협상 동향에 대해 의견교환 하였는바 요지 하기 보고함.(농림수산부 조국장, 천농무관 참석)

1. 미국과 이씨 정상회담때는 수출보조문제가 중심이 되었고, 국내보조가 일부 논의되었으나 시장접근 분야는 논의가 없었던 것으로 알고 있음

0 수출보조 삭감폭에 대하여 논의가 있었으나 구체적인 합의가 없었으며 기준년도를 두고 해석이 엇갈리고 있는 상황임.

수출보조를 많이 삭감하게 될 경우 이씨는 CORN GLUTEN 에 TQ 를 도입하는등의 댓가를 얻고자 하고 있음.

- 예외없는 관세화에 대하여 미국과 이씨간에 의견 접근이 있었음.

(이씨는 모든 국가의 참여와 특별 세이프가드를 전제로 수용)

0 이씨는 보정인자(CORRECTIVE FACTOR)에 대하여 융통성을 보이고 있고, TE의 FORMALA 에 의한 삭감을 수용하는 것으로 보임.

0 그러나 미국의 WAIVER 와 이씨의 가변부가금의 관세화문제에 대하여 분명한 입장 표명이 없으며, 구체적으로 품목별 관세화에 대한 실질적 논의가 없는 상태임

2. 던켈 총장의 향후 협상 전략

- 미국과 이씨의 고위급 협상대표가 제네바에서 만나 먼저 협의한후(명 11.20(수) 부터 협상 개시하는 것으로 파악) 그결과에 기초하여 4 국, 8 국등 여러형태의 회의를 주요 쟁점별로 수차례 개최할 것으로 보임.

0 미국과 이씨간의 논의는 지금까지 구두로만 진행되었는바, 던켈총장은 이를 문서화하여 여타 관계국에 확대시키려 할 것으로 전망됨.(비록 구두 논의가 있었다 하더라도 문서화 하는데는 어려움이 많을 것으로 예상)

0 동 비공식협의를 통하여 주요쟁점별로 주요관계국간에 컨센서스를 형성하여

통상국 장관 차관 1차보 2차보 구주국 외정실 분석관 청와대
총리실 안기부 경기원 재무부 농수부 상공부

PAGE 1 1991.12.31 91.11.21 04:17
외신 2과 통제관 FI

0107

WORKING PAPER 를 작성해 나갈 것이며 이들을 모아서 의장의 협상초안(CHAIRMAN'S PAPER)을 만들 것으로 보임.

- 의장의 협상초안은 포괄적인(COMPREHENSIVE) 것이 될 것이지만 매우 정치적인 쟁점 몇가지는 괄호에 들어갈 것으로 예상(관세화 대상 범위 및 수출보조의삭감 폭등)

0 협상초안은 12 월초(12.9-10 이시 정상회담 이전)에 나올 가능성이 많음. 협상초안의 내용은 헬스트롬 의장 중재안 수준보다 확대될 것으로 예상

0 협상 초안은 최종적인것(FINAL)은 아니고, 각국이 전체적인 PACKAGE 를 보고 입장을 정할 수 있도록 만들어질 것으로 전망(각국이 전체적인 PACKAGE 를 보지못한 상황에서 기존입장을 바꾸기는 현실적으로 어렵기 때문임)

0 협상초안 제시 및 각국 정부의 입장조정이 있은후 12 월 중순경에 주요한몇가지 쟁점에 대한 심도있는 마지막 협상이 예상됨.

3. 갓트 11 조 2(C) 개선관련 카나다 입장

- 기본적으로 브랏셀회의 이후 입장변화가 없음.

0 미국과 이씨가 관세화에 대하여 분명한 입장을 보이지 않고 있고, 구체적인 PICTURE 가 불분명한 상황에서, 먼저 카나다의 입장을 재검토한다는 것은 불가능함.

0 따라서 마지막 순간까지 갓트 11 조 2(C)가 유지 개선되야한다는 입장을 계속 유지할 것임.

- 예외없는 관세화와 관련 갓트 11 조 2(C) 의 개선없이 단순히 현행대로 존치시키는 타협안이 있을 수 있으나, 국내 유제품의 경우 기존조항으로는 보호가 불충하기 때문에 반드시 개선되어야 함

0 카나다의 생산 통제품목은 동부지역(퀘벡 및 온타리오)의 매우 중요한 문제이며 서부와의 지역간 균형측면에서 정치적으로 매우 민감한 사항임.

0 최근 수상 및 각료들이 이씨, 일본, 한국등 해외 순방시 갓트 11 조 문제를 구체적으로 거론하면서 카나다의 협상 입장을 설명하고 있음.

0 카나다 국내언론에 동 문제가 크게 부각되고 있으며, 한국, 일본과 함께 예외없는 관세화와 관련 궁지에 몰려 있다고 보도되고 있음

(온타리오주 농무장관일행이 당지를 방문한바 있고 내주에는 윌슨 카나다 농무장관이 당지를 방문할 예정임)

4. 아국협상 입장 설명 및 상호 협조

- 조국장은 최근 예외없는 관세화와 관련된 국내동향을 설명하면서 쌀등

PAGE 2

0108

기초식량의 관세화는 불가능하며, 갓트 11 조 2(C)는 유지 개선되어야 한다는 아국입장을 강조하였음.

- 특히 예외없는 관세화 추진과 관련 이해를 같이하는 아국, 일본, 카나다간 상호 협조의 중요성을 강조하고 앞으로 계속 긴밀히 협조하기로 하였음.

0 카나다 협상 대표는 미국, 이씨, 케언즈그룹등이 일본, 카나다, 한국등을개별적으로 분리시켜 설득해 나가려 한다고 하고, 계속해서 기존 입장을 유지하면서 다른나라를 설득해 나가는것이 중요하다고 하였음. 끝

(대사 박수길-국장)

예고:91.12.31. 까지

초안

관리번호 91-848

실무 초안

UR/농산물 협상 아국 입장

(내부 검토 의견)

필 (1991. 12. 31.)

1991. 11. 21.

예고문에 의거 재분류(92.6.30.)
직위 성명

통 상 기 구 과

0110

1. 아국의 핵심 관심사항

ㅇ 쌀에 대한 관세화 예외
  - 관세화 예외 관철이 불가능시 장기 유예기간 및 장기 이행기간 확보

ㅇ 구조 조정을 위한 투자지원 보조는 허용

ㅇ 국내보조 감축, TE 감축폭, TE 감축기간, 최소 시장접근 허용폭에서 선진국의 절반 수준 의무 부담

ㅇ 개도국 우대

2. 아국 입장 검토 의견

가. 기본 가정

ㅇ 시장접근 분야에서 예외없는 관세화(universal tariffication)가 적용되나, 동 관세화 기본틀 내에서 협상 참가국의 민감품목에 대하여는 TE 감축폭, 감축기간 등에서 융통성이 부여됨.

ㅇ 식량안보등 NTC 관련 이해는 국내보조의 Green Box에서 신축적으로 반영됨.

ㅇ 11조 2항 C는 현행 규정대로 유지됨.

나. 아국 입장

1) 시장접근

대 안	내 용	비 고
1 안	ㅇ쌀등 2-3개 민감품목 - 일정 유예기간후 관세화 - 유예기간중 일정 최소 시장접근 허용	ㅇ미국등 농산물 수출국들이 쇠고기를 포함한 BOP 품목에 대해 관세화를 수용할지 여부

0111

대 안	내 용	비 고
	. 최소 시장접근은 일정율(선진국의 절반 수준)을 확대없이 지속 - 유예기간 경과후 수입이 안될 만큼의 높은 TE를 장기간 유지한 연후 TE 감축 o 여타 품목(BOP 품목 포함) - UR 협상 결과 이행 초년도에 일괄 관세화 - TE 감축폭, 감축기간에서 개도국 우대 적용 (선진국의 절반수준만 의무 부담하되, 감축폭 및 감축기간중 양자택일의 경우 감축기간 선택)	
2 안	o 쌀 - 일정 유예기간후 일정율(선진국의 절반 수준)의 최소 시장접근만 일정기간 동안 허용 - 동기간 종료후 관세화 - 수입이 안될 만큼의 높은 TE를 장기간 유지한 연후 TE 감축 o BOP 품목 - BOP 협의 결과에 따라 의무 이행 o 여타 품목 - UR 협상 결과 이행 초년도에 일괄 관세화 - TE 감축폭, 감축기간에서 개도국 우대 적용(선진국의 절반수준 의무 부담하되, 감축폭 및 감축 기간중 양자택일의 경우 감축기간 선택)	o 쌀시장 개방에 따른 충격을 다단계(일정 유예기간후 → 일정기간 동안 최소 시장 접근만 허용 → 일정 유예 기간 및 일정기간 경과후 높은 TE 장기 유지)로 흡수 가능하나, 쌀 방어를 위해 BOP 품목등 여타품목 양보도 고려 불가피
3 안	o 쌀 - 일정 유예기간후 관세화 - 유예기간중 일정 최소 시장접근 허용	o 품목별 접근방법과 농산물 협상 Framework와의 일치 여부

2

0112

대 안	내 용	비 고
	. 최소 시장접근은 일정율 (선진국의 절반 수준)을 확대없이 지속 - 유예기간후 수입이 안될 만큼의 높은 TE를 장기간 유지한 연후 TE 감축 o 쌀을 제외한 1-2개 품목 - 일정기간 동안 최소 시장접근만 허용 . 최소 시장접근은 일정율 (선진국의 절반수준)을 확대없이 지속 - 일정기간 경과후 관세화하되 수입이 안될만큼의 높은 TE를 장기간 유지한 연후 TE 감축 o 여타품목(쇠고기를 제외한 BOP 품목 포함) - UR 협상 결과 이행 초년도에 일괄 관세화 - TE 감축폭, 감축기간에서 개도국 우대 적용(선진국의 절반수준만 의무 부담하되, 양자택일의 경우 감축기간 선택) o 쇠고기 - 쇠고기 합의사항에 따라 관련국과의 양자협상을 통해 타결	
4 안	상기 1안-3안의 가능한 조합	

2) 국내보조

o 식량안보등 NTC 관련 품목을 관세화하는 대신 구조 조정에 필요한 투자 지원 보조금을 Green Box에 최대한 반영, 실익 확보

- 구조 조정을 위한 투자 지원

- 개도국 농업 발전을 위한 보조금등

o 국내보조 감축시 감축폭, 감축기간에서 개도국 우대 확보

- 선진국의 절반 수준 의무 부담
- 감축폭, 감축기간중 양자택일의 경우 감축기간에서 장기 이행기간 확보

첨 부 : 농산물 협상(아국 쌀시장 개방) 관련 주요국 반응. 끝.

관리번호 91-839

회 의 요 록

1992.6.30.에 예고 의거 일반문서로 재분류 됨

1. 회의 개요

o 일시 및 장소 : 91.11.20(수) 16:00-17:00, 제1종합청사 19층 부총리 집무실

o 참 석 자 : 강현욱 경제기획원 차관

이기주 외무부 제2차관보

김한곤 농림수산부 제2차관보

(배석 : 장승우 경제기획원 제1협력관

최 혁 외무부 통상국 심의관)

o 안 건 : UR 농산물 협상에서 쌀 문제에 대한 대책 비공식 협의

2. 토의내용

가. 비공식 협의 소집 배경 (기획원 차관)

최근 미.EC간 농산물 막후 교섭의 급속한 진전 동향과 관련, 하기 사항 검토 필요

(1) UR 협상 타결 전망

(2) 미.EC간 타결시 아국이 취할 대책 수립 문제

(3) 제네바 출장중인 실무 교섭대표단 귀국 보고시, 협상 전망과 함께 쌀문제에 대한 협상 대책을 상부에 보고하는 문제

0115

나. 토의내용

(1) UR 협상 타결 전망

o 외 무 부

- 년내 타결 전망은 누구도 확실하게 얘기할 수 없으나 최근 제네바 보고는 타결이 되는 방향으로 기울어지고 있음.
- 특히 최근 미.EC가 막후 절충을 통해 타결을 서두르고 있고, UR 협상 실패의 책임을 면하기 위해서도 양측이 어떤 형태든 타결점을 찾아야 하기 때문에 조만간 타결에 이를 것으로 보며 (빠르면 금주말이 될 것이라는 추측도 있음), 일단 미.EC 타결안이 나오는 경우 UR 협상 타결의 돌파구(breakthrough)가 마련된다고 보아야 할 것임.

o 농림수산부

- 미.EC간 총론에서는 합의했는지 모르나 각론에서는 쉽게 타결될 수 없으리라는 것이 적지 않은 나라들의 견해이기 때문에 타결 전망은 아직 회의적이라고 보고 있음.

(2) 미.EC간 타결시 아국의 대책 방안

o 외 무 부

- 미.EC간 타결시, Cairns 그룹은 미국과의 관계 때문에 동 타결안을 수락할 것으로 보며, 그렇게 되면 압력이 일본과 한국에 집중될 것임. (카나다는 11:2(C)가 현행대로 존치되는 경우 예외없는 관세화에 반대치 않을 것이라는 관측이 유력함)
- 그렇게 되면 일본은 쌀에 대한 관세화를 받을 수 밖에 없을 것인바, 관세화에 따른 부담을 최소화 시키기 위해 비밀리에 미국등 수출국과 관세화 유예기간 확보등을 막후 교섭할 가능성이 있음.

- 따라서 일본의 동향을 정확히, 적기에 파악하는 것이 매우 중요하나, 일본이 협상 사실을 비밀로 할 것이기 때문에 그 동향 파악이 늦어져 아국만이 고립될 우려가 있으며, 또한 이처럼 일본이 관세화 조건을 교섭한후 아국이 관세화 수용 조건에 대한 교섭을 시도하는 경우 교섭력의 약화로 인해 아국의 요구를 제대로 반영하기 어려울 것임.
- 따라서 시기적으로 늦어도 일본이 교섭에 응하는 시기보다는 늦지않게 아국도 미국등과 교섭하는 방안을 검토할 필요가 있음.

o 농림수산부

- 국내 정치적 여건상, 미.EC 타결후에도 일본이 관세화를 수용한 후 교섭할 수 밖에 없으며, 그때 가서도 얼마든지 교섭할 기회가 있을 것으로 봄.

o 경제기획원

- 일본이 관세화를 수용한 후에는 아국이 설사 교섭할 기회가 있더라도 교섭력이 없어 아국 이익 확보가 사실상 불가능해질 것임.
- 따라서 늦어도 일본과 같은 시기에 교섭토록 해야 할 것이며, 이에 대비 사전에 교섭 시기, 방법, 교섭안을 마련해 두어야 할 것임.

(3) 협상 대책 상부 보고 방안

o 경제기획원

- UR 협상 실무대표단 귀국후 동 보고를 기초로 부총리겸 경기원장관, 외무부장관, 농림수산부장관이 비공식 회의를 갖고, 협상 전망, 대책 방안을 협의한후, 미.EC간 타결후 아국의 대책 방안에 관해 상부에 보고하는 문제(보고 내용, 보고 방법등)를 협의토록 함.
- 이에 대비 농림수산부는 보안에 철저를 기하면서 내부적으로 생각할 수 있는 대안을 준비토록 함. 끝.

3

0117

관리번호	91-828

원 본

외 무 부

종 별 :

번 호 : AUW-0986　　　　일 시 : 91 1121 1730

수 신 : 장 관(통기)

발 신 : 주 호주 대사

제 목 : UR 농산물 협상

1. 주재국 외무.무역부 SPARKES 통상국 부국장에 의하면 주재국이 파악한바로는 명일 DUNKEL 사무총장이 농산물 문제에 관한 PAPER 를 다시 제출할 예정이며, 동 PAPER 는 OPTION PAPER 의 성격으로서 동 PAPER 를 기초로하여 12 월중순까지 협상을 재개할 것으로 보인다고 함.

2. 헤이그에서 개최된 미-EC 간 정상회의에서 미측은 EC 에 대해 5 년간에 걸쳐 농산물 수출보조금 35% 삭감에 대한 숫자제시가 있었던것으로 알고있다고 하면서 동 보조금 삭감의 기준(BASE YEAR)및 적용대상(QUANTITY 및 BUDGET)에 관해서는 미-EC 간에 상당한 차이가 발생할수 있으며, 금번 미측의 제안은 과거 HELLSTROM 안을 기초로한것으로서 일부 언론 보도와는 달리, 미측이 기존의 입장을 크게 수정한것은 아니라는 것이 주재국측의 분석이라고 함.

3. 예외없는 관세화 문제에 관해서는 DUNKEL 사무총장이 지난 1 개월간 한국과 일본의 농민단체 및 정치인들을 다수 만나는 기회를 통해 자신의 입장을 명백히 전달한바 있음으로 COMPREHEHSIVE TARRIFICATION 에 대한 DUNKEL 사무총장의 입장은 변함이 없을것으로 본다고 함. 끝.

(대사 이창범-국장)

예고:91.12.31. 까지

통상국	장관	차관	1차보	2차보	아주국	경제국	외정실	분석관
청와대	안기부							

PAGE 1　　　　91.11.22 07:57

외신 2과 통제관 BS

0118

관리번호	91-833

원 본

외 무 부

종 별 :

번 호 : GVW-2398 일 시 : 91 112 1700

수 신 : 장관(통기,경기원,재무부,농림수산부,상공부)

발 신 : 주 제네바 대사

제 목 : UR/농산물 협상

11.21(목) 일본의 AZUMA 농산물 협상 대표와 만나 표제협상 최근 동향에 대하여 의견 교환한바 동인 언급 요지 하기 보고함.(농림수산부 조국장, 천농무관 참석)

1. 최근 협상 동향

- 미국, 이씨간 차관급 양자 협의는 11.9-20 기간중 당지에서 개최되었고 4 극 회의는 상금 개최되지 않았으며, 11.20(수) 15:30-17:00 8 개국의 차관급 회의가 개최되었음. 동 8 개국 회의에서는 주로 협상 절차에 관한 문제가 논의 되었으며 내용(SUBSTANCE)에 대한 논의는 없었음.

0 8 개국 회의에는 미국에서 CROWDER 농무차관 KATZ 부대표, 이씨에서 LEGRAS 농업국장, 일본에서 ENDO 대사, 시와쿠 심의관, 아즈마 경제부장, 호주에서 FIELD 차관, KENYON 협상 대표, 카나다에서 GIFORD 협상대표, 뉴질랜드에서 GROSER 협상대표, 알젠틴에서 STANCANELLI 공사, 북구에서 HUTANIEMI 협상대표가 참석하였음

0 동 회의에서 던켈 총장은 현재의 협상진행 상황을 평가하면서 공감대(COMMON LANGUAGE)가 마련되가고 있다고 하고 정치적 결단이 필요한 시기라고 강조하였음.

0 일부 국가는 미.이씨간 논의되고 있는 것을 공개하도록 요구하였으나 미국과 이씨는 양자간의 문제이므로 다자간에 논의되는 것이 바람직 하지 않다고 하여 거부하였음.

0 동 8 개국 회의는 금 11.21(목) 오후 및 11.22(금) 오후에 각각 속개될 예정이며 시장접근 부터 논의될 것으로 예상됨.

- CROWDER 미 농무차관 및 LEGRAS 농업국장은 11.20(수) 저녁 브랏셀로 향발 하였는바 주말에 예정된 미.이씨 농무장관 회의 준비 때문으로 추측되며, 양국간의 협의는 브랏셀에서 계속될 전망임

- 11.25. 주 초경에는 주요국 비공식 회의가 예상되고 있으며 11.28 이후는회의

통상국	장관	차관	1차보	2차보	경제국	외정실	분석관	청와대
안기부	경기원	재무부	농수부	상공부				

PAGE 1 91.11.22 06:58

외신 2과 통제관 FM

0119

개최가 어려울 것으로 전망되고 있음.(미국의 추수감사절 연휴 관련) 따라서 그 다음회의는 12 월 초가 될것으로 관측됨.

- 참고로 일본 협상 대표는 미.이씨간 양자 협의에서 주요 문제에 대한 양국간 견해차가 노정되어 시간이 더 필요하게 된 것으로 관측하면서 던켈 총장이 자신의 전략대로 협상이 진전되지 않고 있어 다소 실망하고 있는 것으로 평가함.

2. 일본의 협상 입장

- 최근 일본 입장 변화에 대한 언론 보도가 있으나 이는 근거 없는 것임

베이커 미국무장관의 방일시 미야자와 수상이 쌀을 관세화 할 수 없다는 분명한 입장을 전달한 바 있고 이에 대한 미측의 반응을 기다리는 중임(이점에 대한 보안을 요청하였음)

- 일부 자민당 의원등이 부분 시장개방 가능성을 거론하고 있는바 이는 최저 시장접근을 수용하고 수입된 물량을 해외 수출하거나 원조용으로 사용한다는 전제에서 논의되고 있는것인바, 미국이 요구하는 것은 단순한 최저 시장 최저 시장 접근이 아니고 관세화의 수용 이기때문에 받아들일수 없음

- 예외없는 관세화가 채택되더라도 상원에서 인준 받는 것이 사실상 불가능할 것으로 보기 때문에 약속을 이행할 수 없을 가능성이 크며 이에 대한 제재 조치까지도 예상되고 있음.

3. 미국과 이씨간 주요 쟁점 사항

- 국내보조 : 이씨의 소득 보상 직접 지불 정책을 허용정책으로 분류할 것인지 여부

- 시장접근: 관세 상당치의 계산 방법

- 수출보조 : MARKETING LOAN 을 수출보조에 포함하는 문제와 삭감 방법(수출 물량 삭감 여부)

- EC 의 보정인자(CORRECIVE FACTOR)에 대해서는 대체적으로 의견이 접근된 것으로 알려짐

0 국제가격 변화가 10 퍼센트 미만인 경우는 고려치 않음

0 10-30 퍼센트 변화의 경우 동 변동폭의 30 퍼센트를 보정

0 30-50 퍼센트 변화의 경우 동 변동폭의 50 퍼센트를 보정

0 50 퍼센트이상 변화의 경우 동 변동폭의 100 퍼센트를 보정

0 항구적으로 인정할 것인지 여부에 대해서는 아직 의견접근이 없음

4. 상기 1 항 내용은 카나다 협상 대표로 부터도 확인하였음을 첨언함. 끝

(대사 박수길-국장)

예고:91.12.31. 까지

관리 번호 91-832

원 본

외 무 부

종 별 :

번 호 : GVW-2407 일 시 : 91 1121 2130

수 신 : 장관(통기,경기원,재무부,농수산부,상공부,청와대경제수석)

발 신 : 주 제네바 대사

제 목 : UR/협상 현황 및 농산물분야관련 조치사항.

1. 당지에서의 UR 협상은 11.18 주간에 들어서면서 각협상 그룹의장들은 쌍무 또는 복수 협의를 통하여 협상그룹별 현안문제 해결에 박차를 가하는 한편 현안문제 중심으로 각종 CAUCUS 가 열려 본격적인 협상이 진행되고 있으나(아국은 섬유 10 개국 그룹, ANTI-DUMPING 그룹, SUBSIDY 그룹, 시장접근, 제도분야등 비공식 그룹에 본격적으로 참여) 농산물, 섬유, 규범제정, 서비스등 분야에서 획기적인 진전이 있는 것은 아님(특히 금주부터는 각협상 그룹의장들이 협상 조기 타결에 대비, 현저히 빠른 템포의 움직임을 보이고 있음)

2. 미-EC 정상회담 이후 11.18 주간 부터 특히 농산물 분야에서는 정상회담후속조치의 일환으로 CROWDER 미농무차관, LEGARAS EC 농업 총국장등이 2 차에걸쳐 당지에서 회동한후, 내주 중반 개최예정인것으로 알려진 MACSHARRY-MADIGAN 농상 회담관련 명일 일단 임지로 귀임하며, 8 개국 차관급회의 (던켈총장의 요청으로 농산물 분야 8 개국 비공식 협의그룹은 현재 차관급 대표를 당지에 파견중) 가 작 11.20(수) 에 이어 2 차에 걸쳐 개최되어 현안문제에 대한 본격적인협의가 진행되고 있음.

또한 미국, EC 간 돌파구가 마련될 경우에는 UR 협상은 모든면에서 급격히 진행될 전망인바, 농산물 이외에 아직 많은 문제를 안고 있는 분야는 섬유, 서비스, 반덤핑등이나 농산물 분야가 일단 타결되고 나면 이들 분야에서도 급속한 진전이 연동적으로 있을 것으로 예견됨.

3. 당지 미, EC, 호주대사 등의 평가에 의하면 CROWDER-LEGRAS 협의는 아직돌파구를 마련했다고 할수 없지만, 실질적인 진전을 보이고 있어 과거 어느때보다도 낙관적이라고 할 수 있는바, 현재 수출보조는 5 년에 걸쳐 35 퍼센트 감축, REBALANCING 문제는 EC 의 곡물수출 삭감 약속대신 곡물대용품 수입에 대한

통상국	장관	차관	1차보	2차보	경제국	외정실	분석관	청와대
청와대	안기부	경기원	재무부	농수부	상공부			

PAGE 1

예고문에 의거 재분류(92.6.30.) 직위 성명

91.11.22 07:12

외신 2과 통제관 BD

0122

봉제인정, EC 의 직접보조와 미국의 DEFICIENCY PAYMENT 의 부분적인 인정, 일방조치 금지등 선에서 타협안이 모색되고 있다함.(금일 DUNKEL 총장은 섬유그룹회의에서 농산물 분야에서는 "DRASTIC PROGRESS" 있었다고 말하고 섬유분야에서도 유사한 진전이 있어야 한다고 강조)

4. 미-EC 간 농산물 분야 협상이 진행되고 있는 과정에서 특히 카나다의 경우 11 조 2 항(C) 문제와 관련한 협의를 위해 WILSON 카나다 연방 상무장관이 11.27(수) 당지를 방문 예정이라 하며, 12 월초에는 케언즈 그룹국가들의 농무장관들이 당지에 모여 공동입장을 논의할 예정인 것으로 전해 지고 있음

5. 다른 한편 금일 농산물 8 개국 회의에서 던켈총장은 36 페이지에 달하는농산물 협상 문서를 배포했는바, 동 문서에서는 시장접근 분야에서 명시적으로"예외없는 관세화(TARIFFICATION WITHOUT EXCEPTION)" 가 명기되어 있다함(명일 동문서 송부 예정이며, 문서의 성격등은 입수후 검토하겠음)

6. 금일 배포된 사무국 문서에 "예외없는 관세화" 가 명기된점 및 금주말 이후부터 협상이 더욱 본격화될 가능성등 교섭이 중대한 마지막 단계에 접어들고있음에 비추어 현시점에서 국내외적인 효과(IMPACT)를 감안, 아래와 같이 조치의 필요성이 검토되어야 할것으로 사료되어 건의함.

가. 쌀문제에 대한 아국입장을 재강조하는 농수산부 장관 명의 서한을 던켈총장 앞으로 발송할 필요성, 또는

나. 농수산부 장관의 당지 방문, 던켈 총장을 비롯한 다수 협상 주역들과의협의 필요성.

(대사 박수길-장관)

예고:92.6.30 까지

0123

관리번호	91-825

報 告 畢

長 官 報 告 事 項

1991. 11. 22.
通 商 局
通 商 機 構 課(67)

題 目 : UR 農産物 協商 Working Paper 草案

> 던켈 事務總長이 11.21 밤에 提示한 農産物 協商 Working Paper의 性格, 內容, 問題點 및 向後 對策을 아래 報告 드립니다.

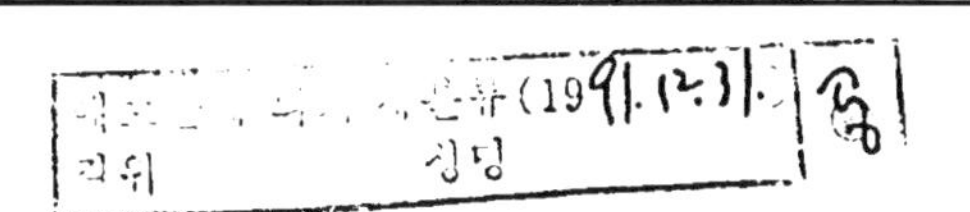

1. 性 格

가. Working Paper의 形式으로 되어 있으나 內容이 協定 草案으로 使用될 수 있도록 構成되어 있고 包括的인 점을 볼때 最終 協商 草案 提示前의 1次 草案으로 볼 수 있음.

나. UR 協商 主要國과의 協議를 거쳐 一部 修正 補完하여 最終 協商案으로 發展, 提示할 것으로 보임.

2. 內 容

가. 共通事項

o 國內補助, 輸出補助, 市場接近의 減縮幅, 減縮 基準年度, 減縮期間은 具體的 數値를 提示치 않고 괄호로 되어 있음.

o 具體的 減縮 約束을 提示~~하도록 되어~~ 있음.
(할수있도록 分野別 減縮方法을 詳細히 規定하고)

나. 市場接近

o 例外없는 關稅化(comprehensive tariffication)

- 關稅化의 例外 : 12조, 18조(BOP 條項), 19조(一般 세이프가드), 20조(一般的인 例外), 21조(國家 安保)

공람	통상기구	91년11월22일	담당	과장	심의관	국장	차관보	차관	장관
			송봉헌			(서명)	(서명)		

0124

- 關稅化 方法 : CIF 輸入價格과 國內 都賣價格 差異 關稅化
- 最小 市場接近 保障 : 水準 未定(適用 稅率 : 現行 稅率 또는 讓許稅率)

  ※ 參考 : 我國 쌀 輸入 關稅 : 5%

o 旣存 市場接近 水準 保障

다. 國內補助

o 許容 補助金과 減縮 對象 補助金으로 分類

- 許容補助는 生産과 連繫되지 않은 政府의 非價格 支援으로 限定
- 許容되는 直接所得 補助의 基準 및 上限 設定

o 許容補助 分類와 關聯, 食糧安保等 非交易的 關心事項과 構造 調整 必要性 一部 反映

- 食糧 安保를 위한 食糧 備蓄 許容
- 許容되는 投資支援은 構造的으로 脆弱한 部門 支援에 限定하고 許容期間을 設定하며 特定品目의 生産과 連繫되지 않도록 制限
- 其他 環境保護 및 地域 開發 支援도 許容範圍 制限

라. 輸出補助

o 減縮 對象 輸出補助를 定義하고 減縮은 豫算 및 輸出物量 減縮 形態

마. 開途國 優待

o 開途國은 先進國 減縮 水準의 X%부터 Y% 減縮하고, 減縮期間도 X年度間 延長

3. 問 題 點

o 我國이 主張해 온 食糧安保等 非交易的 關心事項에 대한 考慮는 전혀 反映되지 않음.

- 市場接近 分野에서는 一體 反映되지 않음 (던켈 總長이 最近 示唆해 온 關稅化 方式으로 부터의 融通性마저도 不言及)
- 現行 11조 2항 C에 의한 數量制限도 認定치 않음.
- 國內補助에서도 一部 反映 되었다 하나 食糧 備蓄 許容等으로 극히 制限的으로 反映

0125

o 開途國 優待에 根據한 減縮幅을 X%로부터 Y%로 함으로써 開途國 優待에 差別 試圖

4. 向後 對策

가. 細部 檢討後 訓令 下達

o 農水産部와 協調

나. 協商代表 補强 檢討

o 現地 出張中인 農林水産部 조일호 局長 出張期間 延長

o 최양부 農林水産部 長官 諮問官 派遣 檢討

o 홍종기 通商機構課長 出張 期間 延長 檢討

다. 言論 對策

o 農水産部와 協議, Working Paper 內容과 이에 대한 我國의 立場을 言論에 說明

라. 國會 對策

o 國會 質疑 答辯을 통해 同 文書의 問題點 是正을 위한 政府의 交涉 方針 說明. 끝.

관리 번호	91-831

	분류번호	보존기간

발 신 전 보

번 호 : WGV-1669 911122 1757 BE 종별 : 지급

수 신 : 주 수신처 참조 대사. 총영사

발 신 : 장 관 (통 기)

제 목 : UR/농산물 협상

WUS -5336 WEC -0757
WJA -5322 WCN -1395
WAU -0907 WFN -0303
WAR -0634 WSZ -0494

1991.12.31.

1. 던켈 갓트 사무총장은 11.21. 귀주재국(단, 스위스 제외)도 참가하는 표제 관련 8개국 협의에 Draft Working Paper를 제시 하였는바, 동 Paper에서는 국내보조, 수출 보조 및 시장접근분야에서 감축폭, 감축 기간등 구체적 수치는 제시되지 않았으나 구체적인 감축방법을 포함하고 있어 일응 최종 협상 타결 초안 작성을 위한 전단계의 협상 문서로 평가된다함.

2. 본부 검토에 참고코자 하니 하기 사항 지급 파악 보고바람.

가. 동 Paper의 성격

나. 동 Paper가 제시된 배경

다. 동 Paper와 미.EC간 막후 절충 과정과의 관계(미.EC간 합의된 내용을 반영했는지 여부등)

라. 동 Paper에 대한 귀주재국 평가(특히, 동 Paper를 최종 협상 타결의 기초로 받아들일 것인지 여부). 끝. (통상국장 대리 최 혁)

수신처 : 주 미국, EC, 일본, 카나다, 호주, 핀랜드, 알젠틴, 스위스 대사 (주 제네바 대사).

보안 통제	최

앙고재	91년 11월 22일	통상기구과	기안자 성명	과 장	국 장	차 관	장 관
			송봉헌		전결		대결

외신과통제

0127

농산물 협상에서의 던켈 작업 기초자료

. 던켈 총장이 91.11.21. 농산물 협상 8개국 비공식 회의에서 제시한 작업 기초자료에 대한 정부의 1차적인 입장은 아래와 같음.

가. ~~Working Paper의 성격~~

ㅇ 농산물 협상을 진전시켜 나가기 위한 협상 진행 Text로서 당면 정치적 결정이 필요한 핵심 과제를 제시하고 있는 토의서(Working Paper)의 성격

ㅇ 현단계로서는 토의서의 성격이나 이를 기초로 몇가지 정치적 결정사항을 합의할 경우 곧바로 협상 초안으로 발전 가능

 던켈 토의서의 주요내용

ㅇ 시장접근 분야에서는 관세화에 대한 예외는 인정하지 않고(Comprehensive tariffication) 있으며 모든 비관세 조치, 변동과징금(EC), Waiver(미국) 등 GATT의 규정 근거 여부를 불문하고 기존의 각종 수입제한 조치를 모두 관세화의 대상으로 함.

ㅇ 수입량이 없거나 적은 품목의 경우 합의되는 일정비율의 최소 시장접근(minimum market access)을 설정함.

ㅇ 비교역적 기능(NTC)등은 국내보조에서 원칙적으로 반영

ㅇ 특별 긴급 수입제한 조치에 있어서는 관세에 의한 보호만 인정

ㅇ 개발도상국 우대에 있어서는 이행기간 및 감축폭에서 우대 인정

0128

3. 앞으로의 협상 진행 및 대응 방향

o 앞으로 농산물 협상은 동 던켈 Working Paper를 중심으로 주요 8개국 회의(미국, EC, 일본, 카나다, 핀랜드, 뉴질랜드, 호주, 알젠틴) 및 36개국 회의(한국 포함)에서 구체적인 토의 과정을 거치게 될 것임.

o 이과정에서 각국은 자국의 관심사항을 중심으로 본격적인 협상을 하게 될 것이며, 합의가 이루어질 경우 동 작업서는 협상 초안으로 제시될 수도 있음.
  ※ 미국과 EC의 합의 여부는 현재로서는 미확인

o 현재 던켈 Working Paper안은 예외없는 관세화를 전제로 작성되었기 때문에 한국으로서는 앞으로 공식, 비공식 회의는 물론 주요 협상 참가국 대표들과의 적극적인 접촉, 설득 활동을 통하여 관세화 예외를 비롯한 주요 관심사항을 관철시켜 나가기 위한 노력을 전개해 나갈 것임.
  - 금일(91.11.22) 주 제네바 대표부 박수길 대사 및 정부 실무대표 단장 김인호 경제기획원 대조실장은 던켈 GATT 사무총장 및 칼라힐 사무차장등을 면담하여 우리의 관심사항을 강력하게 전달할 예정임.

끝.

0129

관리번호	91-835

원 본

외 무 부

종 별 : 지 급

번 호 : GVW-2412 일 시 : 91 1122 1130

수 신 : 장관(통기,경기원,재무부,농림수산부,상공부,특허청,경제수석)

발 신 : 주 제네바 대사

제 목 : 던켈 총장의 농산물 협상 토의서

연: GVW-2407

연호 11.21 제시된 던켈총장의 농산물 협상문서(WORKING PAPER)와 관련 11.22(금) 아침 GIFORD 카나다 농산물 협상 대표에 확인한바 동인 언급 요지 아래 보고함.

1. 동 문서는 추가협의를 위한 토의서(WORKING PAPER)의 성격임

2. 11.21(목) 오후 개최된 8 개국 회의에서는 동 PAPER 시장접근 분야에 대해 협의하였으며, 11.22(금) 오전에는 국내보조, 오후에는 수출보조금 분야를 협의 예정임.

3. 11.21. 시장접근 분야 협의시 카나다의 SHANNON 대사는 예외없는 관세화에 대해 분명한 반대입장을 표시하였으며, 일본이 강한 지지 의사를 표했고 NORDIC 대표 핀랜드가 지지(LESS STRONGLY) 함.

4. 8 개국 회의는 금일 회의로 동 PAPER 에 대한 1 차적인 협의를 마칠 예정이며, 곧 35 개국 협의 과정을 거치게 될 것으로 보임.(앞으로 G-8 협의는 12.1 까지는 없을 것으로 보임)

5. 동 문서는 그동안 농산물협상에서 논의된 것으로 기초로 작성된 것으로 평가됨. 끝

(대사 박수길-국장)

예고: 91.12.31. 까지

통상국	장관	차관	1차보	2차보	경제국	외정실	분석관	청와대
청와대	안기부	경기원	재무부	농수부	상공부	특허청		

PAGE 1 91.11.22 20:31

외신 2과 통제관 CD

0130

관리 번호	91-836

원 본

외 무 부

송,조.

종 별 : 지 급

번 호 : GVW-2409 일 시 : 91 1122 1100

수 신 : 장관(통기,경기원,재무부,농림수산부,상공부,청와대 경제수석)

발 신 : 주 제네바 대사

제 목 : UR/농산물 협상(던켈의 작업 문서)

연: GVW-2407

1. 연호 5 항 던켈 총장의 작업문서(DRAFT WORKING PAPER)의 시장접근 분야는 "예외없는 관세화"라는 표현대신에 포괄적 관세화(COMPREHENSIVE TARIFFICATION)라는 표현을 사용하고 있으나, 양자는 사실상 같은 개념이니 참고 바람.

2. 동 작업문서는 농산물 협상의 컨센서스를 모색하기 위한 목적에서 작성되었는바, 문서를 기초로 협상을 진행시키면서 정치적 결단이 시급한 요소를 부각시키기 위한 것임.

3. 동 작업문서는 11. 21(목) 주요 8 개국에게만 대외 보안을 전제로 배포되었으나 금일 여타 협상 참가국에게도 배포될 예정임. 끝

(대사 박수길-국장)

예고 91.12.31. 까지

일반문서로 재분류 1991.12.31. 서명

통상국	장관	차관	1차보	2차보	외정실	분석관	청와대	안기부
경기원	재무부	농수부	상공부					

PAGE 1

91.11.22 20:04

외신 2과 통제관 CH

0131

외 무 부

종 별 :

번 호 : JAW-6644 일 시 : 91 1122 1847

수 신 : 장 관(통기,통일,아일,농림수산부)

발 신 : 주일대사(일경)

제 목 : UR/ 농업협상

던켈 GATT 사무총장이 11.21 주요 8개국 차관급노업 교섭회의시 농업 분야의 예외없는 완전관세화안을 내용으로하는 합의 초안을 제시한데 대한 당지 반응을 언론 보도를 중심으로 다음 보고함.

1. 정부 반응

가. 회의대표단

0 일측은 상기회의에서 던켈합의 초안에 대해 다음 이유를 들어 즉각 반대입장표명

1)기초적 식량은 관세화에 부적절

2)수입국의 입장이 반영되어 있지 않음

3)수출보조금을 폐지 하지 않은 채 비관세장벽만을 예외없이 관세화함은 균형이맞지않음

나. 일 정부

1) 외상,농수산상,통산상,관방장관등 관계각료들은 11.22 오전 국무회의후 기자회견에서 일제히 예외없는 관세화안의 수용은 불가능하며, 계속 거부해 나가겠다는 입장 표명

2)한편, 다나부 농수산상은 향후 전망에대해'예외없는 관세화의 방향으로 진전되고있음은 분명하며, 타협의 여지가 있는지는 잘 알수없으나, 일본으로서는 매우 어려운 상황'이라는 견해를 표명하였으며, 일 정부내에는 드디어 일본이 결단 해야할 시기가 온것으로 간주하는 분위기가있음.

2. 언론 반응(11.22자 석간)

가. 금번 던켈 사무총장이 예외없는 관세화안을 ,명시적으로 제시하게 된 배경에는미. EC 가 농업보호의 삭감수준등과 관련하여 거의 합의권 내에 들어간 것으로 판단한때문으로서(요미우리)향후 최종 합의안은 완전관세화안을 축으로 하여

통상국 2차보 아주국 통상국 청와대 안기부 농수부

PAGE 1 91.11.22 21:11 FL

외신 1과 통제관

0132

작성될 건망이 커졌는바, 일본의 고립이 더욱 선명하게되었다는 반응(산께이)

나.동시에 일본은 지금과 같이 반대만을 계속할것이 아니라,관세화의 틀안에서 최소시장 접근 허용 한도를 장기간 고정시키는방안,일정기간 관세율을 극히 높은 수준에 고정시켜 수입증가의 방파제를 설치하는 방안등 타협점에 대한 검토를 포함하여교섭 전략의 재검토가 시급한 것으로 평가중(요미우리).끝

(대사 오재희-국장)

관리번호	91-838

원 본

외 무 부

종 별 : 긴 급

번 호 : GVW-2410 일 시 : 91 1122 1130

수 신 : 장관(통기,경기원,재무부,농림수산부,상공부,경제수석)

발 신 : 주 제네바 대사

제 목 : 농산물 협상 토의서(WORKING PAPER)

1. 던켈 총장이 91.11.21 농산물 협상 8 개국 비공식 회의에서 제시한 농산물 협상 토의서에 대한 현재 대표부 및 정부 실무대표단의 1 차적 판단을 아래 보고함.

가. WORKING PAPER 의 성격

- 농산물 협상을 진전시켜 나가기 위한 협상 TEXT 로서 당면 정치적 결정이필요한 핵심 과제를 제시하고 있는 토의서(WORKING PAPER)적 성격

- 현단계로서는 토의서의 성격이나 이를 기초로 몇가지 정치적 결정사항을 협의할 경우 곧 바로 협상 초안으로 발전 가능

나. 던켈 토의서의 주요 내용

- 시장접근 분야에서는 관세화에 대한 예외는 인정하지 않고 (COMPREHENSIVE TARIFICATION) 있으며, 모든 비관세 조치, 변동과징금 (EC), WAIVER(미국) 등GATT 의 규정 근거 여부를 불문하고 기존의 각종 수입제한 조치를 모두 관세화의 대상으로 함.

- 수입량이 없거나 적은 품목의 경우 합의되는 일정 비율의 최소시장접근(MINIMUM MARKET ACCESS)을 설정함.

- 비교역적 기능(NTC)등은 원칙적으로 국내 보조에서 반영.

- 특별 긴급수입제한 조치에 있어서는 관세에 의한 보호만 인정

- 개발도상국 우대에 있어서는 이행기간 및 감축폭에서 우대 인정

다. 앞으로의 협상 진행 전망 및 대응 방향

- 앞으로 농산물 협상은 동 던켈 WORKING PAPER 를 중심으로 주요 8 개국 회의(미국, EC, 일본, 카나다, 핀랜드, 뉴질랜드, 호주, 알젠틴) 및 35 개국 회의(한국포함)에서 구체적인 토의 과정을 거치게 될것임.

- 이과정에서 각국은 자국의 관심사항을 중심으로 본격적인 협상을 하게 될것이며, 합의가 이루어질 경우 동 작업서는 협상 초안으로 제시될수도 있음.

통상국	장관	차관	1차보	2차보	외정실	분석관	청와대	안기부
경기원	재무부	농수부	상공부					

PAGE 1 91.11.22 20:15

외신 2과 통제관 CH

0134

. 미국과 EC 의 합의 여부는 현재로서 미확인

- 현재 던켈 WORKING PAPER 안은 예외없는 관세화를 전제로 작성되겄기 때문에 한국으로서는 앞으로 공식, 비공식 회의는 물론 주요 협상 참가국 대표들과의 적극적인 접촉, 설득 활동을 통하여 관세화 예외를 비롯한 주요 관심사항을 관철시켜 나가기 위한 노력을 전개해 나갈 것임.

0 금일 (91.11.22) 본직 및 정부 실무대표 단장 김인호 경제기획원 대조실장은 던켈 GATT 사무총장 및 칼라일 사무차장등을 면담하여 우리의 관심사항을 강력하게 전달할 예정임.

2. 추가적인 협상 진행상황에 대한 분석 및 대응 활동에 대하여는 추보 하겠음.

(대사 박수길-차관)

예고 91.12.31. 까지

관리번호	91-841

원 본

외 무 부

종 별 :

번 호 : GVW-2426 일 시 : 91 1122 1930

수 신 : 장관(통기,경기원,재무부,농림수산부,상공부,특허청,경제수석)

발 신 : 주 제네바 대사

제 목 : UR 협상 정부실무대표단 활동(8)

예고문에 의거 재분류 1991.12.31. 직위 성명

김인호 경기원 대조실장, 당관 김대사 및 대표단은 금 11.22(금) 10:30-11:30 간 C.CARLISLE 갓트 사무차장을 방문, 농산물 협상을 포함한 UR 협상과 관련한 아국의 입장을 설명하고, 11.21. 제시된 던켈 사무총장의 농산물 토의문서에 우리의 관심사항이 충분히 반영되지 않은 점을 지적한바, CARLISLE 차장의 언급요지 아래 보고함.

1. UR 협상 전망

- 금일 FINANCIAL TIMES 보도대로 위기(CRISIS)라고 표현할수 없으나 미국,케언즈그룹과 EC 간에 매우 큰 의견 차이가 있는 것은 사실임.

- 92 년에는 미국등 각국에서 중요한 선거가 치루어지고, EC 집행위 수뇌부의 이동이 있어 협상을 하거나 협상결과를 국내에 제시하기에 매우 좋지않으므로, 조속히 협상을종결해야 하나 현재 진전상황으로 보아 협상은 난관(TROUBLE)에 처해 있음

- 명년초까지 협상이 타결될 전망은 50:50 이라고 봄.

- 농산물 분야외에도 문제가 많은바, 금융, 기본통신, 해운, AUDIO-VISULE 등 서비스 분야와 반덤핑, 보조금등 규범제정 분야가 어려운 분야임.

TRIPS, 시장접근분야, 분쟁해결은 비교적 순조로우나, 섬유, 제도분야(SINGLE UNDERTAKING, CROSS RETALIATION)에는 어려움이 있음.

- 미국내 각종륍 활동을 감지할때 미국의회가 SMALL PACKAGE 를 수락할 수 없을 것이며, MODEST PACKAGE 조차도 쉽게 수락하지 않을 것임.

2. 농산물 협상

- 11.21 던켈 총장이 8 개국에 제시한 토의문서는 농산물분야에서 최초로 최종협정의 형태로 제시된 것이라는 점에의 의미가 있음

- 동 문서에 예외없는 관세화와 모든 품목에 대한 최소시장접근(MMA)이 사정되어

통상국	장관	차관	1차보	2차보	경제국	외정실	분석관	청와대
청와대	안기부	경기원	재무부	농수부	상공부	특허청		

PAGE 1 91.11.23 07:18

외신 2과 통제관 BD

0136

있으나, 이는 완전한 자유화를 강제하는 것은 아님

0 예를 들어 특별한 경우 협상을 통해 정상적인 T.E. 보다 높은 T.E 를 부과할 수 있는 길이 열려 있음. (PARA 9) — para 7?

- 농산물 분야에서 타결이 조속히 이루어지면 , 여타 분야에서도 진전을 이룰 수 있을 것이나, 이를 위하여 농산물분야에서는 12.20 경까지 주요 쟁점을 타결하여야 함

3. 한국의 대책

- 한국은 일본과는 달리 한톨의 쌀도 수용할 수 없다는 입장인바 , 이는 너무 극단적이라고 보며 UR 협상 결과에 반영될 수 없을 것으로봄.

- 한국이 입장반영을 위해 일본, 카나다등과 협조할 수 있을 것이나, 이들의 입장과 관심사항이 한국과 반드시 일치하지 않는 다는 점에 유의하여야 함.

- 한국이 마지막째 쌀 수입금지 입장을 고수할 경우 최종순간에 가서 아무런 운신의 여유도 없이 협상결과 수락여부만을 받아야 하는 상황에 처할 것인바, 이보다 미리 협상을 통하여 최소시장접근의 조건등 해결책을 강구하는 것이 필요하다고 봄.끝

(대사 박수길-장관)

예고:91.12.31 까지

관리번호	91-843

원 본

외 무 부

종 별 : 지 급

번 호 : CNW-1547 일 시 : 91 1122 1730

수 신 : 장 관(통기,상공부)

발 신 : 주 캐나다 대사

제 목 : UR/농산물 협상

대 : WCN-1395

DUNKEL 갓트 사무총장이 제시한 DRAFT WORKING PAPER 관련 파악결과를 아래 보고함.

1. 동 PAPER 는 BUSH 미국 대통령과 DELORS EC 집행위원장이 화란(11.9.)에서 회동시 UR 의 성공적 타결을 위해 천명한 정치적 의지를 실무협상 차원에 연결 시기기 위한 DUNKEL 사무총장의 노력의 일환이라고 주재국은 분석하고 있음.

2. 동 PAPER 에 구체적인 숫치 제시가 없는 것으로 보아 미.EC 간 합의 내용을 반영하는 것으로 평가하기는 곤란한 것으로 주재국은 보고 있음.

3. 주재국은 동 PAPER 상에 제시된 예외없는 TARRIFICATION 을 지지하지 않으며, GATT 제 11 조 2 항 C 규정 개정문제에 대한 언급이 전혀 없는 점에 대해서도 이의가 있어 현 상태로서는 최종 협상 타결의 기초로 받아 들이기가 어렵다고 평가하고 있음. 이와 관련 주재구은 11.27 경 WILSON 산업과기장관 겸 통상장관 및 MCKNIGHT 농무장관의 제네바 파견시 카측 입장을 밝힐 것이라고 함.

4. 상기 3 항 관련 주재국 언론 및 경제계에서는 UR 협상의 마지막 타결단계에 가서는 카측 정부도 낙농제품 및 가금류에 대한 예외없는 TARRIFICATION 을수용할수 밖에 없는 것으로 전망하는 견해가 다수 있음. 끝

(대사-국장)

예고문 : 91.12.31. 까지

91.12.31

통상국	장관	차관	1차보	2차보	미주국	경제국	외정실	분석관
청와대	안기부	상공부						

PAGE 1

91.11.23 08:20

외신 2과 통제관 BS

0138

관리번호	91-842

원 본

외 무 부

종 별 : 지 급

번 호 : ECW-0991 일 시 : 91 1122 1900

수 신 : 장관 (통기)

발 신 : 주 EC 대사

제 목 : UR/농산물협상

대: WEC-0757

1. 대호관련, 당관이 11.22. EC 집행위 대외총국 및 농업총국 UR 담당국장을비롯한 관계관들과 접촉을 시도하였으나 동인들은 모두 출장중이거나 접촉이 불가능 (INCOMMUNICADO) 하였는바 내주초 (11.25 주) 접촉이 되는대로 파악 보고하겠음

2. 우선 본직이 금 11.22. 당지 불란서대표부 CADET 공사에게 동건관련 입장을 문의한데 대하여 동공사는 대호 DUNKEL 총장의 비공식문서가 EC 측의 입장을 그대로 반영한것은 아니며 특히 불란서로서는 불만족 스러운 것이라고 언급함

3. 한편 당관 정공사는 11.27. SCHIRATTI 집행위 농업국장과 오찬 예정인바, 대호 EC 입장에대하여 상세 문의예정임. 끝

(대사 권동만-국장)

예고: 91.12.31 까지

통상국 차관 2차보 구주국 경제국 외정실 청와대

PAGE 1

91.11.23 09:54

외신 2과 통제관 BD

0139

원 본

외 무 부

송

종 별 :

번 호 : GVW-2421　　　　일 시 : 91 1122 1900

수 신 : 장 관(통기,경기원,재무부,농수부,상공부)

발 신 : 주 제네바대사

제 목 : UR/농산물 주요국 비공식회의 개최통보

11.26(화) 15:00 개최 예정인 표제회의 소집통지서를 별첨 FAX 송부함.

첨부: UR/농산물 주요국 비공식 회의 소집 통지서1부. 끝

(GVW(F)-529)(대사 박수길-국장)

통상국　2차보　경기원　재무부　농수부　상공부

PAGE 1　　　　91.11.23 09:10 WH

외신 1과 통제관

0140

GATT **FACSIMILE TRANSMISSION**

GVW(W)-52P
111221/PM
GVW-2421 처리

Centre William Rappard
Rue de Lausanne 154
CH-1211 Genève 21

Telefax: (022) 731 42 06
Telex: 412324 GATT CH
Telephone: (022) 739 51 11

TOTAL NUMBER OF PAGES 1
(including this preface)

Date: 22 November 1991

From: Arthur Dunkel
Director-General
GATT, Geneva

Signature: [signature]

To:			Fax No:
	ARGENTINA	H.E. Mr. J.A. Lanus	798 72 82
	AUSTRALIA	H.E. Mr. D. Hawes	733 65 86
	AUSTRIA	H.E. Mr. W. Lang	734 45 91
	BANGLADESH	H.E. Mr. M.R. Osmany	738 46 16
	BRAZIL	H.E. Mr. C.L. Nunes Amorim	733 28 34
	CANADA	H.E. Mr. G.E. Shannon	734 79 19
	CHILE	H.E. Mr. M. Arteaa	734 41 94
	COLOMBIA	H.E. Mr. F. Jaramillo	791 07 87
	COSTA RICA	H.E. Mr. R. Barzuna	733 28 69
	CUBA	H.E. Mr. J.A. Pérez Novoa	758 23 77
	EEC	H.E. Mr. Trân Van-Thinh	734 22 36
	EGYPT	H.E. Mr. M. Mounir Zahran	731 68 28
	FINLAND	H.E. Mr. A.A. Hynninen	740 02 87
	HUNGARY	Mr. A. Szepesi	738 46 09
	INDIA	H.E. Mr. B.K. Zutshi	738 45 48
	INDONESIA	H.E. Mr. H.S. Kartadjoemena	793 83 09
	ISRAEL	Mr. A. Perry	798 49 50
	JAMAICA	H.E. Mr. L.M.H. Barnett	738 44 20
	JAPAN	H.E. Mr. H. Ukawa	788 38 11
	KOREA	H.E. Mr. Soo Gil Park	791 05 25
	MALAYSIA	Mr. Supperamanian Manickam	788 09 75
	MEXICO	H.E. Mr. J. Seade	733 14 55
	MOROCCO	H.E. Mr. M. El Ghali Benhima	798 47 02
	NEW ZEALAND	H.E. Mr. A.M. Bisley	734 30 62
	NICARAGUA	H.E. Mr. J. Alaniz Pinell	736 60 12
	NIGERIA	H.E. Mr. E.A. Azikiwe	734 10 53
	PAKISTAN	H.E. Mr. A. Kamal	734 80 85
	PERU	Mr. J. Muñoz	731 11 68
	PHILIPPINES	H.E. Mrs. N.L. Escaler	731 68 88
	POLAND	Mr. J. Kaczurba	798 11 75
	SWITZERLAND	H.E. Mr. W. Rossier	734 56 23
	THAILAND	H.E. Mr. Tej Bunnag	733 36 78
	TURKEY	H.E. Mr. G. Aktan	734 52 09
	UNITED STATES	H.E. Mr. R.H. Yerxa	749 48 80
	URUGUAY	H.E. Mr. J.A. Lacarte-Muró	731 56 50
	ZIMBABWE	H.E. Dr. A.T. Mugomba	738 49 54

You are invited to an informal consultation on agriculture to be held at 3 p.m. on Tuesday 26 November in Room E of the Centre William Rappard. Attendance is restricted to two persons per delegation.

PLEASE NOTIFY US IMMEDIATELY IF YOU DO NOT RECEIVE ALL THE PAGES

** OUR FAX EQUIPMENT IS HITACHI HIFAX 210 (COMPATIBLE WITH GROUPS 2 AND 3) AND IS SET TO RECEIVE AUTOMATICALLY **

1991-11-22 19:59 KOREAN MISSION GENEVA 2 022 791 0525 P.17

0141

관리번호	91-844

원 본

외 무 부

종 별 :

번 호 : USW-5787 일 시 : 91 1122 1855

수 신 : 장 관(통기,경기원,농림수산부) 사본: 주미대사

발 신 : 주 미국 대사대리

제 목 : UR/농산물 협상

대: WUS-5336

1. 대호관련 USTR 의 MARY RYCKMAN NTN 과장과 접촉한바, 동인은 던켈 사무총장이 8 개국 회의에 제출했다는 DRAFT WORKING PAPER 에 관하여 아직 제네바에서 보고를 받지 못하였다고 하면서, UR 담당 관계관들이 거의 모두 제네바에 출장중인 현재로서는 실무적인 문제에 관한 의사 결정은 대부분 현지(제네바)에서 이루어지므로 동 PAPER 가 아직 본부에 보고되지 않은 것은 동 WORKING PAPER 가 DUNKEL 총장이 제시할 예정인 최종 협상 초안의 서곡이라기 보다는 단순히 8 국회의의 기초적 작업문서에 불과한 것이기 때문이 아니겠느냐는 개인적 의견을 피력함.

2. 반면에 당지 언론보도(별첨)는 동 WORKING PAPER 를 '향후 협상의 청사진(FINANCIAL TIMES)' 또는 단순히 '여러 ISSUE 를 정리한 실무초안(JOURNAL OF COMMERCE)' 등으로 다소 엇갈린 보도를 하고 있는바, 동 PAPER 가 미-EC 간의 쟁점사항에 대해서는 새로운 진전내용을 제시하지 않으면서 관세화에 대하여는 농업보조금 관련사항 이외의 ISSUE 에 대하여만이라도 사전에 어드벌룬을 띄워본 것이 아니겠는가 하는 것이 당지의 일반적 관측임.

3. 동건관련 내주초 USTR SUSAN EARLY 농업담당 대표보와 재접촉, 추보 예정임.

첨부: USW(F)-5137(6 매). 끝.

(대사대리 김봉규-국장)

예고: 91.12.31. 까지

통상국	장관	차관	1차보	2차보	미주국	미주국	경제국	외정실
분석관	청와대	안기부	경기원	농수부				

PAGE 1

91.11.23 10:30

외신 2과 통제관 BS

0142

주 미 대 사 관

보안 통제	

번호 : USW(F) - 5737

수신 : 장 관 (통기, 경기원, 농수산부)

발신 : 주미대사

제목 : 첨부 (6 매)

11/22 Inside U.S. Trade.

GATT OFFERS PAPER TO PUSH FARM TALKS AHEAD AS U.S., EC EFFORTS STALL

The top official of the General Agreement on Tariffs & Trade (GATT) yesterday (Nov. 21) tried to move forward international agriculture negotiations by presenting a paper to eight major trading partners detailing the basic decisions that must be made on farm reform. Director General Arthur Dunkel presented his working paper despite the fact that U.S. and European Community efforts to narrow their differences had stalled on Nov. 20 partially because the EC refused to consider basing export subsidy cuts on volume, according to informed sources.

EC negotiator Guy Legras made it clear in meetings with U.S. officials this week that 10 out of the 12 EC member states opposed volume based export subsidy cuts, they said. That message stemmed from a Nov. 18 meeting of agriculture ministers, who also insisted on rebalancing market access. This means the EC Commission will have to seek further negotiating flexibility from member states, which will be hard to do in an extraordinary meeting given the current time restraints, informed sources said. EC officials this week seemed reluctant to put the issue on the agenda of an upcoming December meeting to be held on European economic and political union.

An Administration official downplayed this week's difficulties as typical impasse that occurs in real negotiations. Sources emphasized that the 39-page Dunkel paper is not a negotiating framework but rather a working paper that could evolve into a chairman's text over time.

Separately, U.S. commodity groups and key members of the Senate Agriculture Committee laid out seven criteria to the Administration that it will use to judge a final agriculture package. Key issues that have been raised by Sens. Richard Lugar (R-IN) and Patrick Leahy (D-VT) to the Administration are the reduction of export subsidies based on volume, an effective dispute settlement process, strong plant and animal health rules that are very important for producers of fruits and vegetables, and a continuation clause that would ensure further reforms after an initial five to six year agreement, Senate staff member John Ziolkowski told a Nov. 19 briefing on the Uruguay Round. He also pointed out that the EC demand for rebalancing to curb access of feed grain substitutes or oilseeds would be rejected, as would be a request for a peace agreement that would protect the EC from U.S. trade cases for the length of the farm reform agreement.

In addition, Ziolkowski stressed that there was "considerable interest" by committee members in getting credit for a reduction in farm supports undertaken by the U.S. since 1986. "One of the most serious issues" that Administration will face in trying to sell an agreement is the perception that the U.S. has unilaterally reduced its supports only to have the EC now offer it some concessions that are nothing more than what it would have to do for its own budget reasons, he said. He did not specify the level of internal support cuts that would be acceptable, but another informed Senate source said that there is a perception in Congress that the U.S. must end up with a level of cuts in the international agreement that it has undertaken on its own through the farm bills.

Similar points for judging a farm accord were raised to the Administration in a Nov. 19 meeting of the agricultural group that formally advises U.S. government on trade negotiations, according to informed sources. Separately, congressional interest in the farm negotiations seems to be picking up as House Agriculture Committee Chairman Kika de la Garza announced on Nov. 20 that his committee will hold oversight hearings over the negotiations starting on Dec. 10, with a follow-up hearing each month until the negotiations are concluded. In addition, Sen. Larry Pressler (R-SD) is preparing a resolution regarding the GATT negotiations, sources said.

Dunkel presented the paper after a day of discussion to a group of negotiators representing the U.S., the European Community, Canada, Japan, Australia, New Zealand, Argentina and Finland as a representative of the Nordic countries.

057 P02 WOIMUBU '91-11-23 08:58

0143

US and EC in farm talks crisis

By William Dullforce in Geneva and David Gardner in Brussels

THE EUROPEAN Community and the US have failed to resolve their differences over farm subsidies, plunging the Uruguay Round trade talks once again into crisis.

After only one day of discussion in Geneva with US farm under-secretary, Mr Richard Crowder, Mr Guy Legras, EC director-general for agriculture, returned yesterday to Brussels. EC officials later claimed no progress had been made on any of the main points of contention concerning reform of world farm trade.

Mr Crowder is due to return to the US today. Both sides refused to talk of a breakdown but a US official said "there is still a cloud over the farm talks and over the Round".

In an attempt to resume control of the situation, Mr Arthur Dunkel, director-general of the General Agreement on Tariffs and Trade (Gatt), yesterday presented negotiators from eight leading farm-exporting countries with "draft working papers" intended to serve as a blueprint for the negotiation.

Mr Dunkel's papers set out commitments governments would be expected to make to reduce subsidies in three areas – export competition, domestic supports and border protection. They pinpoint the remaining stumbling blocks but leave open items such as the size of the reductions and the base year from which the cuts should be calculated.

Brussels and Washington sent their top farm negotiators to Geneva on Tuesday to fill in the details of the accord on farm reform, which seemed to be within their grasp after US President George Bush had scaled down US ambitions at the EC-US summit meeting in The Hague on November 9.

The two big trading powers agreed to negotiate a deal that would reduce subsidies by 35 per cent and other farm supports by 30 per cent over five or six years. An EC-US deal on agriculture is the catalyst for which negotiators from more than 100 countries are waiting to complete new international trade agreements in the Uruguay Round.

EC officials claimed the US had had second thoughts over the deal outlined in The Hague, while US officials complained that the EC had hardly moved from its "pre-Hague" positions. After President Bush's concession at The Hague there was resistance in Congress to making "unwise concessions" to the EC.

In Brussels Mr Ray MacSharry, EC farm commissioner, said the Twelve were "at the limits of what we can offer. There are political realities out there which we have to take into account."

Trade diplomats refused to accept that the Uruguay Round was on the verge of final collapse. Mr Dunkel's initiative was seen as buying time to enable the EC and US to "come to their senses".

FT 11/22/91

5737-2

0144

주 미 대 사 관

보안 통제

번호 : USW(F) -
수신 : 장 관
발신 : 주미대사
제목 :

Export Subsidies, Tariffs Stall GATT Farm Talks

By JOHN ZAROCOSTAS
Journal of Commerce Special

GENEVA — Disagreement over reduction in agricultural export subsidies and methods to convert hidden farm barriers into visible tariffs continue to hold back a breakthrough on agriculture in the five-year Uruguay Round of international trade talks.

Still, some progress was made after a three-and-a-half hour meeting of high-level trade officials of the United States, the European Community, Canada, Australia and Argentina, officials said.

The discussions on farm trade have stalled for nearly a year the wide-ranging Uruguay Round under the General Agreement of Tariffs and Trade, the Geneva-based body that governs most world trade in goods.

High-level sources said GATT director general, Arthur Dunkel, gave participants working drafts on various issues, but they in no way represent the long awaited chairman's final text.

On export subsidies the United States and the Cairns Group of farm exporters are still leaning on the EC to be more forthcoming on a commitment to reduce volumes plus budget funds, with more emphasis being placed on the former.

But to the surprise of the Japanese delegation, Mr. Dunkel's papers clearly called for no exemption on tariffication issue. Japanese Vice-minister Jaro Shiwaku said this is not acceptable to the Japanese side since a conversion to tariffs of the rice import ban, would result in an alarmingly high figure and highlight the level of protectionism.

The top officials, who included Richard Crowder, U.S. undersecretary of agriculture, and Guy Legras, the EC's top negotiator, will continue their discussions all day today, sources close to the meeting said.

JOC
11/22/91

5137-3

0145

057 P04 WOIMUBU '91-11-23 09:00

선고 : USW(F) -

수신 : 장관

발신 : 주미대사

제목 :

GATT Officials Press for Breakthrough in Trade Talks

WITH political deadlines and a slowing world economy pressing down on them, agriculture trade negotiators for the United States and the European Community are locked in intense talks in Geneva that will determine the outcome of international trade liberalization negotiations.

"The next few days will determine whether there is going to be an accord or not" in the five-year-old Uruguay Round of trade talks, said one EC official close to the negotiations on Wednesday.

Official talks, including the agriculture discussions and bilateral meetings aimed at breaking down remaining areas of disagreement, are expected to continue today. "The best thing and most we can say is that true negotiations are taking place," said an official yesterday from the General Agreement on Tariffs and Trade (GATT), which is sponsoring the negotiations.

US President Bush and EC officials including President Jacques Delors sketched the outlines of a compromise on farm trade earlier this month. This would allow negotiations in the Uruguay Round of world trade talks to draw to a close, perhaps by the end of this month. Officials at the deputy minister and undersecretary level — the highest level of negotiators to meet since the Bush-Delors talks — have since been working to translate a general compromise into specifics.

"It's now up to the negotiators to see if they can give concrete meaning to the broad indicators set forth at the highest levels," says one US official in Geneva. "Hopes have been raised over the past couple of weeks, but if these meetings don't bring the US and the EC closer to a political deal, then we have a real problem."

The US has reduced its demands for cutting trade-distorting farm subsidies, saying it now will accept a 30 to 35 percent cut over five or six years. That's down from the 75 to 90 percent in cuts over 10 years it was holding out for a year ago. For its part, the EC now agrees to make commitments for reducing export subsidies and internal supports, and improving market access for foreign investors.

But remaining problems include the dates to be used for calculating required subsidy reductions, the details in establishing tariffs, safeguards against sudden import rises, and EC insistence on implementing tariffs on currently duty-free products from the US to offset other concessions. Officials on both sides say the issue of effective dates for subsidy cuts on permitted exports are not petty: They could mean the difference of several million tons.

The ambitious Uruguay Round of talks, which involve 108 countries, aim to bring such sectors as services, intellectual property, textiles, and agriculture under the jurisdiction of GATT for the first time. But it is agriculture that brought negotiations to a halt a year ago, and which still threatens to wreck plans for rules to carry the world trading system into the next century.

Prospects for agreement in the talks, now in nonstop debate, appear to brighten one day and dim the next, based on statements from key players.

Earlier this month GATT Director-General Arthur Dunkel called November "our best available window of opportunity" for successfully concluding the talks, given the US presidential election next year and the EC's building concentration on its single market. Calling for a "final sprint," he said negotiations should be wrapped up by the end of November. Other GATT officials say that would mean a target for signing the final accords next March or April.

Some officials from key trading countries continue to talk tough about the possibility for agreement in the Uruguay Round. South Korean officials refuse any opening to imports in their rice market. And French Agriculture Minister Louis Mermaz continues to warn his EC colleagues, who must approve any EC agreements, of "American intransigence."

But others, perhaps with an eye on slowed world trade growth, are signaling a readiness for the crucial compromise moves on which the Uruguay Round still depends.

Japan's Prime Minister Kiichi Miyazawa has uttered veiled indications that Japan will eventually open its sacrosanct rice market. In commenting on his talks with Mr. Bush, Mr. Delors said the breakthrough over agriculture should send "a strong message to the world economy" that prospects for accords boosting world trade and economic growth were considerably brighter.

CSM 11/22/91

5137-4

0146

외 신 시 원

보안 통제

번호 : USW(F) -
수신 : 장 관
발신 : 주미대사
제목 :

US stays calm over stalled agriculture talks with EC

By Nancy Dunne in Washington

THERE was no visible sign of alarm yesterday in the office of Mrs Carla Hills, the US trade representative, in reaction to reports that the US-EC talks over agriculture reform had stalled. The negotiations are part of the Uruguay Round talks on trade liberalisation under the General Agreement on Tariffs and Trade (Gatt).

Ms Torie Clarke, her spokesman insisted that "the talks didn't break up and didn't break down."

She said Mr Arthur Dunkel, Gatt director-general, would prepare a paper with his suggestions on the talks, and the discussions would move to a wider group of negotiators.

The Uruguay Round is President Bush's top trade priority, but, in Washington, distance from the negotiating battle provides a certain sort of objectivity. A European official on Wednesday mentioned casually that the French were being "difficult."

Reports that the president had made concessions two weeks ago in the Hague have been widely dismissed. Mr Harry Freeman, executive director of the MTN Coalition, the group of business leaders committed to the Uruguay Round, said Mr Bush had not gone to the Hague to negotiate but to get a political commitment for a breakthrough.

"What Bush said was that the position the US took three years ago was just a negotiating start. He is prepared to be more flexible. The EC made a big deal out of it. It gives them more political manoeuvring room. It is unpopular to cut the Common Agriculture Policy. They want to cut it and blame it on the US. Fine!"

Mrs Hills has insisted that no specific level of cuts in farm subsidies had been reached at the Hague.

FT
11/22/91

5137-5

0147

11/22/91 19:10 ☎202 797 0595 EMBASSY OF KOREA --- WOI 2 ⑳007

주 미 대 사 관

번호 : USW(F) -

수신 : 장 관

발신 : 주미대사

제목 :

Farmers May Accept GATT Deal If US Gets Credit for Subsidy Cuts

Knight-Ridder Financial

WASHINGTON — U.S. wheat farmers might be able to accept a farm deal under the Uruguay Round of global trade talks, which would cut international farm supports by 30% or 35%, but only if the United States gets credit for the reduction in subsidies it has made since 1986, an industry official said.

However, Ron Rivinius, president of the National Association of Wheat Growers, said the United States should hold out in the sweeping trade talks, being held under the aegis of the General Agreement on Tariffs and Trade, for larger cuts in farm export subsidies.

Mr. Rivinius told the Senate Finance Committee this week that U.S. farmers already have been forced to cut production levels that result in world price distortions as part of the 1985 and 1986 farm bills.

The United States should be able to factor these cuts into any pledge to make more reductions in subsidies as part of the Uruguay Round.

"We've been disarming ourselves in the last two farm bills," Mr. Rivinius said.

On the prospect of 30% to 35% cuts in farm export subsidies, Mr. Rivinius said that the United States should demand more reductions.

"To us, export subsidies are the most important thing," he told the panel. "We need more than a 35% cut."

Mr. Rivinius charged that European Community subsidies have cost U.S. wheat exporters some 15% of their market share over the last decade.

He also agreed with Sen. John Breaux, D-La., that cuts in farm supports of 30% to 35% may simply perpetuate inequities between the U.S. export bonus program and the EC's larger Common Agricultural Policy.

Mr. Rivinius was responding to reports that U.S. and EC leaders tentatively agreed during meetings in the Hague earlier this month to discuss a deal that would cut internal farm supports, quotas and export subsidies each by 35% over six years.

While any deal would require the support of other GATT members, embassy sources here concede that any agreement between the United States and the EC — the world's two largest farm exporters — would be hard to turn down.

Geneva-based GATT is the international body that governs most world trade.

JOC 11/22/91

5137-6 End

057 P07 WOIMUBU '91-11-23 09:03

0148

원 본

외 무 부

종 별 :

번 호 : GVW-2428 일 시 : 91 1123 1400

수 신 : 장관(통기,경기원,재무부,농림수산부,상공부,특허청)

발 신 : 주제네바대사

제 목 : UR 협상 정부실무대표단 활동(최종)

표제회의 대표단은 조일호 농림수산부 협력통상관을 제외하고 전원 일단 예정대로 귀국 예정임.끝.

(대사 박수길-차관)

통상국 차관 2차보 경기원 재무부 농수부 상공부 특허청

PAGE 1

91.11.24 00:18 DQ

외신 1과 통제관

0149

UR/농산물 협상 관련 Dunkel 사무총장의 Draft Working Paper 요지

1991.11.23.
통상기구과

1. 협상 대상품목

o 수산물을 제외한 HS 1류-24류

o 면화등 여타품목

o 상대국이 동의하는 품목 추가 가능

2. 협상 요소별 주요내용

가. 시장접근

1) 감축 기본원칙

o 비관세 장벽이 없는 품목

- 양허품목 : 양허 세율 기준 감축

- 비양허품목 : 86.9.1. 현행 세율 기준 감축

o 비관세 장벽이 있는 품목

- TE 감축

2) 관세(TE 포함) 감축 방식

o 품목별 최소 X%, 전체적으로 평균 Y% 감축

- 매년 균분 감축

3) 최소 시장접근폭 확대 방식

o 기준년도 국내소비의 최소 X%를 이행기간 첫해에 허용하고, 이행기간 종료년도에 Y%까지 확대

- 매년 균분 확대

공람	통상기구과	91년 11월 23일	담당	과장	심의관	국장	차관보	차관	장관
			송봉헌			(서명)	(서명)		

0150

4) 관세(TE 포함) 양허

o 모든 관세(TE 포함) 양허

- 구체적 약속은 협상에 의해 결정

5) TE 계산방법

o 산정 기준년도 : 미 정

o HS 4단위 기준 계산을 원칙으로 하되, 계산 가능한 품목(예 : 과일, 채소)의 경우 HS 6단위 또는 보다 세분류된 HS 단위 기준 계산

o 가공 농산물의 경우 원료 농산물의 가공 농산물에 대한 가격 또는 함량 비중을 기준으로 계산

o 국제가격

- 원칙적으로 CIF 수입가격을 산정 기준년도 당해국 평균 환율로 환산한 당해국 국내화폐로 표시

o 국내가격

- 국내 평균 도매시장 가격

o 기 타

- 품질 계수 사용 가능

- 이해관계국은 상대국의 TE 관련 적절한 해결 방안 협상을 위해 협의 요청 가능

6) 관세화 대상품목에 대한 현행 시장접근 보장 방법 및 관세율

o 기준년도(미정)의 평균 수입물량을 현행 시장접근 수준으로 최소한 보장

o 수출 자율 규제 협정등을 통해 특정 수입물량을 규정한 품목의 경우 동 물량을 현행 시장접근 수준으로 보장

- 기준년도의 동 품목 실제 수입물량이 약정 물량보다 많을 경우 실제 수입물량을 현행 시장접근 수준으로 보장

o 비자동 수입허가(non-automatic licensing) 품목, 국영무역 품목의 경우 기준년도에 수입된 물량을 현행 시장접근 수준으로 보장

o 관세율

- 기준년도 관세율 또는 기준년도 수입물량을 보장해 줄 수 있는 관세율

7) 최소 시장접근에 대한 관세율

o 최소 시장접근 대상 물량에 대하여는 X% 세율, 양허세율, 실행 세율중 가장 낮은 세율을 적용

나. 국내보조

1) 허용 보조 공통 조건

o 정부 예산에서 지원

o 생산자에 대한 가격지지 효과가 없어야 함.

2) 정책별 추가 조건

o 허용 보조정책별 추가 조건 명시

※ 예 : 정부 서비스 프로그램중 하부 구조 개선 서비스의 경우 투입 요소 경비 인하를 초래하는 보조는 불가

o 허용 보조 정책의 예

- 정부 서비스 프로그램

. 연구, 병해충 방제, 교육, 자문, 조사, 유통 및 판매 진흥 서비스, 하부구조 개선 서비스

- 국내 식량지원

- decoupled income support등 생산자에 대한 직접 지불 (생산과의 직접 연계 효과가 없어야 하며 농업소득 손실이 X%를 초과하여야 하는등 개별 정책별 구체 요건 명시)

- 구조 조정 지원(농민 은퇴 촉진, 최소 10년간 경작지 휴경등 개별 정책별 구체 요건 명시)

- 환경보전 지원, 지역개발 지원등

3

0152

3) 보조 감축 방식

o AMS 감축을 원칙으로 하되 AMS 계산이 어려울 경우 정책별 감축 약속

o 특정품목 또는 특정품목군에 대한 보조액이 특정품목 총생산액 또는 품목군 AMS의 X%를 초과하지 않을 경우 보조감축 의무 면제 (de minimis 원칙 적용)

다. 수출보조

1) 감축 원칙

o 밀등 14개 주요 교역품목에 대해 재정지출 기준 및(또는) 물량 기준 감축

o 기준년도에 시행되지 않던 수출보조의 신규 도입 금지

o 특정 농산물 또는 특정시장에 대한 수출보조 범위 제한 약속 가능

2) 감축 대상 수출보조의 예

o 정부 또는 관련기관에 의한 현물 지원등을 포함한 직접 보조

o 비축 농산물의 저가 판매

o 수출 농산물 유통, 수송 경비 절감을 위한 보조등

라. 개도국 우대

o 선진국 감축폭의 X%로부터 Y%까지 의무 부담

o 선진국 감축기간 보다 X년 연장 가능

o 최빈 개도국은 감축 의무 면제

o 국내보조 감축에서 de minimis 원칙 적용시 Y% 추가 인정

o 개도국에서 일반적으로 시행되는 투자 보조 허용

- 마약 재배 방지를 위한 보조등. 끝.

농 림 수 산 부

우 427-760 / 주소 경기 과천시 중앙동 1번지 / 전화 (02) 503-7227 / 전송 503-7249

선결			지시		
접수	일자 기간	1991.11.26	결재공람		
	번호	39388			
처리과					
담당자					

문서번호 국협20644- 1100

시행일자 1991.11.23(년)

(경유)

수신 외무부장관

참조 통상국장

제목 UR농산물협상 대표파견

1. 주제네바대표부의 UR농산물협상대표 출장기간 연장건의(GVW-2397,'91.11.21)와 관련됩니다.

2. 급속히 전개되고 있는 UR농산물협상에 신속하고 효율적인 대응을 위하여 상기 건의대로 당부 조일호 농업협력통상관의 출장기간을 다음과 같이 연장 승인코자 하오니 협조하여 주시기 바랍니다.

- 다 음 -

가. 조일호 농업협력통상관 출장기간 연장
  - 당초(제네바) : '91.11.12 - 11.24
  - 변경(") : '91.11.12 - 12.1

나. 소요경비 : 농림수산부 부담

3. 아울러 11.25주간의 공식,비공식활동을 추진함에 있어 아국입장의 관철과 이해관계국과 긴밀한 협력체제 유지를 위해 다각적인 교섭활동을 추진토록 조치하여 주시기 바랍니다. 끝.

농 림 수 산 부 장 관

0154

最近의 UR 協商 進展現況

1991. 11. 25.

外 務 部 通 商 局

0155

10-1

1. 최근의 UR 협상 진전현황

가. 전반적인 협상 현황

o 던켈 갓트 사무총장은 9월 및 10월 그린룸 협의에서 UR 협상의 조기 타결을 위한 시도로서 11월초까지 전분야에 걸친 최종 협상 초안을 작성, 제시 하겠다는 의지 표명

- 11월초까지 협상 초안 제시, 각국의 정치적 결단을 거쳐 92.2월경 협상 종결한다는 계획
- 미국, EC등 모든 주요 협상 참가국도 던켈 총장의 협상 추진 전략에 대해 원칙적 동의 표시

o 10월중 분야별 협상을 통해 협상 초안 작성을 위한 절충을 시도 하였으나 큰 진전은 이루어지지 않아 최종 협상 초안 배포 시기가 11월말까지 늦추어짐.

o 던켈 총장은 최종적인 협상 추진 계획 제시

- 11.29(금) 무역협상위원회에서 협상 초안 제출, 이를 기초로 협상을 추진하여 12.18(수)까지 협상 마무리 여부 결정

나. 협상 전망

o 11.29(금) 제시될 던켈 총장의 협상 초안은 단일협상안(take-it-or-leave-it)이 될 가능성이 큼.

o 협상의 조기 타결 여부는 던켈 총장의 협상 초안에 대한 각국의 수용 여부에 따라 결정될 전망

o 그러나, 실제 협상은 농산물 분야에서 미.EC간 타결점을 찾는 경우 급진전되어 던켈 총장이 제시한 바대로 12월중순까지 마무리될 가능성이 큼.

10-2

0156

2. 농산물 협상 현황 및 전망

o 던켈 사무총장, 11월초까지 우선 시장접근 분야에서 예외없는 관세화 원칙 합의 도출 시도 시사 (9.20. 농산물 협상 회의)

- 카나다(갓트 11조 2항 C 관련 일부 유보 입장을 견지), 아국, 일본 (쌀 수입 개방 불가 입장을 고수)을 제외한 사실상 모든 협상 참가국들이 예외없는 관세화 원칙을 수용할 가능성 시사
- 북구도 사실상 예외없는 관세화 원칙을 수용(국내보조 분야에서의 허용 보조 확대 및 동 조건 완화를 통해 비교역적 관심사항(NTC) 문제가 적절히 반영되기를 희망)

o 던켈 총장은 아국, 일본에 대해 예외없는 관세화 원칙을 일단 수용하되 관세 상당치(TE) 감축폭, 감축기간 등에서 적절한 고려를 통해 쌀 문제를 해결토록 촉구

- 특정품목(쌀)을 관세화의 예외로 하는 것은 한국과 일본에 국한된 문제이며, 한국도 관세화 원칙을 수용하되 관세화의 틀내에서 실익 확보토록 촉구
- 관세화 원칙을 수용하는 대신에 고율의 관세를 부과하고 3-5%의 최소 시장접근을 허용한 상태를 15-20년간 유지하는 방안 검토 권유 (10.22 국회사절단 방문시)

o 던켈 사무총장은 우선 시장접근 분야에서 예외없는 관세화 원칙에 대한 합의 도출을 통해 협상 타결의 돌파구 마련을 시도할 것으로 관측

- 국내보조.수출보조 분야에서의 타결은 EC의 공동농업정책(CAP) 개혁 논의 동향과 미.EC간 막후 절충 과정을 보아가며 최종 정치적 결단을 내리도록 협상을 유도

o 11.9 미.EC 정상회담 이후 양측은 일련의 각료, 고위 실무급 협의를 통해 상당한 의견 접근을 이룬 것으로 알려지고 있으므로 잔여 이견 분야에 대한 의견 절충 여하에 따라 협상이 급진전될 전망

- 미.EC간 의견 접근 및 이견분야 현황 : 별첨 1 참조

10-3

0157

o 11.21 던켈 사무총장은 8개국 비공식 협의시 향후 협상 타결안에 대한 consensus 도출을 위해 시장접근, 국내보조 및 수출보조의 감축폭, 감축기간과 관련된 구체적 수치는 제시치 않고 시장접근 분야에서 예외없는 관세화 (comprehensive tariffication)등을 골자로 하는 토의문서(draft working paper)를 제시한 바, 주요국들의 반대가 없는한 향후 협상은 동 문서를 기초로 전개될 것으로 예상되며 최종 협상 합의 초안도 동 문서를 중심으로 작성될 전망

- 토의문서 주요 요지 : 별첨 2 참조

3. 주요국 입장 및 동향

o 미 국

- 던켈 총장의 협상 전략, 특히 농산물 분야의 전략을 지지하며, 이를 토대로 협상이 조기에 타결되기를 강력히 희망
- 92년도 대통령 선거등 국내 정치 일정을 감안, 내년초까지 협상을 타결하기 위해 총력 경주
- 농산물 협상에서의 예외없는 관세화를 강력히 주장

o E C

- 90.12. 브랏셀 각료회의시 농산물 분야에서 미국과의 의견 대립이 UR 협상을 결렬시켰음을 감안하여, 금번에는 보조금 감축등 주요쟁점에 있어서 미국과의 의견 접근을 위하여 노력
- 독일이 국내보조 감축등에 긍정적인 입장을 보임에 따라 불란서도 가격 지지 위주의 국내보조에서 직접 소득보조에 중점을 두는 방향으로 입장을 전환
- 예외없는 관세화에 대해서는 EC도 동조

o 일 본

- 현재까지는 쌀 수입 개방 불가 입장 견지

10 - 4

0158

- 3-5%의 최소 시장접근은 수용 가능한 것으로 보이고 있으며 앞으로 대미 통상관계등을 고려, 최종적으로는 예외없는 관세화도 수용할 가능성을 배제할 수 없음.

o 케언즈그룹(호주, 카나다, 알젠틴등 14개 농산물 수출국으로 구성)

- 만족한 수준의 농산물 협상 타결없이는 UR 협상 결과를 받아들일 수 없다는 입장
- 농산물 협상에서 특정국가에게 예외를 인정하면 연쇄 파급 효과를 일으켜 일괄 타결안 자체를 무산시키므로, 관세화에 대한 예외를 인정할 수 없다는 입장

첨 부 : 1. 농산물 협상 관련 최근 미.EC 협의 동향.

2. UR/농산물 협상 관련 Dunkel 사무총장의 Draft Working Paper 요지. 끝.

10-5

0159

첨부 1 : 농산물 협상 관련 최근 미.EC 협의 동향

가. 의견 접근 분야

o 예외없는 관세화 (universal tariffication)

o 최소 시장접근 폭의 점진적 확대

- 최초 3%로 시작하여 5년동안 5%로 확대

o 국경보호, 국내보조는 5년동안 30% 감축, 수출보조는 5년동안 35% 감축

- 동 감축기간 종료후 추가 감축 문제 검토

나. 이견 분야

o 관세 상당치(TE) 계산시 국제가격과 국내가격간의 차이 이외의 여타 요소 반영 여부(clean tariffication)

o TE 계산 방법, TE 감축 방식, 최소 시장접근 허용 방식

o 사료 및 oilseeds에 대한 rebalancing 인정 여부

- 미국산 사료(cereals substitutes)의 대EC 수출물량 동결 문제 포함

o 특별 세이프가드 제도 운용 방법

o 보조감축 산정 기준년도 및 이행 개시 년도

- 감축산정 기준년도: '86-'88 평균(미국 선호), '88-'91 평균 또는 '89 (불란서를 제외한 EC 선호)

o 보조금 감축기간중 갓트 제소, 301조 조치등 자제문제(peace proposal)

o 허용보조로 분류될 수 있는 직접소득 보조의 범위 및 조건

o 수출보조 감축방법

- 물량기준(미국 선호) 또는 재정지출 기준(EC 선호)

10-6

0160

첨부 2 : UR/농산물 협상 관련 Dunkel 사무총장의 Draft Working Paper 요지

(91.11.21. 8개국 비공식 그룹에서 배포)

1. 협상 대상품목

o 수산물을 제외한 HS 1류-24류

o 면화등 여타품목

o 상대국이 동의하는 품목 추가 가능

2. 협상 요소별 주요내용

가. 시장접근

1) 감축 기본원칙

o 비관세 장벽이 없는 품목

- 양허품목 : 양허 세율 기준 감축

- 비양허품목 : 86.9.1. 현행 세율 기준 감축

o 비관세 장벽이 있는 품목

- TE 감축

2) 관세(TE 포함) 감축 방식

o 품목별 최소 X%, 전체적으로 평균 Y% 감축

- 매년 균분 감축

3) 최소 시장접근폭 확대 방식

o 기준년도 국내소비의 최소 X%를 이행기간 첫해에 허용하고, 이행기간 종료년도에 Y%까지 확대

- 매년 균분 확대

10-7

0161

4) 관세(TE 포함) 양허

o 모든 관세(TE 포함) 양허

- 구체적 약속은 협상에 의해 결정

5) TE 계산방법

o 산정 기준년도 : 미 정

o HS 4단위 기준 계산을 원칙으로 하되, 계산 가능한 품목(예 : 과일, 채소)의 경우 HS 6단위 또는 보다 세분류된 HS 단위 기준 계산

o 가공 농산물의 경우 원료 농산물의 가공 농산물에 대한 가격 또는 함량 비중을 기준으로 계산

o 국제가격

- 원칙적으로 CIF 수입가격을 산정 기준년도 당해국 평균 환율로 환산한 당해국 국내화폐로 표시

o 국내가격

- 국내 평균 도매시장 가격

o 기 타

- 품질 계수 사용 가능

- 이해관계국은 상대국의 TE 관련 적절한 해결 방안 협상을 위해 협의 요청 가능

6) 관세화 대상품목에 대한 현행 시장접근 보장 방법 및 관세율

o 기준년도(미정)의 평균 수입물량을 현행 시장접근 수준으로 최소한 보장

o 수출 자율 규제 협정등을 통해 특정 수입물량을 규정한 품목의 경우 동 물량을 현행 시장접근 수준으로 보장

- 기준년도의 동 품목 실제 수입물량이 약정 물량보다 많을 경우 실제 수입물량을 현행 시장접근 수준으로 보장

o 비자동 수입허가(non-automatic licensing) 품목, 국영무역 품목의 경우 기준년도에 수입된 물량을 현행 시장접근 수준으로 보장

10-8

0162

o 관세율

- 기준년도 관세율 또는 기준년도 수입물량을 보장해 줄 수 있는 관세율

7) 최소 시장접근에 대한 관세율

o 최소 시장접근 대상 물량에 대하여는 X% 세율, 양허세율, 실행 세율중 가장 낮은 세율을 적용

나. 국내보조

1) 허용 보조 공통 조건

o 정부 예산에서 지원

o 생산자에 대한 가격지지 효과가 없어야 함.

2) 정책별 추가 조건

o 허용 보조정책별 추가 조건 명시

※ 예 : 정부 서비스 프로그램중 하부 구조 개선 서비스의 경우 투입 요소 경비 인하를 초래하는 보조는 불가

o 허용 보조 정책의 예

- 정부 서비스 프로그램

. 연구, 병해충 방제, 교육, 자문, 조사, 유통 및 판매 진흥 서비스, 하부구조 개선 서비스

- 국내 식량지원

- decoupled income support등 생산자에 대한 직접 지불 (생산과의 직접 연계 효과가 없어야 하며 농업소득 손실이 X%를 초과하여야 하는등 개별 정책별 구체 요건 명시)

- 구조 조정 지원(농민 은퇴 촉진, 최소 10년간 경작지 휴경등 개별 정책별 구체 요건 명시)

- 환경보전 지원, 지역개발 지원등

10-9

0163

3) 보조 감축 방식

o AMS 감축을 원칙으로 하되 AMS 계산이 어려울 경우 정책별 감축 약속

o 특정품목 또는 특정품목군에 대한 보조액이 특정품목 총생산액 또는 품목군 AMS의 X%를 초과하지 않을 경우 보조감축 의무 면제 (de minimis 원칙 적용)

다. 수출보조

1) 감축 원칙

o 밀등 14개 주요 교역품목에 대해 재정지출 기준 및(또는) 물량 기준 감축

o 기준년도에 시행되지 않던 수출보조의 신규 도입 금지

o 특정 농산물 또는 특정시장에 대한 수출보조 범위 제한 약속 가능

2) 감축 대상 수출보조의 예

o 정부 또는 관련기관에 의한 현물 지원등을 포함한 직접 보조

o 비축 농산물의 저가 판매

o 수출 농산물 유통, 수송 경비 절감을 위한 보조등

라. 개도국 우대

o 선진국 감축폭의 X%로부터 Y%까지 의무 부담

o 선진국 감축기간 보다 X년 연장 가능

o 최빈 개도국은 감축 의무 면제

o 국내보조 감축에서 de minimis 원칙 적용시 Y% 추가 인정

o 개도국에서 일반적으로 시행되는 투자 보조 허용

- 마약 재배 방지를 위한 보조등. 끝.

10-10

0164

관리 번호	91-852

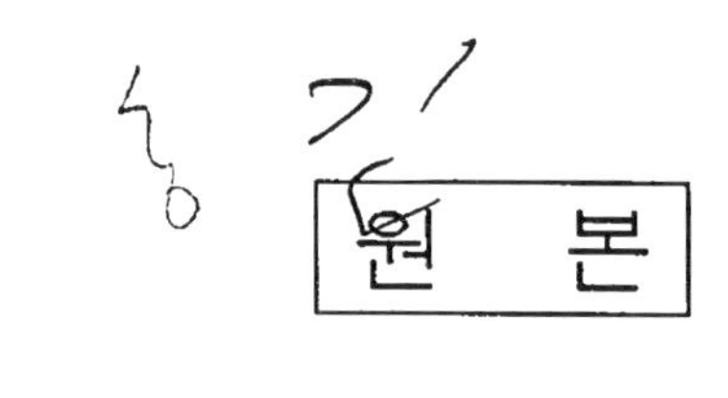

원 본

외 무 부

종 별 : 지 급

번 호 : AUW-0993　　　　일 시 : 91 1125 1800

수 신 : 장관(통기)

발 신 : 주 호주 대사

제 목 : UR/농산물협상

대:WAU-0907

1. 대호관련 당관 장참사관은 금 11.25 주재국 외무.무역부 SPARKES 통상국부국장을 접촉한바, 동부국장은 금번 DUNKEL 의 PAPER 는 지난 6 월 자신의 OPTION PAPER 제시이후 각국의 의견을 청취하고 또한 이견을 좁혀서(NARRO DOWN)다시 제시한 REVISED OPTION PAPER 라고 볼수 있는바, 동 PAPER 가 앞으로 급박한 UR 협상일정을 감안할때 DISCUSSION 또는 NEGOTIATION PAPER 의 성격도 갖고있다고 말하고 G-8 국가간에는 동 PAPER 를 근거로 INFORMAL DISCUSSION 이 시작되었다고함.

2. 동 PAPER 는 GATT 사무국에서 작성한 SECRETARIAT PAPER 이긴하나 최근 미-EC 간의 농산물 문제에 관한 협상에 진전이 있었음을 DUNKEL 로서는 농산물협상의 주역인 미-EC 간의 협상결과에 관해 적어도 사후에 관련내용을 통고받았을가능성이 있음으로 금번 PAPER 는 일부 구체적인 사항을 제외하고는 실제적으로는 미-EC 간의 기본적인 합의내용을 반영하고 있는것으로 볼수있다고 함.

3. 또한 GATT 사무국이 미-EC 간의 협상내용을 전혀 도외시한 PAPER 를 작성, 제시한다는것은 생각하기 어려운바, DUNKEL 로서는 농산물 문제로 교착상태에 빠져있는 UR 협상 전체를 진전시키기 위해 농산물 분야의 협상에 진전이 있다는 것을 구체적으로 표시할 필요성이 있었던것으로 보이며, 주재국(케언즈 그룹)은 동 PAPER 가 대체적으로 CAIRNS 구룹의 입장을 합리적으로 반영하고 있는것으로 본다고 함.

4. 앞으로 협상전망에 관해서는 동 PAPER 를 중심으로 G-8 국가간에 필요에따라 전체 또는 소구룹별 INFORMAL DISSCUSSION 이 활발하게 진행될것으로 보이며, 이와는 별도로 DUNKEL 은 동 PAPER 의 특정항목에 관해 관련국가 또는 수개국과 비공식 협의를 거친후 PAPER 를 다시작성할것으로 예상되나, 지금까지의 DUNKEL 의 발언으로 보아 능율적이지 못하고 결과 예측이 분명한 공식회의(G-8 또는 G-35)에서의 토의는

통상국　장관　차관　1차보　2차보　아주국　경제국　외정실　분석관
청와대　안기부

PAGE 1　　　　91.11.25　18:48
외신 2과　통제관 CH

0165

지양할 가능성이 있으며, G-8 구룹간의 별도의 협의결과와 DUNKEL 자신의 개별협의 결과를 통한한 최종문서성격의 GATT PAPER 를 12.13일경 제시할 가능성이 있는것으로 본다고 함.

5. 최근 일부 언론에서 보도되고 있는 미-EC 간의 협상결렬은 사실과는 다르며, DUNKEL 이 미-EC 간의 협상이 결렬된 상태에서 자신의 독자적인 PAPER 를 제시한다는것은 어려울것으로 본다고 함. 끝.

(대사 이창범-국장)

예고:91.12.31. 까지

관리 번호	91-857

	분류번호	보존기간

발 신 전 보

번 호 : WGV-1699 911126 1809 DW 종별 : 지급

수 신 : 주 제네바 대사. 총영사

발 신 : 장 관 (통 기)

제 목 : UR/농산물 협상

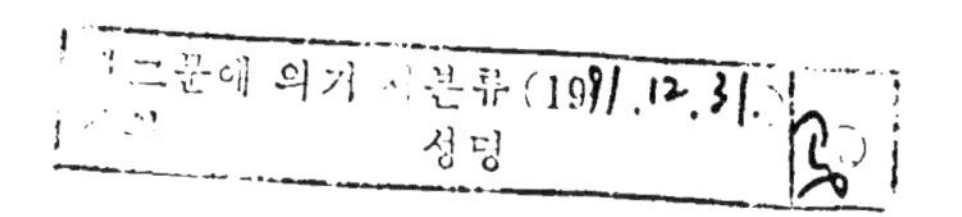

1. 11.26. 귀지에서 개최되는 표제협상 36개 주요국 회의 관련 기본 입장을 아래 통보하니 현지 협상 분위기도 감안하여 시행바람.

가. 11.21. Dunkel 의장이 제시한 Draft Working Paper 는 선진국, 수출국의 입장을 주로 반영하였을뿐만 아니라 그동안의 UR 협상과정에서 각국의 특수한 사정이 충분히 인식되고 있는데도 불구하고 이러한 사정들을 고려하지 않고 있으므로 아국 입장에서는 이를 수용할 수 없음.

나. 특히 쌀등 기초식량에 관한 포괄적인 관세화(comprehensive tariffication)와 쌀에 대한 최소시장 개방은 수용할 수 없음.

다. 세계농산물 교역을 왜곡시키는 근본원인이 선진국의 수출보조에 있음을 분명히 하고 수출보조감축 문제도 국내보조, 시장개방분야와 함께 균형된 감축계획이 나와야 함을 강조할 것.

라. 특히, 수출보조 감축대상 (Annex 7)에 deficiency payment가 언급되지 않고 수출 보조감축 대상품목 coverage(Annex 8) 가 별도로 제시된 이유에 대한 clarification 이 필요함을 요구할 것.

보안 통제	

앙 고 재	91년 11월 26일	통상기구과	기안자 성명		과 장	심의관	국 장		차 관	장 관
			송봉헌				전결			

외신과통제

0167

마. 남은 협상과정에서 transparency가 확보되어야 하며 일부국가들의 관심 사항만 반영한 협상안은 수용할 수 없음.

바. 기타 세부쟁점에 대해서는 기존입장에 따라 적의 대처할 것.

사. 일본등 예외 없는 관세화를 반대하는 국가들과의 공동대응 노력을 강화하고 동국들의 최근 움직임에 대한 정보수집 노력을 강화할 것.

2. 귀지 출장중인 조일호 농림수산부 농업협력통산관의 출장기간을 12.1 까지 연장 승인함. 끝. (통상국장 김 용 규)

0168

EMBASSY OF SWITZERLAND

GATT-Uruguay-Round Negotiations

Statement by the Swiss Delegation
at the informal meeting on November 26, 1991

Mr. Chairman

As other delegations, I would like to thank you for having tabled a number of working papers dealing with the three areas of this negotiation: international support, market access and export competition. They mark a stage in the process of the negotiations.

Switzerland takes note of these papers which in our understanding represent your own suggestions to some key questions in the rules and modalities area. I would like to stress that Switzerland is surprised and disappointed.

We are surprised, because we have repeatedly indicated that we couldn't subscribe to the concept of tariffication across the board without any exception. We note that we are not only ones in this situation.

We are also disappointed, because the process which lead to the papers on the table today has not been such as to permit to take adequately into account the position of a number of participants.

0169

The papers in front of us raise serious problems, both for systemic reasons and for the implementation of the needed reform process in the field of agriculture.

When we said that we need a trade regime for agriculture for all participants, applicable to all and applied by all, we meant and still mean that all participants should be in a position to respect the commitments taken in the Uruguay Round. Such an objective can only be reached if the real concerns of all participants are taken into account and if the outcome of the agricultural negotiations is a realistic one that promotes, instead of hindering, the process of reform of national agricultural policies already under way in many of our countries.

Taking the case of Switzerland, it has since nineteen seventy-seven started to limits its internal production in the most sensitive product areas and therefore refrained from distorting world trade in agricultural products. Furthermore, we have already taken steps with regard to a new approach in the field of domestic support. These efforts should be honoured and not undermined in the present negotiations. This is all the more important as, in our normal democratic process, parliamentary decisions and eventually a public vote will be required.

Translating your proposals into reality would for various countries, including mine, simply mean disproportional commitments in terms of coverage and in terms of time. Let's face it: these proposals as they stand would mean - over an extremely short period of implementation - and addition of fundamental changes in the system, together with enlarged market access. The objectives of greater liberalisation of trade in agricultural products are an integral part of our commitments to the Uruguay Round. It would be most unfortunate, and detrimental to all participants, if these proposals would kill the process under way, put into question the willingness to undertake agricultural reforms - which has grown over the last five years - and finally end up in a non-fulfilment of the objectives we have set to ourselves in 1986.

0170

Mr. Chairman, as we have repeatedly stressed, Switzerland is not in a position to subscribe to a concept of tariffication across the board without exceptions. This volet of your paper requires in our view a substantial adjustment. In addition, further flexibility regarding modalities as well as a realistic time frame for the implementation of a possible outcome are indispensable.

In conclusion, I would also note that the papers in front of us contain a number of useful and positive elements. We are therefore encouraged to redouble our efforts with a view to arrive at a more balanced outcome of the agriculture negotiations, an outcome which can find the necessary consensus of all participants.

관리번호	91-853

원 본

외 무 부

종 별 :

번 호 : ARW-0974 일 시 : 91 1126 1730

수 신 : 장관(통기)

발 신 : 주 알헨티나 대사

제 목 : UR 농산물 협상

대:WAR-634

1. 대호 당관 신공사가 11.26. 주재국 외무부 ERNESTO DE LA GUARDIA 가트담당 서기관을 면담, 확인한 사항을 아래 보고함.

-대호 PAPER 제시 배경관련, 주재국은 계속하여 UR 문제에 대하여 긴밀히 협의하여 왔으며 동 PAPER 내용에 관하여는 계속 협의하여 오고 있었으며 11.20. 동 PAPER 를 받고 11.21. 에 8 개국 회의가 있었는바, 동회의에서 ANNEX 3(TARIFF)관련, 일본의 반대가 있었다고 함.

-미국, EC 합의문제 관련, 미국과 EC 간 계속적인 협의를 하고있고 8 개국 협의가 끝나 36 개국 회의에 회부될것이라고 함.

-주재국 정부는 대호 PAPER 에 반대할 이유가 없다고 함.

2. 또한 동 서기관에 의하면 관세율 및 보조금을 각각 35 푸로 로 하는데 의견을 모으고 있다고 함. 다만 감축기관 관련 구체적 수치는 제시되지 않고 있다고 함.

(대사 김해선-국장)

예고:91.12.31 까지

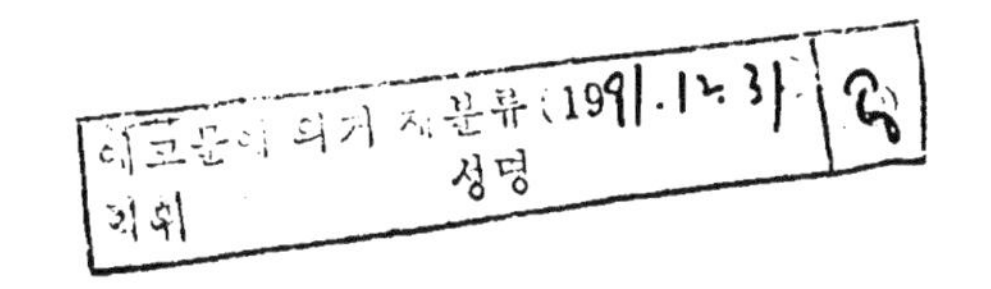

통상국 장관 차관 1차보 2차보 의전장 미주국 경제국 외정실 분석관 청와대 안기부

PAGE 1

91.11.27 06:48

외신 2과 통제관 CA

0172

관리번호	91-854

외 무 부

종 별 : 지 급

번 호 : ECW-1009 일 시 : 91 1126 1730

수 신 : 장관 (봉기,봉삼,경기원,농수산부,기정동문)

발 신 : 주 EC 대사 사본: 주 미,제네바대사-본부중계필

제 목 : UR 농산물협상

대: WEC-0757

연: ECW-1007

본직은 금 11.26. EC 집행위 농업총국 (DG6) MOHLER 부총국장을 면담, 대호UR 농산물협상에 관련 EC 집행위 입장을 파악한바 요지 아래보고함 (김참사관,이서기관 배석)

1. DUNKEL PAPER

0 일부 회원국 (특히 불란서) 에서는 동 PAPER 가 미국의 입장을 많이 반영하여 균형을 잃고있어 불만스럽다는 반응도 있으나 전체적으로 농산물협상을 위한 유용한(USEFUL) PAPER 로 DUNKEL 의 역활을 높히 평가한다고 전제하고 EC 측이 원하는 모든 요소가 충분히 반영되지 않고 있어 동 PAPER 에 포함된 주요문제에 대하여 앞으로 집중적인 협의가 요청된다고 말함

0 미국과의 구체적인 협상일정이 잡혀 있는것은 아니나 내주중 주요문제에 대한 집중적인 협상이 있을 예정이며, 현재로서는 협상자 레벨, 장소등이 결정된바 없음

0 일본및 한국, 카나다등의 강경한 반대에도 불구, 미국과 EC 간에 농산물문제에 대해 합의가 이루어질 경우 UR/ 농산물협상이 그대로 타결될수 있겠느냐는 본직의 지적에대해 동 부총국장은 문제는 미국과 EC 간의 합의이며, 그 합의내용에 따라 협상이 마무리될 것으로 생각한다면서 최근 일본은 상당히 반대입장을 누그러뜨린 것으로 평가되며 곧 미야자와 일본수상이 쌀시장 개방문제와 관련된 입장을 밝힐 것이라는 보도에 유념해야 할것이라고 지적함

2. 향후 농산물협상 전망

0 동 부총국장은 미국-EC 고위층의 UR 협상 연내타결에 대한 정치적 의지가강함에따라 금년말까지 협상이 타결될수 있을것으로 낙관한다고 (MODERATELY

통상국	장관	차관	1차보	2차보	구주국	경제국	통상국	외정실
분석관	청와대	안기부	안기부	경기원	농수부	중계		

PAGE 1 91.11.27 06:54

외신 2과 통제관 CA

0173

OPTIMISTIC) 말하면서 내주중에 있을 미-EC 협상의 진전여부에 따라 MAASTRICHT EC 정상회담시 농산물문제에 대해 EC 정상간 협의가 있을수도 있음을 시사함. 끝

(대사 권동만-국장)

예고: 92.6.30 까지

원 본

관리번호	91-855

외 무 부

종 별 :

번 호 : FNW-0369 일 시 : 91 1126 1630

수 신 : 장관(통기,사본:주 제네바 대사-중계필)

발 신 : 주 핀랜드 대사

제 목 : UR/농산물 협상

예고문에 의거 분류 1991.12.31
직위 성명

대:WFN-0303

1. 본직은 금 11.26(화), 주재국 외무부 V.SUNDBACK 경제차관보와 P.HUHTANIEMI 경제국 부국장 대사(UR/ 농산물 협상대표)를 각각 방문 대호건 협의한바, 반응 아래보고함.

가. 주재국은 동 PAPER 의 수용여부를 우선 유보(OPEN) 하고, 내부 협의 및 금일 제네바 35 개국 참석회의 협의결과를 본후 입장을 결정할 예정임.

나.SUNDBACK 차관보는 동 PAPER 와 관련된 주재국의 문제점으로 예외품목 없는 관세화(현재 주재국, 노르웨이, 아이슬랜드 는 공히 수량제한국임)및 국내 보 조금 감축등을 들었으며, 동 수용이 쉽지 않음을 언급함.

다. 주재국은 동 PAPER 가 미 .EC 간 사전협의를 거친후 제시된 것으로 보고 있으며, 이와같이 여타 협상국의 배제된 협의는 원만한 협상에 도움이 안될것으로 본다고말함.

라. 주재국은 현재 동 PAPER 에 반대하는 국가가 일본, 캐나다, 스위스, 노르웨이, 한국등으로 알고 있으며, DUNKEL 사무총장은 일본, 캐나다가 적극 반대하고 핀랜드가 의장국인 북구제국은 상대적으로 소극적 반대 입장이나 협상의 여지가 있는것으로 판단하고 있을 것이라함.

2.HUHTANIEMI 대사는 금일 오후 제네바로 다시 출장 예정이며, 제네바에 파견된 아국 협상대표들과 긴밀하게 협조하고 있다고 말함. 끝

(대사 윤억섭-국장)

예고:91.12.31. 까지

통상국	장관	차관	1차보	2차보	구주국	경제국	외정실	분석관
청와대	안기부	중계						

PAGE 1 91.11.27 04:52

외신 2과 통제관 FM

0175

원 본

외 무 부

종 별 :

번 호 : CNW-1555　　　　일 시 : 91 1126 1430

수 신 : 장 관(통기,상공부,농수산부)

발 신 : 주 캐나다 대사

제 목 : UR/농산물협상과 주재국의 SUPPLY MANAGEMENTPROGRAM

연 : CNW-1547

당지 BLOBE AND MAIL 지는 최근 UR/농산물 협상에서의 예외없는 관세화 추진 움직임과 관련하여 주재국이 낙농제품, 가금류 및 계란등에 대한 수입규제 메커니즘인SUPPLY MANAGEMENT PROGRAM의 존속을 위해 기울이고있는 제반노력(MULRONEY 수상의외교노력, WILSON산업과 기장관겸 통상장관 및 MCKNIGHT농무장관의 제네바 파견등)및 입장 에 관한기사를 게재하였기 이를 별첨 송부함.끝

(대사-국장)

첨 부 : CNW(F)-0126

통상국　농수부　상공부　2차보

PAGE 1　　　　91.11.27 08:35 FN

외신 1과 통제관

0176

주 카나다 대사관

번 호 : CNW (F) - 0126 일 시 : 91.1126.1430

수 신 : 장관 (통기, 상공부, 농수산부)

발 신 : 주 카나다 대사

제 목 :

(CNW-1555의 첨부물)

프지르함 총 2 매

1/2

0177

Globe & Mail (91. 11. 26)

Canada makes last-ditch bid to save marketing boards

Wilson and McKnight fly to Geneva to ask GATT to preserve quotas on agricultural imports

BY MADELAINE DROHAN
and DREW FAGAN
The Globe and Mail

Prime Minister Brian Mulroney has dispatched two senior cabinet ministers to Geneva to make a last-ditch plea to save Canada's agricultural marketing boards.

International Trade Minister Michael Wilson and Agriculture Minister William McKnight will leave Mexico, where they are in bilateral talks with the Mexican government, to fly directly to Geneva tonight. They will try to persuade delegates to world trade talks not to drop barriers to farm imports.

Talks to write a new rule book under the General Agreement on Tariffs and Trade are coming to a crunch, and Canada's position appears increasingly untenable.

Mr. Mulroney has telephoned U.S. President George Bush and other international leaders to push for the protection of domestic marketing boards, Ontario Agriculture Minister Elmer Buchanan said yesterday.

"He is engaged in stating the Canadian position to the highest levels in other key countries," Mr. Buchanan said. "He is aware of the stakes, and they are extremely high."

Canadian trade officials figure that although the bulk of Canadian dairy farmers could compete with U.S. imports, poultry farmers would quickly go out of business if confronted with competition from U.S. factory farms. Egg farmers would be threatened, too.

Mr. Buchanan, who was in Europe last week, said Canadian delegates are going to find themselves almost alone in arguing for marketing boards. Representatives of Canada's poultry, egg and milk producers will arrive in Geneva today to talk to their international counterparts.

Canadian officials say Mr. Mulroney and others are not worried that the world trade talks will fail, but that they will be so successful in removing barriers to trade in farm products that marketing boards — and some Canadian farmers — will be threatened.

The matter has attracted Mr. Mulroney's interest because a large number of the farmers in the supply-managed dairy and poultry industries live and vote in Quebec.

"It could have a real effect on the whole constitutional debate," said Ken Tjaden, chairman of the Canadian Egg Marketing Agency. "The reason for supply management is to keep economic activity in all parts of the country."

Please see GATT — A2

GATT may drop agricultural import quotas

• From Page A1

The alarm was set off by news that the United States and the European Community, whose stalemate over farm subsidies has held up the GATT talks for more than a year, are edging toward an agreement on agricultural imports that would result in all farm import barriers being replaced with tariffs, which then would gradually be reduced.

The United States and the EC still have major disagreements over farm export subsidies and are hoping to resolve those differences in meetings this week. "It could still go either way," said a Canadian official.

Canada's system of supply management, in which domestic production of dairy products, poultry and eggs is roughly matched to domestic consumption and the balance is maintained by placing quotas on imports, could not continue if quotas are swapped for gradually falling tariffs.

"The U.S. and the EC are saying that if they tarify, it is all or nothing," said one Canadian official. "We say we have to have an exception."

If marketing boards are threatened, so is Mr. Mulroney's popularity with dairy and poultry farmers, who are concentrated in Quebec and Ontario. Given Canada's constitutional crisis, alienating a large group of Quebec voters, no matter what their occupation, would not be politically wise.

Yet the alternative — vetoing a deal that negotiators for 108 countries have worked on for five years — is equally unpalatable. Such a move would make Canada an international pariah in the trade community and would anger western grain farmers, who think a GATT agreement is the answer to their woes.

The only obvious solution for Canada is to get enough exemptions included in the farm trade sections of the agreement that supply management could continue, perhaps with modifications.

This, Canadian officials say, is what Mr. Wilson and Mr. McKnight have been sent to do.

"The ministers have decided to come in and make the case as strongly as they possibly can," said a Canadian official in Geneva. He said that although they are interested in all areas of the sweeping trade negotiations, which cover trade in goods, services, agriculture, investment and even intellectual property, their focus on this trip is the farm trade talks.

The United States has long disapproved of Canada's marketing boards and would be happy to see them disappear.

In the face of U.S. insistence that there be a "clean tarification," which means no exemptions, Canada is seeking support from the EC.

"We were approached," confirmed an EC official who was noncommittal on the EC response. "Our question was, 'What's in it for us?'"

It is paradoxical that the Canadian government is seeking EC help because it has often painted the EC as the villain in the U.S.-EC farm subsidy wars.

The only other countries supporting Canada's stand are Japan, which does not want to switch its restrictive rice import quota to a tariff no matter how high, and South Korea. But the pressure on both from the United States, a major trading partner, is intense.

CAW(F)-0126 — 2/2

0178

관리 번호 91-859

원 본

외 무 부

종 별 :

번 호 : USW-5848 일 시 : 91 1126 1915

수 신 : 장 관 (통기,통이,미일,경기원,농수산부,외교안보,경제수석)

발 신 : 주 미 대사

제 목 : UR 농산물 협상

대: WUS-5397

연: USW-5336, 5758

당관 장기호 참사관과 이영래 농무관은 11.26. USTR 의 SUSAN EARLY 농업 담당 대표보및 L. CONDON 부대표보를 면담, 표제 협상 전망및 최근의 미-EC 막후절충 결과를 타진한바, 동 결과를 요지 하기 보고함.(서용현 서기관 동석)

1. 최근의 미-EC 간 막후 절충과 UR 협상 전망

- 장참사관이 제네바에서의 미-EC 막후 절충에서 농업관련 핵심문제에 대한타결에 실패함으로써 UR 농산물 협상이 다시 정체상태에 빠졌다는 최근의 언론보도를 언급하면서 이에대한 미측의 평가를 타진한데 대해, CONDON 부대표보는 헤이그 미-EC 정상회담 후속협의에 있어서는 EC 측이 정상회담에서 보였던 것과 같은 신축적 태도를 보여주지 않아 협상이 구체적 진전을 보지 못한 것은 사실이나, 그럼에도 불구하고 여사한 쟁점들은 전혀 해결치 못할 성질의 문제는 아니며쌍방이 정치적 의지만 있다면 해소될 수 있는 것이므로 미측은 아직도 UR 의 성공 전망을 낙관적으로 본다고 답함.

- 동 부대표보는 미-EC 절충의 실패와 추수감사절 휴회등으로 12 월초에 들어서야 협상이 다시 본격화할 것이므로, 당초 예정대로 12 월말까지 중요문제들을 타결짓기가 어려울 것으로 전망되나, 금년초 이래 거의 1 년간 협상에 아무런진전을 보지 못하다가 헤이그 정상회담에서 극적인 의견 접근을 가져온 사실에비추어 볼때 현재의 협상지연은 심각한 것은 아니며, 특히 EC 가 과거와는 달리 UR 협상 타결에 적극성을 보이고 있는한 UR 의 성공 전망은 밝은 것으로 본다고 언급함.

- 한편, 미-EC 간에 아직 미해결된 사항은 ①기준년도 문제, ②보조금 감축의 대상을 수량기준으로 하느냐 아니면 재원기준으로 하느냐의 문제, ③REBALANCING 허용문제, ④DEFICIENCY PAYMENT 의 GREEN BOX 포함문제, ⑤EC 의 PEACE PROPOSAL 등이며, 다만

통상국	장관	차관	1차보	2차보	미주국	경제국	통상국	외정실
분석관	청와대	청와대	안기부	경기원	농수부			

PAGE 1 91.11.27 10:45

외신 2과 통제관 CA

0179

CORRECTIVE FACTORS 는 감안치 않는 것으로 양해가 되었다함.

2. DUNKEL 사무총장 협상안

- 미측은 DUNKEL 사무총장의 포괄적 협상안 제출시기와 관련, 12.9. TNC 회의 이전에 제출되어 각 체약국이 사전 검토토록 할 것으로 예상되나 구체적 날짜는 알수 없다고 언급함.

- 미-EC 간 협상이 정체된 상황에서 제출되는 DUNKEL 총장 협상안은 미-EC 간 쟁점분야에 관하여 타협점을 제시하여 미-EC 간 타결을 촉진시키는 형태를 취하지 않겠느냐는 아측 질문에 대하여, 미측은 그런 가능성을 배제할 수는 없겠으나, 그러한 전략은 DUNKEL 총장에게 위험 부담이 매우 클 것으로 본다고 말함.

- 한편, CONDON 부대표보는 8 국 회의에서 제출된 DUNKEL 총장의 DRAFT WORKING PAPER 가 여러가지 중요사항을 공란으로 남겨두고 있기는 하나, 전반적으로 매우 잘 정리된 것이며, 미측이 수락할 수 있는 것이라고 평가함.

3. 일본의 예외없는 관세화 수락 동향

- 일본이 예외없는 관세화와 최소 시장접근을 결국 수락할 것이라는 일부 보도에 대하여 미측은 크게 놀라는 반응은 보이지 않았으며, 다만 관세화및 최소시장접근에 관한 미측의 현 제안내용에 따른다면 일본은 10 년간 매년 상당량의 관세상당치를 감축해야 할 것이라고 설명함.

- 이에대해 아측이 농업보조금 분야에서 1 차적 적용기간을 5 년으로 하고 추가 5 년을 재협상토록 했으면 이러한 기간 적용 방식이 관세화 문제에도 동일하게 적용되어야 할 것이 아닌가 하고 반문한데 대해서는 미측도 동감을 표하였음. 끝.

(대사 현홍주-국장)

예고: 91.12.31. 까지

PAGE 2

0180

농 림 수 산 부

우 427-760 / 주소 경기 과천 중앙동 1번지 / 전화 (02)503-7227 / 전송 503-7249

문서번호 국협 20644- 1103
시행일자 1991. 11. 26. (년)
(경유)
수신 외무부장관
참조 통상국장

선결			지시		
접수	일자 기간	1991. 1 . :			
	번호		결재·공람		
처리과					
담당자					

제목 서한 및 UR농산물협상 11.25주간 회의 대책 송부

주 제네바 대사의 건의와 관련 당부 장관의 GATT 사무총장앞 서한 및 11.25주간 개최될 예정인 UR농산물협상에 대한 당부입장을 별첨과 같이 송부하오니 조치하여 주시기 바랍니다.

첨부 1. 농림수산부장관 던켈사무총장앞 서한 1부.
2. 11.25 주간회의 대책 1부. 끝.

공람	통상기구과	91년 11월 26일	담당	과장	심의관	국장	차관보	차관	장관
			송병헌	(서명)	(서명)	(서명)			

농 림 수 산 부 

0181

Ministry of Agriculture, Forestry & Fisheries
Republic of Korea
Seoul, Korea

November 25, 1991.

Dear Mr. Dunkel,

I am writing to draw your attention to Korea's views on the Draft Working Paper on Agriculture presented by you at the informal meeting of Group of 8 on November 21.

I am certain that all contracting parties will share the sincere appreciation for your dedication and initiative to bring the Uruguay Round negotiations to an early and successful conclusion.

We expected that, as you indicated in your strategy of negotiations at the TNC meeting of November 7, you would present a balanced and equitable final package, acceptable to all participants.

However, it was very much embarrassing for us to learn that your Draft Working Paper of November 21 does not reflect Korea's vital interests. It was disappointing that your paper is so far from being a balanced and equitable one. Therefore, I'm obliged to say that it is extremely difficult for Korea to accept your Draft Working Paper as the basis for further negotiation.

We strongly urge that the final package reflect the vital interests of all contracting parties and the generic nature of non-trade concerns in agriculture be accommodated across the three areas of negotiation in agriculture-domestic support, market access and export competition.

More specifically, we would like to point out once again our basic position on tariffication that we accept tariffication as the modality for greater liberalization in agricultural trade, provided that a few basic foodstuffs including rice be excluded from tariffication. The comprehensive tariffication proposed in your Draft Working Paper goes far beyond the limits of economic and political tolerance in Korea.

0182

At this critical phase of the Uruguay Round negotiations, we believe that it is time for us to consolidate what we have achieved during the last five years, rather than risk the failure of the Round by being overambitious to bring the agricultural trade into the GATT system through this one single round of negotiations.

We emphasize that the final package should be realistic enough to be politically acceptable by all contracting parties and the commitments of each country resulting from the negotiation should be commensurate with its level of economic development and practical enough to be fully implemented.

No doubt that the Korean government is firmly committed to the successful conclusion of the Uruguay Round negotiations. For that, Korea's vital interests should be duly accommodated in the final package.

I would greatly appreciate it if you would give careful and favourable consideration to issue of rice in which Korea has such a vital interest.

Yours Sincerely

Kyung-Shik Cho
Minister
The Ministry of Agriculture,
Forestry and Fisheries
The Republic of Korea

H.E. Mr. Arthur Dunkel
Director-General
Centre William Rappard
154, rue de Lausanne
1211 Geneva 21

0183

11월25일 주간 UR 농산물협상 훈령(안)

11월25일 주간에 예상되는 UR 농산물분야 협상은 11월21일 Dunkel 의장이 주요 8개국 회의에서 제시한 작업초안(Draft Working Paper on Agriculture)에 대한 각국의 입장이 주로 논의될 것으로 예상되니 다음과 같은 방침하에 대처바람.

- 다 음 -

1. Dunkel 의장의 Working Paper는 선진국,수출국의 입장을 주로 반영하였을뿐 아니라 그동안의 UR 협상과정에서 각국의 특수한 사정이 충분히 인식되고 있는데도 불구하고 이러한 사정들이 고려됨이 없이 무시되었기 때문에 한국의 입장에서는 이를 수용할 수 없음을 지적할 것.

2. 특히 쌀등 기초식량에 관한 포괄적인 관세화(Comprehensive Tariffication)와 쌀에 대한 최소시장 개방(M.M.A : Minimum Market Access)은 수용할 수 없음을 명백히 할 것.

4. 남은 협상과정에서 transparency가 확보되어야 함을 촉구하고 일부국가들의 관심 사항만 반영한 협상안은 수용할 수 없다는 점을 분명히 할 것.

0184

5. 세계농산물 교역을 왜곡시키는 근본원인이 선진국의 수출보조에 있음을 분명히 하고 수출보조감축 문제도 국내보조, 시장개방분야와 함께 균형된 감축계획이 나와야 함을 강조할 것.

o 특히, 수출보조 감축대상(Annex 7)에 deficiency payment가 언급되지 않고 수출보조감축 대상품목 Coverage(Annex 8)가 별도로 제시된 이유에 대한 clarification을 요구할 것.

6. 일본, 카나다, 멕시코, 이스라엘, 북구(노르웨이.핀랜드), 스위스, 오지리등 예외없는 관세화를 반대하는 국가들과의 공동대응 노력을 강화하고 이들 국가의 최근 움직임에 대한 정보수집 노력을 강화할 것.

7. 기타 세부적. 기술적인 의제에 대해서는 기존의 아국입장에 따라 적의 대처할 것.

0185

(1)

November 25, 1991

Dear Mr. Chairman,

We received the Draft Working Paper submitted by you on November 21st for our due consideration to make a political decision to ensure a successful agreement on agriculture and hence, to a successful conclusion ~~of~~ to the Uruguay Round.

We are certain ~~that~~ all Contracting Parties will ~~[illegible]~~ our ~~[illegible]~~ sincere appreciation that your dedication and courage keeps the Uruguay Round alive at the verge of collapse after the Brussells Ministrial Meeting and moves to this crucial phase of finalization.

We expected that, as you rightly stressed in your "Stock-taking of the Uruguay Round Negotiations" on November 7th, you shall present a balanced, equitable and generally acceptable paper of final package.

We are sorry that it is embarrassing to us to realize your Working Paper ~~still~~ requests our compromise which cannot be compromisable, and that it is disappointing to us to notice your paper ~~still~~ yet so far from a balance and equity. In the view of the Government of Korea, we must tell that your paper is not generally acceptable.

We strongly urge that the final package must be able to accommodate the legitimate interests of all Contracting Parties and the generic nature of non-trade concerns of agriculture across the three areas of domestic support, market access and export competition.

0186

— 2 —

(2)

More specifically, we remind you that our basic position on tariffication is that we accept the modality for greater liberalization of agricultural market, provided by that a few basic foodstuffs such as rice and others should be excluded from tariffication. The comprehensive tariffication of your Working Paper is far beyond our limit of political tolerance and therefore, we have no choice.

Korea firmly believes that the problem of so-called chain-effect also can be reasonably resolved if all Contracting Parties are committed to do so. We already proposed that those politically sensitive basic foodstuffs exempted from tariffication should be under a strict rule of supply control and export prohibition in the overall package of agricultural reform.

Most Contracting Parties shall agree that as far as agriculture negotiation is concerned, under your active leadership the Uruguay Round has already achieved what were not thinkable in the 40 years of the GATT talks in the last five years.

At this critical phase, we believe that it is time for us to secure what we have achieved rather than to risk in order to realize the last ideal aim of bringing agriculture once and for all into the GATT in this single Round. We must be cautious that the final package should be realistic enough to be accepted politically and the responsibility resulted from the negotiation should be reasonable enough to be implemented practically according to her (of a country) level of economic development

0187

will [illegible] in order to realize the last ideal aim of bringing agriculture once and for all into the GATT in this single Round. We must be cautious that the final package should be realistic enough to be accepted politically and the responsibility resulted from the negotiation should be reasonable enough to be implemented practically according to her (of a country) level of economic development

We are sorry that we are not able to be more helpful for the tariffication of rice.

We would be thankful if you could pay your careful consideration on the issue of rice once again.

You have been most patient and considerate, and (we are) grateful.

Yours Sincerely

Kyung-shik Cho
Minister of the Ministry of Agriculture, Forestry and Fisheries

Mr. Arthur Dunkel
Chairman of the Trade Negotiations Committee
GATT
Geneva

— 5 —

0188

외 무 부

110-760 서울 종로구 세종로 77번지 / (02)720-2188 / (02)725-1737

문서번호 통기 20644-

시행일자 1991.11.26.(

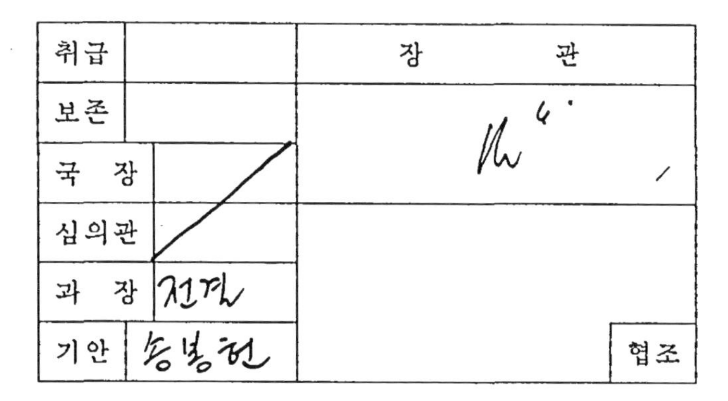

취급		장 관
보존		
국 장		
심의관		
과 장		
기안		협조

수신 제네바 대사

참조

제목 UR 농산물 협상

연 : WGV-1694

표제관련, 연호 농림수산부 장관의 Dunkel 갓트 사무총장앞 서한원본을 별첨 송부합니다.

첨 부 : 동 서한 1부. 끝.

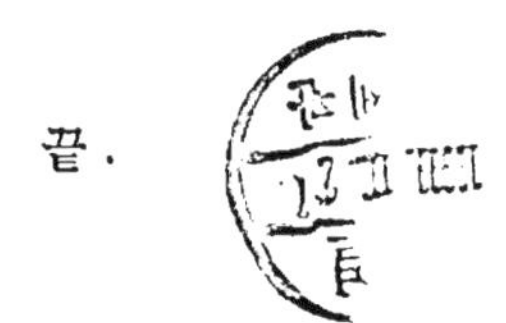

외 무 부 장

0189

	분류번호	보존기간

발 신 전 보

번 호 : WGV-1694 911126 1455 DS 종별 :

수 신 : 주 제네바 대사. 총영사

발 신 : 장 관 (통 기)

제 목 : 농림수산부장관 서한 송부

던켈 사무총장이 11.21 UR 농산물 협상 8개국 비공식 회의시 제시한 작업문서 초안에 대한 아국 입장을 통보하는 내용의 농림수산부장관 명의 서한을 별첨(FAX) 송부하니 던켈 사무총장에게 적의 전달(귀직 명의 서한에 quote하는 형식)바람. 동 서한 원본은 파편 송부 예정임.

첨 부(FAX) : 동 서한 1부. 끝. (통상국장 김 용 규)

보안 통제	

앙 고 재	91년 11월 26일	통상기구과	기안자 성명		과 장	심의관	국 장		차 관	장 관
			안명수				전결			

외신과통제

0190

Ministry of Agriculture, Forestry & Fisheries
Republic of Korea
Seoul, Korea

November 25, 1991.

Dear Mr. Dunkel,

I am writing to draw your attention to Korea's views on the Draft Working Paper on Agriculture presented by you at the informal meeting of Group of 8 on November 21.

I am certain that all contracting parties will share the sincere appreciation for your dedication and initiative to bring the Uruguay Round negotiations to an early and successful conclusion.

We expected that, as you indicated in your strategy of negotiations at the TNC meeting of November 7, you would present a balanced and equitable final package, acceptable to all participants.

However, it was very much embarrassing for us to learn that your Draft Working Paper of November 21 does not reflect Korea's vital interests. It was disappointing that your paper is so far from being a balanced and equitable one. Therefore, I'm obliged to say that it is extremely difficult for Korea to accept your Draft Working Paper as the basis for further negotiation.

We strongly urge that the final package reflect the vital interests of all contracting parties and the generic nature of non-trade concerns in agriculture be accommodated across the three areas of negotiation in agriculture-domestic support, market access and export competition.

More specifically, we would like to point out once again our basic position on tariffication that we accept tariffication as the modality for greater liberalization in agricultural trade, provided that a few basic foodstuffs including rice be excluded from tariffication. The comprehensive tariffication proposed in your Draft Working Paper goes far beyond the limits of economic and political tolerance in Korea.

0191

At this critical phase of the Uruguay Round negotiations, we believe that it is time for us to consolidate what we have achieved during the last five years, rather than risk the failure of the Round by being overambitious to bring the agricultural trade into the GATT system through this one single round of negotiations.

We emphasize that the final package should be realistic enough to be politically acceptable by all contracting parties and the commitments of each country resulting from the negotiation should be commensurate with its level of economic development and practical enough to be fully implemented.

No doubt that the Korean government is firmly committed to the successful conclusion of the Uruguay Round negotiations. For that, Korea's vital interests should be duly accommodated in the final package.

I would greatly appreciate it if you would give careful and favourable consideration to the issue of rice in which Korea has such a vital interest.

Yours Sincerely

Kyung-Shik Cho
Minister
The Ministry of Agriculture, Forestry and Fisheries
The Republic of Korea

H.E. Mr. Arthur Dunkel
Director-General
Centre William Rappard
154, rue de Lausanne
1211 Geneva 21

0192

종 별 :

번 호 : GVW-2453 일 시 : 91 1126 2230

수 신 : 장관(통기,경기원,재무부,농림수산부,상공부,경제수석)

발 신 : 주 제네바 대사

제 목 : DUNKEL 총장 면담 보고

1. 금일 (26 일) 농산물 36 개국 비공식 협의에 앞서 본직은 다시 DUNKEL 사무총장을 방문, APEC 회의를 기점으로 쌀시장 개방 반대를 중심으로 일어나기 시작한 100 만명 농민 서명운동(230 만명이 서명, 던켈 총장 및 부시 대통령에게서한 보낸 사실 설명), 기독교계에서 일어나고 있는 천만명 서명 운동 또 농수산부 장관의 DUNKEL 총장앞 친서 송부등에 언급하면서 총장 작업문서에 표시되고있는 포괄적 관세화는 수락할수 없다는 점을 재강조한후 36 개국 회의에서 본직이 직접 아국입장을 밝힐 계획임을 알림.

2. 이에 대하여 DUNKEL 총장은 농협이 주도한 100 만명 서명운동에 관련한 서한을 금일 아침 수령(동석한 보좌관이 확인)하였다고 하고 자기는 과거 아국 대표단을 만날때마다 예외없는 관세화가 결코 보호를 없애는 것이 아니고 보호의형태만을 바꾸는 것이라고 한점을 강조하고 일본은 최소시장접근 방향에서 또 EC 와 미국도 상당한 정도의 합의를 이룩한 만큼 아국도 하루 속히 신축성있는 입장으로 전환하는 것이 좋을것이라고 강조함.

3. 한편, 본직은 일본, 카나다, 멕시코등 대사들과 오찬등, 접촉, 예외없는관세화에 대한 각국의 입장을 비공식 회의에서 분명히 표시할 것에 합의하고 금일 회의에서 아국 입장을 포함한 작업문서에 대한 전체적인 논평을 하였음.(상세 별전 보고) 금일 회의에서 예외없는 관세화에 원칙적으로 반대 내지 유보 입장을 표시한 나라는 일본, 멕시코, 한국, 카나다, 에집트, 이스라엘, 나이제리아, 스위스, 핀랜드(NORDIC 국가 대표), 오스트리아 등이나 반대의 강도가 강한 나라는 일본, 한국, 카나다, 멕시코, 스위스등이며 기타는 그들이 입장에 다소의신축성이 있었음.(별전 보고 참조) 끝

(대사 박수길-장관)

통상국	장관	차관	1차보	2차보	외정실	분석관	청와대	안기부
경기원	재무부	농수산부	상공부					

PAGE 1

91.11.27 08:18

외신 2과 통제관 CA

0193

예고 91.12.31. 까지

PAGE 2

0194

관리 번호 91-862

원 본

외 무 부

종 별 : 지 급

번 호 : GVW-2455 일 시 : 91 1126 2330

수 신 : 장관(통기,경기원,재무부,농림수산부,상공부,청와대,경제수석)

발 신 : 주 제네바 대사

제 목 : UR/농산물 협상

연: GVW-2412 일반문서로 재분류(1991.12.31.)

연호 작업문서의 압도적 중요성및 동문서가 현 협상단계에서 차지하는 역할에 비추어 본직은 11.26(화) 개최된 표제 주요국 비공식회의에 참석하여 던켈 총장의 작업문서에 대하여 주로 예외없는 관세화에 역점을 두면서도 분야별로 논평하고 아국의 입장을 언급하였는바, 동회의 요지 하기 보고함.(농림수산부 조국장, 천농무관 동석)

1. 작업문서에 대한 던켈 총장의 언급요지

- 동 문서는 자신의 책임으로 작성된 것이며, 합의 또는 수락을 전제로한 문서가 아님.

- 각국의 반응을 확인하기 위한 예비적 성격의 문서(PUNCHING BALL 에 비유하였음)이므로 문서 자체에 너무 비중을 두지 말고 그 내용에 대하여 논의하기 바람.

- 동문서는 최종초안은 물론 아니나 앞으로의 협상 진행의 기초로 이용될 것임.

2. 작업문서에 대한 각국 반응

- 미국은 동 문서를 향후 협상의 기초로 평가하고, 내용에 있어서는 수출 보조 분야에서 물량 기준 약속이 이루어져야 하고, 특별 세이프가드는 이행기간에만 인정되어야 한다고 했으며, 구조조정 정책과 지역 개발 정책이 허용정책으로 분류된데 불만을 표시하였음.

- 이씨는 최종 협상 결과가 동 작업문서와 동일선상에서 이루어질 것으로 기대한다고 전제한후 시장접근 분야에서는 포괄적 관세화를 지지하지만, 재균형화(REBALANCING)와 보정인자(CORRECTIVE FACTOR)가 반영되어야 한다고 하였고, 국내 보조 분야에서는 허용정책 범위가 종전 논의보다 확대되어 긍정적이지만 가격

통상국	장관	차관	1차보	2차보	경제국	외정실	분석관	청와대
청와대	안기부	경기원	재무부	농수부	상공부			

PAGE 1

91.11.27 10:26

외신 2과 통제관 CA

0195

지지 삭감을 보상하기 위한 보조금이 허용정책에 포함되야 한다고 강조하였으며, 수출 보조 분야에서는 간접적 수출 보조가 제외된데 불만을 표하였음.

- 일본은 협상의 기초가 되기 위해서는 수정이 필요하다고 전제한후 포괄적관세화는 수용할수 없으며, 수출 보조 분야에서는 어떤 약속을 하는지 불분명하게 되어 있다고 하였음.

- 호주, 뉴질랜드, 알젠틴등 케언즈 그룹 국가들은 다소 불만은 있지만 전체적으로 협상의 주요 요소가 망라되어 있다고 평하면서 모든 국가가 포괄적 관세화등 협상의 기본 원칙을 수용할 것회 주장하였음.

- 본직은 협상 추진을 위한 의장의 노력을 긍정적으로 평가한후 동 문서에 대한 아국의 입장을 하기 요지로 밝혔음.

0 동 문서는 선진수출국의 입장에 치우쳐 있으며, 국내 보조, 시장접근, 수출 보조등 협상 요소간의 균형을 이루지 못하고 지나치게 시장접근 분야를 강조하고 있으며, 각국 농업의 특수성을 간과하고 있다고 지적한뒤, 각국이 사회, 경제적 불안을 야기시키거나 협상결과를 이행하지 못하는 사태가 발생하지 않도록 협상 결과가 충분히 현실적인 것이 되야함을 강조하였음.

0 시장접근 분야에서 관세화를 시장 개방의 한 방법으로서 원칙적인 면에서수용할수는 있지만 쌀등 기초식량은 관세화 할수 없으며, 따라서 포괄적 관세화를 받아들일수 없다는 입장을 분명히 밝힌후 이와 같은 아국의 핵심 관심사항이 추후 작성될 문서에는 반드시 반영되어야 한다고 하였음. 또한 관세 삭감,양허 확대, 최저시장접근 인정등은 품목별 민감성등을 고려할때 획일적으로 모든 품목에 적용할수 없으며, R/O 방식에 의해 협상할 용의가 있다고 하였음.

0 국내 보조분야에서는 구조조정을 위한 부자 보조가 인정된점등 긍정적 요소도 있지만 전체적으로 선진국이 사용할수 있는 보조와 개도국이 사용 가능한 보조간에 균형이 이루어지지 않았다고 평가하였음.

0 수출 보조분야에서는 무역 왜곡 현상이 가장 큰것인 만큼 엄격한 규율이 필요한바, 문서에 제시된 내용은 삭감방법, 규율 방법등이 모호하며, 특히 삭감대상 수출 보조가 줄어든점에 대하여 우려를 표명하였음.

- 카나다는 갓트 11 조 2 항이 유지, 개선되야 한다고 강조하면서 포괄적 관세화 수용의 어려움을 밝히고, 국내 보조, 수출 보조분야에서는 보조금 상계관세 그룹과의 관계가 명확히 되야 한다고 주장하였음.

- 스위스는 예외없는 관세화를 수용할수 없다고 하면서, 불공평한 부담을 수입국에 안길경우 국내 정치적으로 받아들이기 곤란하다고 하고, 스위스의 경우는 국민투표등 어려운 국내절차를 거쳐야 한다는 점을 상기시켰음.

- 멕시코는 국내 정치적 어려움을 설명하면서 예외없는 관세화는 수용하기 어렵다고 하고 시장접근 분야에 비추어 국내 보조 수출보조분야는 균형을 상실하였다고 하였으며, 개도국 우대 내용에 불만을 표명하였음.

- 이스라엘은 식량안보를 위한 품목은 관세화 대상에서 제외되야하고, 갓트11 조 2 항은 유지 개선되야 한다면서 예외없는 관세화 수용이 곤란하다는 입장을 밝히고, 금일 회의에서 포괄적 관세화와 관련 상당수의 국가가 이의를 제기한점을 예외없는 관세화를 주장하는 나라들이 감안해야 한다고 하였음.

- 오지리, 나이제리아, 이집트, 모로코등도 예외없는 관세화에 대하여 어려움이 있음을 표명하였음.

- 태국, 말련, 브라질, 인도등 개도국은 개도국 우대 내용에 불만을 표하고, 특히 농업개발정책이 허용되야 한다고 강조하였음.

3. 향후 협상 일정

- 던켈 총장은 각국의 입장이 다양하게 제시되었는바, 협상의 마지막 단계에서 이들 모두 반영한다는 것은 불가능하다고 하면서 동 작업문서는 그대로 유지되었다가 사라지게 될 것이라고 하였음.

- 향후 협상일정 관련 동인 언급 요지 아래와 같음.

0 11.28(목) 11:00 순수입 개도국회의(동 회의때는 IMF 관계자가 출석할 예정임)

0 동 15:30 농산물 공식회의 개최(동 회의때는 의장이 협상 진전 보고를 하고 금일 입장을 밝히지 못한 국가의 발언을 청취할 예정)

0 동 17:00 개도국회의 개최(던켈 총장 참석예정)

0 11.29(금) TNC 회의 개최(동회의때 협상초안이 제시되지는 않을 것이며, 각 그룹의장의 진전 상황 보고가 있을 예정)

0 12.6-12.20 기간중 당지에서 집중적 마지막 협상 실시. 끝

(대사 박수길-국장)

예고 91.12.31. 까지

PAGE 3

0197

원 본

외 무 부

종 별 :

번 호 : GVW-2482 일 시 : 91 1127 1930

수 신 : 장 관(통기,경기원,농림수산부)

발 신 : 주 제네바대사

제 목 : 농림수산부장관 서한 송부

대: WGV-1694(WGVF-0337)

11.26(화) 개최된 농산물 협상 주요국 비공식회의에서 던켈총장의 작업문서에 대한성격 규정 있었으며 특히 수락 여부를 전제로하 문서가 아니라고 한점을 감안할때연호 서한의내용 일부를 수정 검토할 필요가 있는 것으로 사료되어 별첨과 같이 당관의 수정안을 송부하니 검토 회시바람.

첨부: 농림수산부 장관 서한 수정안 사본 각 1부

(GVW(F)-0552).끝

통상국 2차보 경기원 농수부

PAGE 1

91.11.28 08:12 WH

외신 1과 통제관

0198

GVW(F)-0552 11/27 1930

" GVW-2482

21 November 1991

Dear Mr. Dunkel,

May I first express my admiration for providing the Draft Working Papers which, I believe, are a positive step towards achieving a final agreement on agriculture. However, as the draft contains a few points of vital concern to Korea I am writing to draw your special attention to Korea's difficult situation, particularly with regard to the modalities of market access in the agricultural negotiations.

Korea attaches great importance to the successful conclusion of the Uruguay Round, and is committed to assume its due share of responsibility to bring about a more liberalized world trade system.

You are certainly familiar with Korea's position concerning the modalities of market access in the agricultural negotiations. Korea accepts tariffication as a valuable modality for greater liberalization of agricultural markets, but finds it very difficult to accept tariffication for a few basic foodstuffs, including rice.

The main reason is that there is no single agricultural product in other countries which plays the same role as rice plays in the Korean economy and society. More than 85% of farmers are engaged in rice production, about 60% of farm income comes from rice, and about 50% of the daily calorie in-take consists of rice. Korean rice plays an important role in environmental protection, including water control during the monsoons. Furthermore, rice has been the very foundation of 5,000 years of Korean culture and history.

.../...

0199

2482-4-1

- 2 -

Koreans believe that, with an average farm size of 1.2 hectares, opening of the rice market will endanger the livelihood of 7 million farmers and destroy the production base.

It is for these reasons that Korean farmers are strongly opposed to the concept of comprehensive tariffication. The recent congressional resolutions opposing the opening of the rice market clearly show that it would be very difficult to obtain the National Assembly's ratification of negotiation results which do not reflect Korea's vital concern in this area. Furthermore, the Korean Farmers' Federation and the christian community in Korea have launched a nationwide campaign of collecting 10 million signatures of people in all walks of life to oppose the opening of Korean rice market.

In conclusion, Korea's vital interest in the agricultural negotiations is that its rice market should not be subject to tariffication. This is a key factor upon which rests the ability of the Korean government to mobilize national support for the entire Uruguay Round package.

Your kind understanding in this regard would be highly appreciated.

Sincerely yours,

CHO, Kyung Shik
Minister of Agriculture,
Forestry and Fisheries
Republic of Korea

H.E. Mr. A. DUNKEL
Director-General
GATT
Centre William Rappard
154, rue de Lausanne
1211 - GENEVE 21

0200

2482-4-2

27 November 1991

Dear Mr. Dunkel,

I am writing to bring to your urgent attention our view on a few major points in the Draft Working Papers dated 21 November 1991, which you kindly presented to the participating countries in the Uruguay Round negotiations.

I am certain that all participants share our sincere appreciation for your initiatives aimed at bringing the Uruguay Round negotiations to a successful conclusion.

It is my sincere hope that the negotiating package to be presented by the Chairman will be a balanced and equitable one, acceptable to all participants.

As viewed from this perspective, we feel disappointed to see that the Draft Working Papers as currently tabled do not duly reflect Korea's vital interests, and that they seem to lack a proper balance between the interests of importing and exporting countries. (It is therefore extremely difficult for Korea to consider them to be the sole basis for further negotiations.)

We are of the view that the final package must reflect the vital interests of all ~~contracting parties~~ participants. The vital importance of non-trade concerns in agriculture over which we have repeatedly expressed our view, should be reflected across all negotiating areas in agriculture, particularly in relation to domestic support and market access.

I would like to emphasize once again our basic position on tariffication. We accept the concept of tariffication as a modality for greater liberalization in agricultural trade, provided that a few basic foodstuffs, including rice, are excluded from tariffication. The "comprehensive tariffication" proposed in your Draft Working Papers goes far beyond the limits of economic and political capability in Korea.

.../

0201

2482-C-3

While fully supporting the urgent need for integration of agriculture into the GATT system I would like to emphasize that we should not expect to achieve too much ambitious a goal at one stroke in disregard of the realities.

At this critical phase of the Uruguay Round negotiations, we believe that it is time to consolidate what we have achieved so far. The difficulty of bringing agriculture into the GATT system through this one single round of negotiations should be recognized.

I am finally of the view that the final package should be realistic enough to be politically acceptable for all contracting parties and that the commitments of each country resulting from the negotiations should be commensurate with its level of economic development and capability.

As the Korean government is firmly committed to the successful conclusion of the Uruguay Round negotiations, it is my hope that Korea's vital interests should be duly accommodated in the final package.

I would greatly appreciate it if you would give careful and favourable consideration to the issue of rice in which Korea has such a vital interest as we progress toward the end of the negotiations.

Yours sincerely,

Kyung-Shik CHO
Minister
The Ministry of
Agriculture, Forestry
and Fisheries
The Republic of Korea

H.E. Mr. Arthur DUNKEL
Director-General
GATT
Centre William Rappard
154, rue de Lausanne
1211 - GENEVE 21

0202

2VP2 - 4 - 4

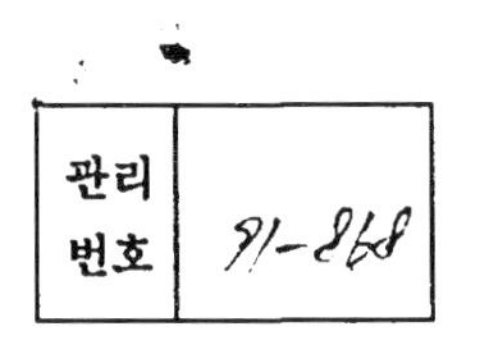
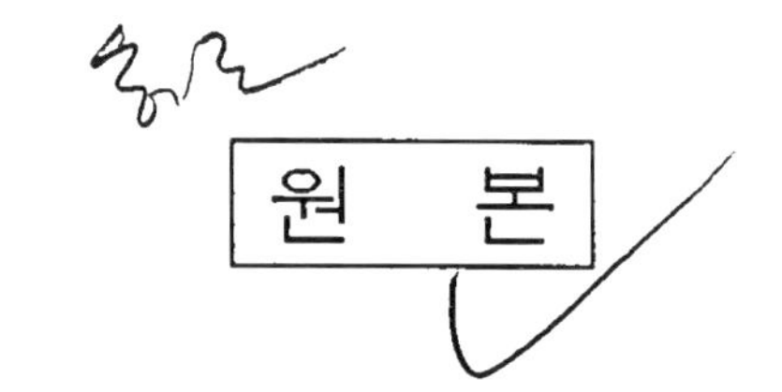

관리번호 91-868

원 본

외 무 부

종 별 :

번 호 : USW-5870 일 시 : 91 1127 1801

수 신 : 장 관 (통기,통이,미일,경기원,농수산부)

발 신 : 주 미 대사

제 목 : UR 농산물 협상

대: WUS-5397

연: USW-5336, 5958, 5848

1. 당관 장기호 참사관및 이영래 농무관은 11.27. 미 농무부 R. SCHROETER 해외농업 처장보와 면담, UR 농산물 협상에 대한 미 농무부측의 전망을 타진한 바, 동 결과 요지 하기 보고함.

가. 미 농무부측도 최근 미-EC 간 절충이 정체상태에 빠졌다는 것은 인정하나, 양측이 내부협의및 조정과정을 통하여 보다 신축적인 입장을 취할 수 있게 되면, 종국적으로 미-EC 정상간에 모종의 정치적 절충을 거쳐 최종적인 의견접근을 이룰수 있을 것으로 전망하고 있는 것으로 보임.

나. SCHROETER 처장보는 EC 의 태도도 금번에는 오랫동안 끌어왔던 농산물 협상을 타결하겠다는 자세를 보이고 있으므로 UR 협상 전망을 아직도 기본적으로는 낙관적으로 본다고 하면서, 최근의 부분적인 협상 지연에도 불구하고 미 농무부로서 금년말까지 중요 사항 타결, 내년 2-3 월까지 협상종결이라는 목표에 하등의 변화가 없다고 강조하였음.

라. 동 처장보는 미.EC 간 농산물 문제에 대한 견해차가 접근되지 않은 상태에서는 DUNKEL 사무총장의 포괄적 협상안이 제출될 수 없을 것이라는 전망을 피력하고 동 협상안의 12.9. TNC 회의 개최이전 제출 가능성에 대해 의문을 표함.

라. 이에대해 아측이 미.EC 가 쌍무적 막후 절충을 통해 UR 농산물 협상을 주도해 나가는데 대해 여타 체약국들이 불만을 갖고 있는 상태에서 DUNKEL 총장이 미.EC 간 타협이 이루어지지 않았다는 이유로 금번 TNC 회의에서 협상안 제시를 다시 연기한다면 참가국들의 불만이 더욱 커지지 않겠느냐고 반문한데 대해, SCHROETER 처장보는 TNC 회의와 미.EC 간 절충을 병행하여 진행시킴으로써 미-EC 절충 결과를

통상국	장관	차관	1차보	2차보	미주국	경제국	통상국	외정실
분석관	청와대	안기부	경기원	농수부				

PAGE 1 91.11.28 13:31

외신 2과 통제관 BD

0203

반영한 DUNKEL 총장 협상안을 언제라도 전체회의에 제출할 수 있도록 하는 것도 한가지 방안이 될 수 있을 것이라고 언급함.

마. 당관 관측으로서는 미.EC 가 현재로서는 상호 이견을 보이고 있는 부분에 대한 실무급 토의를 계속해 나가겠지만(CROWDER 농무차관이 다음주중 제네바로 다시 파견될 예정이라함), 실무선에서의 의견 접근에는 일정한 한계를 느끼고있으므로 결국 실무선에서 타결되지 못한 쟁점사항에 대해서는 정치적 타협의 방법만이 남아있다는 생각을 가지고 있는 것으로 감촉되었음.

2. 한편, 당관 구본영공사가 동일 백악관 ERIC MELBY 보좌관과 접촉한 바에의하면, 부쉬 대통령은 11.26. LUBBERS EC 의장(화란 수상)과 통화를 하는등, UR 의 정치적 타결을 위하여 여러 EC 정상들과 지속적인 전화 접촉을 시도하고 있는 것으로 알려지고 있음. 끝.

(대사 현홍주-국장)

예고: 91.12.31. 까지

0204

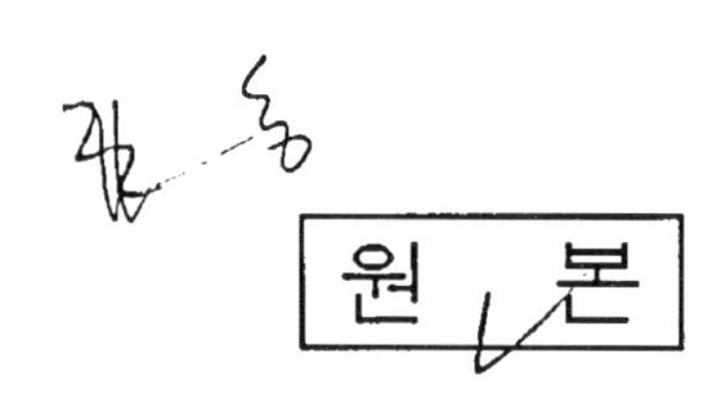

외 무 부

종 별 :

번 호 : GVW-2479　　　　일 시 : 91 1127 1900

수 신 : 장 관(통기,경기원,재무부,농림수산부,상공부)

발 신 : 주 제네바대사

제 목 : UR 협상에 관한 스위스 PRESS COMMUNIQUE

연: GVW-2455

스위스 정부는 11.26(화) UR 농산물 협상에 관한 DRAFT WORKING PAPER 에 언급된 포괄적인 관세화는 균형된 협상결과를 달성하기 위한 CONSENSUS 형성에 도움이 되지 않으며, 지나친(EXCESSIVE) 생각이라는 내용의 별첨 PRESS COMMUNIQUE 를 발표함.

첨부: 동 PRESS COMMUNIQUE 1부(GVW(F)-0550).끝

(대사 박수길-국장)

통상국　2차보　경기원　재무부　농수부　상공부

PAGE 1

91.11.28 08:10 WH

외신 1과 통제관

0205

27/11/91 16:11 EMBASSY OF R.O.K. P.01

제 목: UR 협상관련 Delamuraz 성명문

Page 수 : 1

수 신 자 : 제네바 대표부 (참조: 김삼훈 대사)

Fax 번호 : (022) 791 0525
(수신자)

GVW(F)-550
11127 1800

Communiqué de presse 26 novembre 1991

GVW-2477 첨부

Négociations du GATT: prise de position du Conseiller fédéral Delamuraz

---

Aujourd'hui, à Berne, le Chef du Département fédéral de l'économie publique, M. Jean-Pascal Delamuraz, a pris position au sujet des négociations en cours à Genève. Voici le texte de sa déclaration:

1. La négociation, à Genève, de l'Uruguay Round, dans le cadre du GATT, revêt un intérêt primordial pour l'avenir de l'économie suisse.

2. Dès lors, les efforts qui sont faits ces jours pour débloquer le volet agricole de cette négociation - et la négociation dans son ensemble - sont bienvenus.

3. Mais quelques-unes des idées énoncées revêtent un caractère excessif. Elles ne peuvent recueillir le consensus nécessaire pour parvenir à un résultat équilibré de la négociation.

4. En ces circonstances, j'ai confirmé mon instruction aux négociateurs suisses de faire valoir, à Genève, nos objections, en particulier pour ce qui concerne la tarification généralisée et sans exceptions.

DEPARTEMENT FEDERAL DE L'ECONOMIE PUBLIQUE
Service de presse et d'information

1-1-1

0206

외 무 부

종 별 : 지 급

번 호 : SZW-0587 일 시 : 91 1127 1620

수 신 : 장 관(통기)

발 신 : 주 스위스 대사

제 목 : UR 농산물 협상

대:WSZ-0494

대호 관련, 주재국 DELAMURAZ 경제장관은 11.26. GENEVE UR 협상관련 스위스 정부의 입장을 발표하였는바, 동 장관의 성명 전문을 아래와 같이 보고함.

-아래-

1. LA NEGOCIATION, A GENEVE, DE L'URUGUAY ROUND, DANS LE CADRE DU GATT, REVET UN INTERET PRIMORDIAL POUR L'AVENIR DE L'ECONOMIE SUISSE.

2. DES LORS, LES EFFORTS QUI SONT FAITS CES JOURS POUR DEBLOQUES LE VOLET AGRICOLE DE CETTE NEGOCIATION-ET LA NEGOCIATION DANS SON ENSEMBLE-SONTBIENVENUS.

3. MAIS QUELQUES-UNES DES IDEES ENONCEES REVETENT UN CARACTERE EXCESSIF. ELLES NE PEUVENT RECUEILLIR LE CONSENSUS NECESSAIRE POUR PARVENIR A UN RESULTAT EQUILIBRE DE LA NEGOCIATION.

4. EN CES CIRCONSTANCES, J' AI CONFIRME MON INSTUCTION AUX NEGOCIATEURS SUISSES DE FAIRE VALOIR, A GENEVE, NOS OBJECTIONS, EN PARTICULIER POUR CE QUI CONCERE LA TARIFICATION GENERALISEE ET SANS EXCEPTIONS."끝

(대사 이원호-국장)

예고:91.12.31. 까지

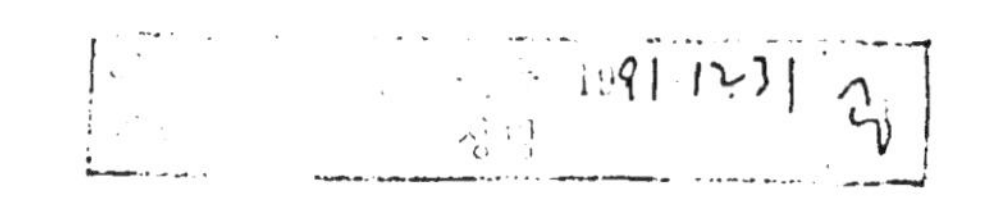

통상국	장관	차관	1차보	2차보	구주국	분석관	청와대	안기부

PAGE 1 91.11.28 03:54

외신 2과 통제관 FI

0207

관리 번호	91-861

원 본

외 무 부

종 별 : 지 급

번 호 : ECW-1018 일 시 : 91 1127 1820

수 신 : 장관 (통기,경기원,재무부,농림수산부,상공부,기정동문)

발 신 : 주 EC 대사 사본: 주 미,제네바-중계필

제 목 : GATT/UR 협상

연: ECW-1009

1. 11.27. 당관 정공사는 SCHIRATTI EC/ 농업총국의 대외담당 국장을 오찬에 초청, 표제관련 협의한바, 동인은 표제협상의 연내타결을 낙관적으로 본다고 하면서 아래와같이 발언함 (이관용농무관 배석)

가. 미-EC 간 협상전망

1) 미-EC 간의 주요 쟁점사항은 GREEN BOX 범위, REBALANCING, 수출보조금 감축방법및 SAFEGUARD 관련한 특별규범정립등 4 가지 문제이며, 기준년도와 보조금 감축산정등 기타문제는 큰 장애요소가 되지 않을것임

2) 상기 쟁점사항에 관한 미-EC 간의 기술적 협상은 사실상 종결된 상태이며 이제는 양측 지도부의 정치적인 결단만을 기다리고 있는바 동 결단이 내려지면 언제라도 절충이 가능토록 준비하고 있음. 미-EC 간의 합의는 빠르면 2 주이내에 이루어질 것으로 전망하며 MACSHARRY 위원과 LE GRAS 총국장은 이러한 가능성에 대비, 당분간 브랏셀에서 대기하고 있으며 양측간 타협의 기회가 성숙하고 있다고 봄

3) 불란서및 아일랜드가 미-EC 간 협상 진전내용에 대해 공개적으로 불만을표명하고 있으나 이는 국내 정치적인 목적을 위한것이며 미-EC 간 협상에 장애가 되지 않을것임

4) 지난주 제네바에서의 LE GRAS 총국장과 CROWDER 차관간의 회담은 기술적사안에대한 양측의 입장을 재확인하는 계기가 되었으며, 협상이 결렬되었다는 일부 관찰은 사실과 다름

나. DUNKEL WORKING PAPER 에 대한 평가

1) 동 PAPER 는 이제까지 협상에서 토의된 내용을 충실히 종합한 문서로서 협상재개를 위한 좋은 실마리가 될것으로 평가함

통상국	장관	차관	1차보	2차보	구주국	경제국	청와대	안기부
경기원	재무부	농수부	상공부	중계				

PAGE 1 91.11.28 06:31

외신 2과 통제관 CA

0208

2) 그러나 동 PAPER 내용중 일부는 보충 또는 보완되어야 할것이라고 보며,특히 CORRECTIVE FACTOR, GREEN BOX, REBALANCING 및 SAFEGUARD 관련 내용등이좀더 명확하게 보완되어야 함

다. 기타

1) 제 11 조 2 항 C 개정과 관련하여 EC 는 명백히 반대입장을 취하고 있지않고있으나 순수입 품목에 한하여 적용할수 있다는 조건만 없으면 낙농제품, 설탕과 같이 EC 가 공급조절 조치를 취하고 있는 분야에대한 이익도 있을수 있다고 봄. 그러나 동 제안에 대해서는 미국미 케언즈그룹이 강하게 반대하고 있기때문에 현행대로 존치될 가능성이 더 많다고 봄

2) 일본은 내부적으로 쌀에대한 예외없는 관세화와 최소시장 접근을 수용하기로 결정하였으나, 국내 정치적이유 때문에 이를 공표하지 못하고 있으며, 미국및 EC 등 주요협상 참여국들이 일본의 이러한 입장을 인지하고 있다는 사실도 잘알고 있다고 봄. 따라서 한국도 협상진행 동향을 감안, 예외없는 관세화를 수용하면서 이와 유사한 효과를 얻을수 있는 다른방법을 조건부로 제의하는 방법을적극적으로 검토해볼 필요가 있을것임

2. 한편, 11.26 로마의 FAO 총회에 참석한 MACSHARRY 위원은 로이터통신과의 회견에서 미-EC 간의 UR 농산물 협상에서의 타협노력이 지연되고 있다는 지적을 일축하고, 협상타결을 위한 유리한 여건이 형성되어 있다고 말하면서 UR 협상의 성공적인 타결을위해 일본도 무엇인가 기여해야 할 시기임을 강조하였으나 일본이 쌀시장 개방을 거부할 경우 UR 협상은 계속 추진될수 있느냐는 질문에 대해서는 답변을 거절함. 끝

(대사 권동만-국장)

예고: 91.12.31. 까지

관리번호 91-867

외 무 부

종 별 :

번 호 : JAW-6720 일 시 : 91 1128 1057

수 신 : 장관(통기,통일,농림수산부)

발 신 : 주 일 대사(일경)

제 목 : UR/ 농산물 협상

대 : WJA-5322

대호, 당관 김종주 농무관 및 조태영 서기관은 11.27 농림수산성 '미야모토' 국제경제과장 (GATT 담당과장)을 접촉, 던켈 사무총장의 DRAFT WORKING PAPER에 관해 문의한바, 동인의 발언요지를 다음 보고함.

1. 금번 페이퍼의 성격

가. 금번 페이퍼는 각 분야에 걸쳐 구체적 감축방법이라는 협상 방향을 제시하고 있다는 점에서 지난 6 월의 농산물 협상 '대안문서 (OPTION PAPER)' 보다는 상당히 진전된 것이기는 하나, 그렇다고해서 최종 협상타결 초안은 아니며, 양자의 중간단계 인것으로 생각함.

나. 그러나, 중간 단계라 하더라도, 구체적 수치만 들어가면 바로 최종타결초안이 될수 있는 페이퍼, 즉 실제로는 최종 초안 직전의 문서인 것으로 보임.

2. 동 페이퍼가 제시된 배경 및 동 페이퍼와 미.EC 간 막후 절충 과정과의 관계

가. 던켈 사무총장이 미.EC 간 의견접근이라는 사실에 힘입어 금번 페이퍼를 제시하게 되었다는 관측은 분명히 일리가 있다고 봄.

나. 그러나, 아직 확인된것은 아니지만, 미국과 EC 간 접근이 다시 후퇴하는 기미를 보이고 있으며, 이로써 UR 협상의 추진력이 약화되는 것을 우려하여 던켈 사무총장이 금번 페이퍼를 11.21 이라는 시점에서 제시했다는 관측이 있음.

0 미국의 UR 협상 실무선에서는 EC 측에 대해 양보하고자 하는 생각, 또는 알려진 바와 같이 '5 년간 수출보조금 35% 삭감 국내보조 및 수입제한 조치 30% 삭감' 정도까지 양보할 생각은 없었으나, 부시 대통령이 정치적 고려하에 11.9 미.EC 정상회담시 제시했다는 관측이 있음.

0 이러한 양보안에 대한 미국 실무진의 유보와 미의회의 불만으로 인해 제네바에서

통상국 장관 차관 2차보 아주국 경제국 통상국 분석관 청와대
안기부 농수부

PAGE 1 91.11.28 14:16
외신 2과 통제관 BN

0210

있은 미.EC 간 차관급 협의시는 미국측이 11.9 미.EC 정상회담시의 입장에서 오히려 후퇴했으며, 이결과 동 협의가 성과가 별로 없었던 것으로 알려지고 있음.

3. 동 페이퍼에 대한 일측의 평가

가. 일측으로서는 금번 페이퍼를 협상타결의 기초로 받아들일 생각이 없음.

나. 일측은 동 페이퍼에 대한 견해를 11.26 농업협상 36 개국 비공식 회의에서 다음과 같이 표명했음.

0 일측의 입장에서 볼때 금번 페이퍼는 많은 문제점이 있으며, 던켈 사무총장도 언급했듯이 금후 협상의 기초로하기 위해서는 많은 수정이 필요함.

0 관세화는 하나의 선택지가 되어야 하며, 완전관세화안은 수용 불가능

0 수출보조금 삭감문제에 대한 언급이 불충분한바, 수출보조금을 이와 같이취급하는 것은 용인불가능. 끝

(대사 오재희-국장)

예고:91.12.31. 일반

PAGE 2

0211

관리번호	91-873

원 본

외 무 부

종 별 :

번 호 : GVW-2508　　　　　　일 시 : 91 1129 1640

수 신 : 장관(통기,경기원,재무부,농림수산부,상공부,청와대 경제수석)

발 신 : 주 제네바 대사

제 목 : UR/농산물 협상

1991.12.31

1. 11.28(목) 개최된 표제협상 공식회의는 종전의 예에따라 의장의 협상진행 상황보고를 청취하고 종결할 예정이었으나, 작업문서 제시이후 사안의 중대성을 감안하여 본직은 ROSSIER 스위스대사 및 SEADE 멕시코 대사등과 오찬등 방법으로 사전협의, 표제 공식회의의 의례적 성격에도 불구하고 수입국의 강력한 입장을 밝히기로 합의하였고, 동 회의에서는 이들과 함께 예외없는 관세화와 관련하여 아국입장을 분명히 밝혔음.(농림수산부 조국장, 천농무관 동석)

2. 던켈 총장은 동회의에서 다음 요지의 협상진전 상황 보고를 하였음.

(동 보고서 별첨 FAX 송부)

- 시장접근분야

0 작업문서에 컨센서스가 형성되고 있는 기본 요소를 담고 있음.

0 포괄적 관세화와 관련 일부 국가가 문제를 제기하였으며, 개도국등은 전품목 양허에 대하여 우려를 표명하였음. 그러나 이들 국가는 특별 세이프가드, 삭감방법에 있어서의 융통성, 허용정책등 협상 전체적인 내용을 염두에 두고 기존 입장을 검토하기 바람.

- 국내 보조

0 소득보조를 위한 직접지불 정책을 허용정책으로 분류할 것인지가 주요 쟁점으로 남아 있음.

0 AMS 계산, 한계 보조 개념인정등에서 진전이 있었음.

- 수출 보조

0 삭감대상 정책은 직접수출 보조에 촛점을 두고 있음.

0 수출 보조삭감 방법은 아직 주요 쟁점으로 남아 있음.

3. 주요국 발언 요지

통상국	장관	차관	1차보	2차보	경제국	외정실	분석관	청와대
청와대	안기부	경기원	재무부	농수부	상공부			

PAGE 1　　　　　　91.11.30 07:05

외신 2과 통제관 BA

0212

- 스위스는 포괄적 관세화 개념에 문제가 있다고 하고, 특히 예외없는 관세화는 반대(OBJECTION)한다고 하였음.

- 오지리는 시장접근 분야에서 관세화와 관련된 사항들은 협상의 마지막 단계에서 결정되야 한다고 하면서 자국입장을 유보하였으며, 협상 결과는 현실성있는 것이 되어야 한다고 발언하였음.

- 멕시코는 다자간 협상은 컨센서스에 입각해야 한다고 하면서 예외없는 관세화는 컨센서스가 아직 형성되지 않았다고 하고, 브럿셀 회의시 제시된 헤스트룸 중재안에도 관세화가 시장접근 협상의 한가지 수단(INCLUDING TARIFFICATION)으로 만 되어 있다고 강조하면서 예외없는 관세화를 받아들일수 없다고 하였음.

- 본직은 작업문서가 현싯점에서 매우 중요한 의미를 갖는다고 평가한후 포괄적 관세화와 관련 아국은 깊은 우려를 표시함과 동시에 동건을 수용하기가 지극히 어렵다(SERIOUS RESERVATION AND GREAT DIFFICULTY)고 하였으며, 최종 협상결과는 현실적이고 정치적으로 수용 가능하여야 하며, 각국의 농업 발전정도 및 능력에 상응한 것이 되어야 한다고 강조하였음.

모든것이 해결될때까지는 아무것도 해결되지 않았다는 던켈 총장의 문구를 인용하면서, 아국등 수입국이 예외없는 관세화를 반대하는 입장이 협상결가에 반드시 반영되야 한다는점을 재차 강조하였음.

- 일본은 관세화 개념 자체를 반대하는 것은 아니나 포괄적 관세화는 수용할수 없다고 간단히 발언하였음.

- 카나다는 갓트 11 조 2(C) 의 유지.개선 필요성을 강조한후 예외없는 관세화를 수용하기 어렵다고 하였음.

- 이스라엘은 수출입국간, 선.개도국간 불균형을 지적하면서 예외없는 관세화를 수용할수 없다고 하였음.

- 북구는 예외없는 관세화는 핀랜드, 노르웨이, 아이스랜드의 경우 어려움이 있으나, 삭감의 융통성, 특별 세이프가드, 허용정책등 전체적인 PACKAGE 를 놓고 평가할 것이라고 하고, 인플레 효과에 대한 반영 필요성을 제기하였음.

- 인도, 튜니지아, 탄자니아, 태국등 아세안국가, 방글라데시등 개도국은 개도국 우대 내용의 불만을 표하였음.

- 호주(FIELD 차관)는 예외없는 관세화가 반영되지 않은 협상 결과는 수용할 수 없다고 강력하게 주장하면서, 작업문서는 형성되고 있는 컨센서스를 적절히 반영한

것이라고 주장하였음.

- 던켈 총장은 각국 발언을 기록해 남기겠다고 하고, 협상은 의장과 하는 것이 아니냐고 하면서 협상 상대국을 설득할 것을 당부하였음. 또한 작업 문서에제시된 사항(포괄적 관세화, 특별세이프가드, CMA, MMA 등)은 전체적인 협상의기초로 하지 않을수 없을 것이라는 점을 첨언하였음.

(GVW-2509 로 계속됨)

PAGE 3

0214

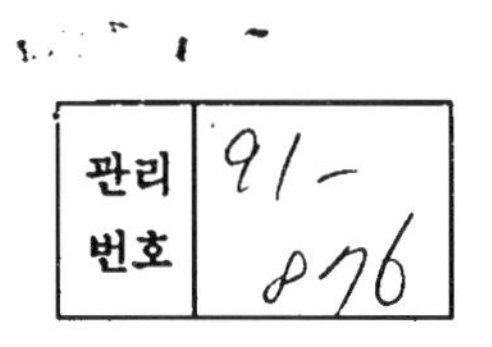

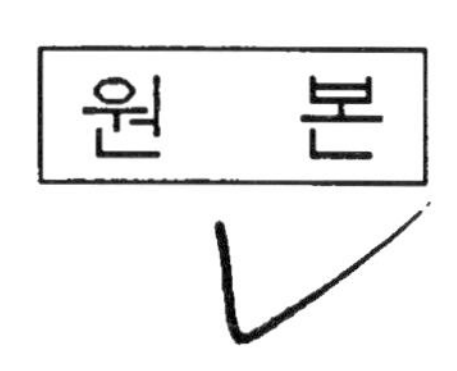

외 무 부

종 별 :

번 호 : GVW-2509 일 시 : 91 1129 1640

수 신 : 장관(통기,경기원,재무부,농림수산부,상공부,청와대경제수석)

발 신 : 주 제네바 대사

제 목 : GVW-2508 의 계속

4. 11.28.17:30 개최된 개도국 회의에는 던켈 총장이 참석하여 농산물 협상진전 사항에 대하여 개도국 질문에 답변하였는바 주요 언급 요지 하기임.

가. 향후 협상 일정

- 11.29(금) 개최예정인 TNC 비공식 회의시는 "농산물을 포함한 협상의 모든 분야에 협상의 기초(BASIS FOR THE NEGOTIATIONS) 가 있다는 점을 밝힐것이며, 정치적 결정을 할수 있는 단계에 접어들었음을 언급할 예정임.

- 총회 기간중에는 UR 관련 비공식 회의는 개최되지 않을 예정이며, 동 기간중 각국 정부가 최종입장을 정해야 할것임.

- 122.5-12.20 기간중에는 최종적인 심도 있는 협상이 개최됨.

나. 개도국 관심사항 답변 요지

- 관세 및 TE 삭감폭은 합의된 것은 아니지만 예컨데 평균 30 퍼센트, 품목별 최저 15 퍼센트선에서 논의가 있는 것으로 알고 있음.

- 특별세이프 가드는 관세화를 전제로 인정되는 것이며 이씨의 보정인자(CORRECTIVE FACTOR) 주장을 이분야에서 해결하려고 하고 있음. 동 조치의 영구적 허용 여부는 여타 협상 요소와 연계되어 검토될 것임.

- TE 는 향후 협상의 기준이 된다는 점에서 모두 양허되야 하며 같은 맥락에서 자유화 품목의 관세도 모두 양허토록 하자는 것임

- 수출보조의 균형 문제와 관련해서는 현재의 시장분할(MARKET SHARING)에서 시장 기능 회복의 방향으로 점차 개선해 나가려는 것임을 이해 해야함.

- R/O PROCESE 와 관련해서는 최대한 자동적으로 문제가 해결될 수 있도록 하고 있지만 일부 수출국과 수입국의 특수 이익을 양자간 감안 할수 있는 융통성을 마련한 것이며, 공산품에도 이와 같은 절차가 있음을 유념해야 함.

통상국 장관 차관 1차보 2차보 경제국 청와대 청와대 안기부
경기원 재무부 농수부 상공부

PAGE 1 91.11.30 07:37

외신 2과 통제관 BA

0215

- 수출보조 품목예시에 식품성 기름(VEGETAHLE OIL) 도 포함 될것임.

- 현재의 작업문서는 불부명한 점이 있는 것을 인정하지만 폴라로이드 사진처럼 앞으로 점차 선명해질 것임.

첨부: 농산물 협상 진전 상황 보고서 1 부

(GVW(F)-0559). 끝

(대사 박수길-국장)

예고:91.12.31. 까지

PAGE 2

0216

GVW(F)-055f 11/2f 1640

Check against delivery 28 November 1991

" 첨부 "

Uruguay Round Negotiating Group on Agriculture

Meeting of Thursday 28 November 1991

Chairman's Report on Informal Consultations

1. Since I last reported to you I have continued to consult intensively on an informal basis, and with a change of emphasis which reflects the decisive stage we are at in the Round. These consultations have effectively finished the technical work, or at least taken the consideration of technical issues as far as it can usefully go at the present stage. At the same time, the political dimension to the consultations has become more important. I concluded my last report to you, on 18 October, by noting that the negotiations were well placed to enter the phase of political decisions. We are now clearly in that phase. The political decisions which need to be taken are known, and their implications are understood thanks to the technical work that has been done. It now remains for participants to reach agreement on them in order to finalize the agriculture package.

2. The key questions for decision in agriculture were identified in my stocktaking to the TNC on 7 November (MTN.TNC/W/89 and Add.1). Since then a "non-paper" entitled "Draft Working Papers in Agriculture" has been made available to all participants. These working papers, which were issued on the Chairman's own responsibility, do not cover all aspects of the negotiations. They are intended to facilitate the negotiating process among participants. They take into account the consultations I have held so far, and look towards those that will take place in the near future. Their aim is to provide the basis for establishing the building blocks of an agreement on agriculture and for focusing the negotiating process on operational texts; but in particular, they highlight how urgent is the need for decisions on the key points which have been identified.

3. Understandably, my consultations have been conducted having in mind developments and progress in the other negotiating areas of the Uruguay Round. This is particularly true for market access, as a clear picture of

what would constitute specific binding commitments in this area should help participants to assess the scope for final concessions in all other areas of the Uruguay Round.

4. The working papers reflect, to the best of my present judgment, the basic elements which should be enhanced through the emerging consensus in this area. Of course, the books are not closed at this stage. However, taken together, the description of what the specific binding commitments should be and the proposed modalities for the tabling and implementation of these commitments should offer a solid basis on which assessments of the scope for concessions could be made. There are still some key elements missing, but I am confident that these could only be negotiated in a way which would improve, rather than detract from, the scope for concessions which is emerging.

5. I am also very aware of the fact, as it has emerged from my consultations, that an approach which centres around comprehensive tariffication raises difficulties - that I am far from minimizing - for some participants. For other participants, especially some developing countries, the idea of binding all agricultural customs duties is a source of concern. To all of these participants I have to state once again that further reflection is needed on what is being proposed on its entirety. I have in mind the combination of the elements which should constitute the so-called tariffication package: the special safeguard mechanism, the flexibility with respect to the modalities for reduction as well as other elements contained in the market access section and in the other areas of the agriculture negotiations, notably the "Green Box". This being said I have to repeat that we have reached the point at which the chances to build a fair and balanced package in the agriculture negotiations as a whole rests more on political decisions than further technical exploration.

6. Concerning domestic support, it is clear that the exhaustive technical work which has been done over the past months has been very useful. The outstanding political issue aside from the "numbers" - the size of the Green Box - is clearly defined. The decisions which have to be made

0218

HP 1-2

concern principally direct payments to producers and in particular the scope of exemption in respect of direct decoupled income support. My most recent consultations focused mainly on other types of direct payments, including revenue insurance and income safety-nets, retirement aid, environmental programmes and disaster relief.

7. Aside from the Green Box issue, the consultations have shown encouraging progress towards consensus on the Aggregate Measurement of Support and equivalent commitments. They have also revealed a high level of interest in a *de minimis* provision, under which "amber" support below a certain (small) percentage of the value of production would be exempt from reduction. This provision would be of particular interest to developing countries and others with very low or negative levels of support. It goes some way towards meeting the concerns that such countries have expressed about equity of commitments.

8. In the working papers it is suggested that the *de minimis* threshold should be higher for developing countries than for developed countries. Such a provision would form part of the implementation of special and differential treatment in this area, taking into account the recognized importance of assistance to agricultural and rural development in the development programmes of the countries concerned.

9. The further technical discussions on export competition have been very useful in helping to delineate and clarify the principal elements of the working hypothesis that has begun to emerge from the work in this area. In the course of the consultations it has been possible to focus in greater detail on the relative merits of the generic criteria/illustrative list approach on the one hand and the definitive list approach on the other.

10. The policy coverage of reduction commitments as defined in a definitive list, would comprise mainly direct export subsidies which generate readily ascertainable financial flows or whose linkage with quantities exported with such assistance is identifiable. These features

0219

55P- 6-3

are important from a practical or operational point of view because we need to have a reasonably concrete basis for the implementation and monitoring of export subsidy reduction commitments, as well as for ensuring that these commitments are not circumvented.

11. As noted in my previous reports, the scope and nature of the commitments and disciplines on certain forms of domestic support that can have an influence on export competition are also relevant.

12. The discussions on the modalities to be employed to give effect to reduction commitments continues to centre around the relative merits of commitments on budgetary outlays and quantities of subsidized exports. Progress on this question coupled with progress on the related question of the size of the cut and the base and implementation periods are among the most urgent issues at this stage of the negotiations.

13. In the course of the recent consultations it has also been possible to further and usefully explore such questions as export prohibitions, incorporated products, the concept of specific limitations as regards the extension of export subsidies to new products or markets, as well as special and differential treatment.

14. Overall it is my impression that the consultations in the area of export competition have prepared the ground for effective decision-making on the major issues. I am confident that once decisions are forthcoming on policy coverage and modalities it will be possible rapidly to get to grips with such matters as the framework of rules and disciplines and also to focus on the form and content of a declaration or decision on the possible negative effects of the reform process on net food-importing developing countries that would form an integral element of the results of the negotiations.

15. Turning to the fourth leg of the agriculture negotiations, sanitary and phytosanitary measures, consultations held at the expert level earlier this month on the draft text on sanitary and phytosanitary measures revealed a broad acceptance of most of the draft agreement as presented in

0220

55P- 6-4

Brussels last year. The discussions focused on the resolution of the few outstanding issues, including the need to permit the use of measures more stringent than those based on international standards when necessary to achieve compliance with other obligations of the draft agreement, and the most appropriate manner in which to take account of exporters' interests in the determination of appropriate levels of health protection.

16. Consultations were continued on the mechanics of a procedure for monitoring the use of international standards as well as on whether developing countries should be allowed a longer period of time before compliance is required with respect to their measures on imports.

17. Discussions also focused on whether measures for the protection of animal welfare, the environment and consumer concerns should be explicitly covered by the agreement. Some environmental aspects directly related to sanitary and phytosanitary measures are already implicitly covered, and consumer concerns are to some extent taken into account when a contracting party establishes the level of health protection it considers to be appropriate. Most participants argued that it is not appropriate to explicitly address these other concerns through this agreement and expressed the view that the disciplines proposed are not applicable to the issue of animal welfare.

18. Efforts continued to devise generally acceptable provisions on the rights and disciplines to be applied to national systems for approval of additives or pesticide residue levels. Still under consideration is whether there is a need for specific provisions on the application of the disciplines to subnational governments which would go beyond those established by the General Agreement and the interpretation of Article XXIV:12 being negotiated elsewhere in the Uruguay Round.

지방정부

19. It is clear that in this area there remain relatively few differences between contracting parties, and some possible compromises are under consideration. But the time is fast approaching when each contracting party will be called upon to make the decision whether or not the sanitary

55P- 6-5

0221

agreement, even if it does not reflect all preferences in each and every respects, is an acceptable first step forward in providing specific GATT disciplines in this area.

20. That completes my report on my informal consultations since mid-October. With it, plus the TNC stocktaking and the Draft Working Papers, participants have a clear view of what has been achieved so far in agriculture and what still remains to be done. And let me remind you that the negotiations on agriculture are an integral part of a much wider effort to strengthen and improve the multilateral trading system. I urge all participants to draw encouragement from the progress that has already been made in order to take the final decisions. For my part as Chairman I undertake as always to do all I can to maintain the maximum possible degree of transparency, as I continue my informal consultations through what I trust will be the successful final sprint to the conclusion of this negotiation.

551-6-6

관리 번호	91-874

원 본

외 무 부

종 별 :

번 호 : GVW-2510　　　　일 시 : 91 1129 1640

수 신 : 장 관(통기,경기원,재무부,농림수산부,상공부)

발 신 : 주 제네바 대사

제 목 : UR/농산물 협상

연: GVW-2455

연호 표제 공식 및 비공식 회의시 아국 발언문을 별첨 FAX 송부함.

첨부: 아국 발언문 1 부 끝

(GVW(F)-560)

(대사 박수길-국장)

예고 91.12.31. 까지

통상국	장관	차관	1차보	2차보	경제국	분석관	청와대	안기부
경기원	재무부	농수부	상공부					

PAGE 1　　　　91.11.30 04:16

외신 2과 통제관 FI

0223

GUW(F)-0560 пр/1640

"첨부"

26 November 1991
Korean Delegation

Statement on
Draft Working Papers on Agriculture
at Informal Consultations

Thank you, Mr. Chairman,

(Introduction)

I would like to express my appreciation for the Chairman's efforts in preparing the Draft Working Papers. Since the papers were presented at this critical point in the final phase of negotiations, a serious attempt was made to analyze them as best we could so that we could offer most constructive comments on them.

(General Comments)

We are pleased to note that the Papers reflect more or less the progress which has been made over recent months. They provide us with a detailed profile of the final agreement. However, we find that the papers are deficient in some very important aspects involving a few vital points of concerns expressed by some participants, including this delegation.

Our overall impression is that the framework as currently tabled establishes the modalities of the agricultural reform process in a manner which tends to serve the interests of the exporting countries and does not adequately reflect the interests of importing countries. Furthermore, in giving extensive treatment to the issue of market access, the framework lacks a balance among the negotiating elements of domestic support, market access and export subsidies. It does not duly take account of the differences in stages of agricultural development, the country-specific nature of agriculture, and political realities of participating countries. More attention should have been paid to the difficulties of importing countries.

It is our view that in order to avoid situations of socio-economic disruption or non-compliance, the framework of the agricultural reform process must be realistic and workable by reflecting the specific difficulties of individual countries.

Let me now offer some specific comments. Korea's position is already known to participants and we do not intend to reiterate it here. However, we feel compelled to make some comments on aspects of your Draft Working Papers which are of great concern to us.

Let me begin with market access. We have great difficulty with the concept of "comprehensive tariffication". While we accept, in principle, tariffication as a modality of market liberalization in agriculture, we are not in a position to accept tariffication for basic foodstuffs, including rice. We have repeatedly expressed our position and underlined our concerns on this issue, along with some other importing participants. We are deeply disappointed that our vital concern is not reflected in the Draft Working Papers, and want the future text to duly accommodate our legitimate concerns.

We are prepared to negotiate to increase market access opportunities on a Request and Offer basis. However, we cannot associate ourselves with the across-the-board, uniform approach. We feel that it is not reasonable to treat all products in the same manner in spite of differences in their sensitivity and importance in each country. For the same reason, we are considering tariff reduction and an expansion of the scope of tariff binding on a Request and Offer basis. I also remind you that we have repeatedly stressed the importance of the workability of Article XI:2(c). Efforts being made in this regard by some countries, including Canada should be strongly supported.

My second comment is on domestic support. We are pleased to note several positive aspects in the Chairman's Papers concerning, in particular, the treatment of non-trade concerns in domestic support, while believing that non-trade concerns are also an essential element and should be more appropriately addressed in market access. We believe that proper treatment of investment aid for structural adjustment will facilitate the reform process.

However, we find it problematic in terms of equity that policies and criteria thereon, as stated in the paper, create an imbalance between programmes which are and can be used by developed countries (such as direct payments to producers for income support and other direct payments), and less expensive programmes which can be used by developing countries. We should recognize that all subsidies distort production and trade to some extent. The overall level and effect on trade of subsidies are more important than their form.

In the reduction commitments on trade distortive internal support, the effects of inflation, production control and import ratios should be taken into account.

Thirdly, on export competition, it is our firm view that the focus of the negotiations should be placed on the discipline and substantial reduction of export subsidies which have the most distortive impact on world trade. As correctly stated in the stock-taking paper, this is of as much concern to exporting countries as it is to the importing countries who are expected to gradually open their markets. Further clarification of what is expected in disciplines of and reduction commitments on export subsidies is necessary. We note with concern that the scope of export subsidies subject to reduction commitments is substantially reduced.

We note the presence of positive elements concerning Special and Differential Treatment for developing countries, particularly in the recognition of the de minimis concept and investment aid. However, we should evaluate its value in the letters and spirit of special and differential treatment laid down in the Punta Del Este Declaration.

My last point is on reduction targets. Our offer submitted last year is still valid (that is, 30% cuts over a 10-year implementation period). We are prepared to negotiate the amount, base period and duration of commitments with the goal of reaching a compromise. However, we want to emphasize the point that the burden of reduction commitments should be equitable in terms of the responsibility for current world trade distortion and each country's level of economic development.

In conclusion, we confirm our commitment to assuming our due share of responsibility to bring about a more liberalized world trade system in agriculture in line with our capabilities. We reiterate and emphasize that we are not prepared to accept the concept of "comprehensive tariffication".

Finally, we wish to reaffirm our confidence in you, Mr. Chairman, and express our appreciation for your leadership in these difficult and complicated negotiations. Korea, which has a clear position and has been actively involved in the negotiations, will continue its full participation in all aspects of the negotiating process.

Thank you.

28 November 1991

Statement by Ambassador PARK
at Formal Agricultural Consultations

Thank you Mr. Chairman,

I am conscious of what you said at the beginning of this meeting. You stated that the purpose of the meeting is more or less designed to give those participants who had not participated in the informal consultations in the past the opportunity to comment on the Draft Working Papers.

Nevertheless, I find it necessary to make an intervention in view of the utmost importance we attach to a few vital points contained in the Draft Working Papers, among which the concept of comprehensive tariffication stands out for particular attention.

The Papers you presented last week are well structured and comprehensive in their quality and thematic coverage.

My delegation appreciates the fairness and seriousness with which you had attempted to tackle the major issues encompassing the three areas of negotiation in agriculture.

It is clearly a move forward towards the goal of achieving a final agreement on agriculture to which we are all committed. The very fact that these Papers emerged at this stage in our negotiations instill in us a sense of optimism concerning the final package that, we expect, will emerge by the end of the year.

Notwithstanding this preliminary optimistic assessment, I feel it regrettable to state that my optimism is tempered by some serious reservations and strong opposition already expressed by my fellow delegates with regard to the concept of comprehensive tariffication.

0228

560-6-5

As from the perspective of the Korean government, this issue of tariffication takes on so much significance in the overall outcome of the Uruguay Round negotiations, I wish to put on record the position of the Korean government that we have indeed very serious reservation with the comprehensive tariffication across the board, in disregard of the particular conditions of each participant.

We strongly believe that the final package should be realistic and workable for all participants and that the commitments of each country must be commensurate with its level of development and capability.

Finally, Mr. Chairman, I would like to remind you and the conference of the most often quoted phraseology you coined several months ago, namely "nothing is settled until everything is settled."

This is indeed crucially important that the views of those countries who had spoken clearly against the concept of tariffication without exception should be taken into account in the light of your often quoted expression.

Thank you.

t-60-6-6

0229

	분류번호	보존기간

발 신 전 보

번 호 : WGV-1731 911130 1319 BE 종별 :

수 신 : 주 제네바 대사. 총영사

발 신 : 장 관 (통 기)

제 목 : UR/농산물 협상 (농림수산부장관 서한)

대 : GVW-2482

1. 대호 귀관 수정안을 참고하여 재작성한 농림수산부장관 명의 Dunkel 갓트 사무총장앞 서한을 별첨 (FAX) 송부하니 적의 전달바람.

2. 동 서한 원본은 차 파편 송부 예정임.

첨 부 : 상기 서한 2매. 끝. (통상국장 김 용 규)

(WGVF-0348)

보안통제	

앙고재	91년 11월 30일	통상국 과	기안자 성명		과장	심의관	국장		차관	장관
			송봉헌				전결			

외신과통제

0230

외 무 부

110-760 서울 종로구 세종로 77번지 / (02)720-2188 / (02)725-1737

문서번호 통기 20644- 44475
시행일자 1991.12. 2.( )

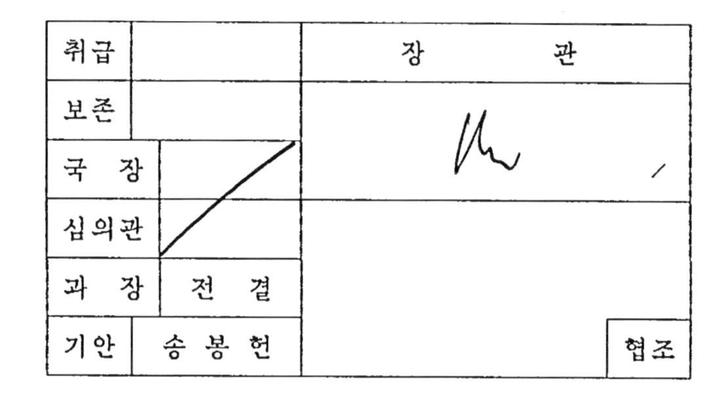

취급		장 관
보존		
국 장		
심의관		
과 장	전 결	
기안	송 봉 헌	협조

수신 주 제네바 대사
참조

제목 UR 농산물 협상

연 : WGV-1731

표제관련, 연호 농림수산부 장관의 Dunkel 갓트 사무총장앞 서한원본을 별첨 송부합니다.

첨 부 : 동 서한 1부. 끝.

외 무 부 장 관

0231

Ministry of Agriculture, Forestry & Fisheries
Republic of Korea
Seoul, Korea

November 25, 1991.

Dear Mr. Dunkel,

I am writing to draw your attention to Korea's views on the Draft Working Paper on Agriculture presented by you at the informal meeting of Group of 8 on November 21.

I am certain that all participants will share the sincere appreciation for your dedication and initiative to bring the Uruguay Round negotiations to an early and successful conclusion.

We expected that, as you indicated in your strategy of negotiations at the TNC meeting of November 7, you would present a balanced and equitable final package, acceptable to all participants.

However, it was very much embarrassing for us to learn that your Draft Working Paper of November 21 does not reflect Korea's vital interests. It was disappointing that your paper is so far from being a balanced and equitable one. Therefore, I'm obliged to say that it is extremely difficult for Korea to accept your Draft Working Paper.

We strongly urge that the final package reflect the vital interests of all contracting parties and the generic nature of non-trade concerns in agriculture be accommodated across the three areas of negotiation in agriculture-domestic support, market access and export competition.

More specifically, we would like to point out once again our basic position on tariffication that we accept tariffication as the modality for greater liberalization in agricultural trade, provided that a few basic foodstuffs including rice be excluded from tariffication. The comprehensive tariffication proposed in your Draft Working Paper goes far beyond the limits of economic and political tolerance in Korea.

0232

At this critical phase of the Uruguay Round negotiations, we believe that it is time for us to consolidate what we have achieved during the last five years.

We emphasize that the final package should be realistic enough to be politically acceptable by all contracting parties and the commitments of each country resulting from the negotiation should be commensurate with its level of economic development and practical enough to be fully implemented.

No doubt that the Korean government is firmly committed to the successful conclusion of the Uruguay Round negotiations. For that, Korea's vital interests should be duly accommodated in the final package.

I would greatly appreciate it if you would give careful and favourable consideration to issue of rice in which Korea has such a vital interest.

Yours Sincerely

Kyung-Shik Cho

Kyung-Shik Cho
Minister
The Ministry of Agriculture,
Forestry and Fisheries
The Republic of Korea

H.E. Mr. Arthur Dunkel
Director-General
Centre William Rappard
154, rue de Lausanne
1211 Geneva 21

0233

분류번호	보존기간

발 신 전 보

번 호 : WGV-1779 911206 1911 BE 종별 :

수 신 : 주 제네바 대사. 총영사

발 신 : 장 관 (통 기)

제 목 : UR/농산물 협상 (농림수산부장관 서한)

대 : GVW-2482

연 : WGV-1731, 통기 20644-44475 (91.12.2)

1. 연호 농림수산부장관 명의 Dunkel 갓트 사무총장앞 서한을 재작성, 별첨 (FAX) 송부하니 적의 전달바람.

2. 동 서한 원본은 차파편 송부 예정임. 끝.

(WGVF-0366) (통상국장 김 용 규)

보안 통제	

앙 고 재	91년 12월 6일	통상기구과	기안자 성명		과 장	심의관	국 장		차 관	장 관
			송봉헌				전결			후결

외신과통제

0234

Ministry of Agriculture, Forestry & Fisheries
Republic of Korea
Seoul, Korea

27 November 1991.

Dear Mr. Dunkel,

I am writing to bring to your urgent attention our view on a few major points in the Draft Working Papers dated 21 November 1991, which you kindly presented to the participating countries in the Uruguay Round negotiations.

I am certain that all participants share our sincere appreciation for your initiatives aimed at bringing the Uruguay Round negotiations to a successful conclusion.

It is my sincere hope that the negotiating package to be presented by the Chairman will be a balanced and equitable one, acceptable to all participants.

As viewed from this perspective, we feel disappointed to see that the Draft Working Papers as currently tabled do not duly reflect Korea's vital interests, and that they seem to lack a proper balance between the interests of importing and exporting countries. It is therefore extremely difficult for Korea to consider them to be the sole basis for further negotiations.

We are of the view that the final package must reflect the vital interests of all participants. The vital importance of non-trade concerns in agriculture over which we have repeatedly expressed our view, should be reflected across all negotiating areas in agriculture, particularly in relation to domestic support and market access.

I would like to emphasize once again our basic position on tariffication. We accept the concept of tariffication as a modality for greater liberalization in agricultural trade, provided that a few basic foodstuffs, including rice, are excluded from tariffication. The "comprehensive tariffication" proposed in your Draft Working Papers goes far beyond the limits of economic and political capability in Korea.

2-1

0235

While fully supporting the urgent need for integration of agriculture into the GATT system I would like to emphasize that we should not expect to achieve too much ambitious a goal at one stroke in disregard of the realities.

I am finally of the view that the final package should be realistic enough to be politically acceptable for all contracting parties and that the commitments of each country resulting from the negotiations should be commensurate with its level of economic development and capability.

As the Korean government is firmly committed to the successful conclusion of the Uruguay Round negotiations, it is my hope that Korea's vital interests should be duly accommodated in the final package.

I would greatly appreciate it if you would give careful and favourable consideration to the issue of rice in which Korea has such a vital interest as we progress toward the end of the negotiations.

Yours sincerely,

Kyung-Shik Cho

Kyung-Shik Cho
Minister
The Ministry of
Agriculture, Forestry
and Fisheries
The Republic of Korea

H.E. Mr.Arthur DUNKEL
Director-General
GATT
Centre William Rappard
154, rue de Lausanne
1211-GENEVA 21

2-2

0236

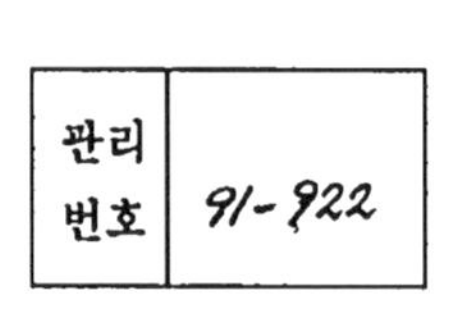

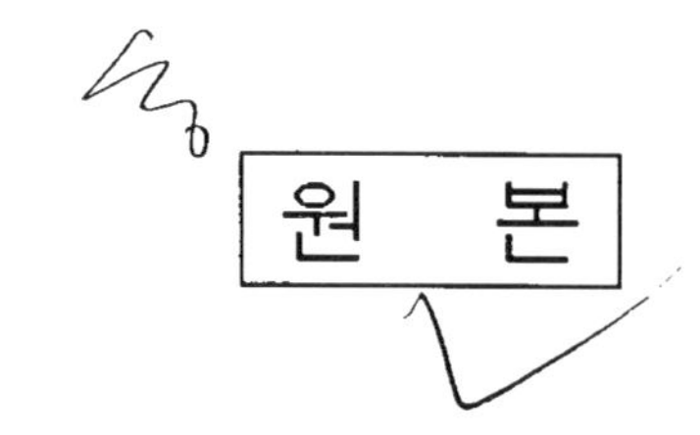

외 무 부

종 별 :

번 호 : GVW-2610　　　　일 시 : 91 1212 1600

수 신 : 장 관(통기,경기원,재무부,농림수산부,상공부,특허청,경제수석)

발 신 : 주 제네바 대사

제 목 :

대:통기 20644-45335

연: GVW-2602

1. 농수산부장관의 던켈 총장앞 서신 금 12.12, 전달하였음.

2. 본직은 작 12.11.TNC 비공식회의 이후 예외없는 관세화에 반대입장을 견지하고 있는 일본, 카나다, 스위스등 대사들을 접촉, 12.20 제시될 농산물 TEXT 와 관련 던켈 총장에 대한 공동 DEMARCHE 등을 포함한 관련 대책 및 전략을 협의키로 하고 또 11 조 2 항(C)에 대한 개정안 내지 "CLARIFICATION" 문제를 토의하기 위하여 우선 명 12.13(금) 09:00 약 10 개국 농산물 담당실무자가 카나다대표부에서 회동키로 하였음을 우선 보고함. 끝

(대사 박수길-국장)

예고:92.6.30 까지

통상국 청와대 경기원 재무부 농수부 상공부 특허청

PAGE 1　　　　91.12.13 03:18

외신 2과 통제관 FI

0237

원 본

외 무 부

종 별 :

번 호 : GVW-2686 일 시 : 91 1217 1100

수 신 : 장 관(통기,농림수산부)

발 신 : 주 제네바 대사

제 목 : 농림수산부장관 서신에 대한 답신 발송

연: GVW-2610

1. 연호 던켈 총장에게 전달된 농림수산부장관 서신에 대한 동인의 답변사본을 별첨 FAX 송부함.

2. 답신 원본은 차파편 송부 위계임.

첨부: 던켈 총장답신 사본 1부.

(GVW(F)-0635).끝

(대사 박수길-국장)

통상국 농수부

PAGE 1

91.12.17 23:42 FN

외신 1과 통제관

0238

주 제 네 바 대 표 부

번 호 : GVW(F) - 6635 년월일 : 11217 시간 : 1100

수 신 : 장 관 (통기, 농림수산부)

발 신 : 주 제네바대사

제 목 : GVW-2686 첨부

보 안 통 제	최

총 3 매(표지포함)

외신과 통 제	

0239

135-2-1

GENERAL AGREEMENT ON TARIFFS AND TRADE

The Director-General

GENEVA, 16 December 1991

Dear Mr. Ambassador,

Thank you for having transmitted the letter, dated 27 November 1991, which Mr. Kyung-Shik Cho, Minister of Agriculture, Forestry and Fisheries of the Republic of Korea, had addressed to me. I would be grateful if you transmitted to Minister Cho my attached reply to his letter.

Yours sincerely,

Arthur Dunkel

H.E. Mr. Park, Soo Gil
Ambassador
Permanent Representative to GATT
Permanent Mission of the Republic of Korea
to the International Organizations in Geneva
Route de Pré-Bois 20
1216 Cointrin

0240

128-2-2

COPIE-COPY

GENERAL AGREEMENT ON TARIFFS AND TRADE

The Director-General

GENEVA, 16 December 1991

Dear Mr. Minister,

I am writing to acknowledge receipt of your letter of 27 November 1991 in which you set out your views on some of the aspects of the negotiations on agriculture currently taking place within the Uruguay Round.

I have naturally taken note of the points you make in your letter. You are aware that the negotiations are not yet finished and that the representatives of Korea will have further opportunities of putting these points to their negotiating partners. Let me stress that, for a point to be reflected in the final outcome, it is the participants in the negotiations which need to be convinced of its validity, and not the Chair, since my rôle is limited to facilitating the attainment of a compromise between them.

Yours sincerely,

Arthur Dunkel

H.E. Mr. Kyung-Shik Cho
Minister
The Ministry of Agriculture,
Forestry and Fisheries
The Republic of Korea

0241

625-3-3

외교문서 비밀해제: 우루과이라운드2 13
우루과이라운드 농산물 협상 3

초판인쇄 2024년 03월 15일
초판발행 2024년 03월 15일

지은이 한국학술정보(주)
펴낸이 채종준
펴낸곳 한국학술정보(주)
주 소 경기도 파주시 회동길 230(문발동)
전 화 031-908-3181(대표)
팩 스 031-908-3189
홈페이지 http://ebook.kstudy.com
E-mail 출판사업부 publish@kstudy.com
등 록 제일산-115호(2000. 6. 19)

ISBN 979-11-7217-115-5 94340
979-11-7217-102-5 94340 (set)

책에 대한 더 나은 생각, 끊임없는 고민, 독자를 생각하는 마음으로 보다 좋은 책을 만들어갑니다.